EL DIARIO DE LOS JUEVES
(golpe a golpe, verso a verso)
Pepe Fons

Colección La Diversidad
© Pepe Fons, 2005
Diseño gráfico: G. Gauger

Primera edición: mayo del 2005
ElCobre Ediciones, S.L., 2005
c/ Folgueroles, 15, pral. 2ª - 08022 Barcelona
Maquetación: Tallers Gràfics Alemany
Impresión: Limpergraf
Encuadernación: Reinbook
Depósito legal: B. 20.544 - 2005
ISBN: 84-96095-85-1
Impreso en España

EL DIARIO DE LOS JUEVES

(golpe a golpe, verso a verso)

Pepe Fons

ElCobre

Índice

Koldo

Había llegado al lugar de la cita una hora antes. Tenía que reflexionar sobre lo que le diría a Mario, su hijo, y, si no le fallaba la memoria, hacía diez años que no se veían. No sabía qué cara tendría, porque cuando Soledad lo abandonó llevándose a Mario, éste iba a cumplir doce años; de eso sí se acordaba. Por lo tanto, estaba a punto de cumplir los veintidós; sería un mocetón o, seguramente, puede que ya fuese todo un hombre. ¿Se parecería a su madre? Así lo esperaba. ¿Qué le diría Mario? Lo lógico es que le reprobara su comportamiento y que le dijera que había sido un mal padre. Y ¿qué le respondería él? ¿Con evasivas o le diría la verdad? Sabía que no tenía excusas y que no le podía mentir con palabras engañosas. Le diría que, en efecto, era un padre egoísta que quiso romper con el pasado, que estaba descontento con el presente y que no veía ningún futuro. Horrible. No le podía transmitir esa visión de la vida a un chico que estaba empezando a vivir. ¿Qué le diría Mario si le soltaba esa barbaridad? Lo más probable es que ya tuviera su propio criterio y pensara que era un mal padre y punto. «Pero, si piensa eso, ¿por qué me ha telefoneado y quiere verme?» El pensamiento de Koldo era un constante ir y venir de dudas. Demasiadas preguntas y las pocas respuestas que tenía prefería no tener que dárselas. «Si Mario no me acosa y no me acorrala con un interrogatorio, estaré callado como una tumba. Aguantaré como sea y estaré a verlas venir», pensó. Se sentía horrorizado. Ni siquiera

11

tenía el pundonor o la vergüenza necesarios para afrontar ante su hijo lo que había hecho. Pero ese arrojo que necesitaba no lo había tenido nunca. Ni tras la ruptura con su mujer, cuando más lo necesitó. Primero, había buscado un voluntario olvido para no acordarse de la vida llevada con Soledad; posteriormente, se refugió en los libros y vivió lejos de la realidad, y después tuvo que soportar un sentimiento de culpabilidad que aún le pesaba.

Koldo se arremolinó en el asiento, se pasó las manos por la cara como si tratara de componer una expresión de serenidad y pensó en una cita de Machado que parecía escrita para describir cómo se sentía en ese momento:

Se miente más de la cuenta
por falta de fantasía:
también la verdad se inventa.

Nunca olvidaría el día en que su hijo lo llamó al despacho. Cuando la secretaria le dijo por el intercomunicador que Mario Iturriaga estaba al otro lado de la línea, notó cómo su cara pasaba del color granate al blanco en apenas unos segundos:

–¿Eres Koldo Iturriaga?

Sabía que estaba tardando demasiado tiempo en contestar, pero no encontraba el arrojo necesario para pronunciar un sencillo monosílabo:

–Sí.

–Soy Mario, tu hijo. A lo mejor ya no te acuerdas de mí.

–...

–Bueno. Dicen que el que calla otorga. Tampoco esperaba grandes frases después de diez años sin vernos. Te llamo para decirte que quiero hablar contigo.

–...

–¡Hola! ¿Estás ahí?

–Sí.

–¿Qué te parece?

–Raro. No sé qué decirte, después de tanto tiempo...

–El tiempo no es una medida de nada en estos casos. Cuando un padre abandona a su hijo ya sea por dos días o diez años no vale...

–Perdona, perdona. Me has interpretado mal. Estoy un poco nervioso. Lo que quería decirte es que...

–No te preocupes. Te he entendido. Creo que será mejor que nos veamos. Hablar por teléfono sin saber qué cara tiene el otro se hace un poco raro.

–Supongo que tienes razón. Bueno, pues...

–Como te vaya bien. Si estás muy ocupado...

–Está bien, está bien. Estaba pensando dónde podríamos quedar. No sé, me coges así... tan... y ahora...

–Tampoco te agobies demasiado. Quedamos para tomar un café en cualquier bar y...

–No, no. Mejor lo hacemos bien. Después de tantos años no quiero que nos veamos en la barra de un bar ruidoso. A ver... ya está. Quedamos para comer en un restaurante al que voy muchas veces. Es tranquilo, la comida es buena y los dueños son divertidos. Se llama Ernani y está...

–Perdona que te interrumpa, pero ya lo conozco. He ido varias veces con mi madre, pero hace años que no vamos.

–Si quieres podemos cambiar. Si te parece quedamos...

–No, me parece bien. ¿Qué día?

–Este jueves. A las dos. Me gustan los jueves; son entrañables.

–Bueno. ¿Puedo confiar en que irás?

–Claro, claro. No faltaré. Hasta el jueves, Mario.

–Hasta entonces.

Koldo colgó el teléfono y se quedó observándolo como si esperara alguna confirmación de que la conversación que había tenido con su hijo, tras diez años de silencio, se había producido realmente.

Ya en el restaurante, unos minutos antes de que dieran las dos, no conseguía sacarse de encima la sensación de irrealidad que le había acompañado desde que colgó el teléfono. Se quitó las gafas, las empañó con su propio vaho y las limpió con el faldón de la camisa. Era una costumbre que había adquirido de su madre y que le gustaba: «No se puede leer con las gafas sucias: es una falta de respeto hacia el autor del libro», le decía siempre Iziar. Sonrió y paseó la mirada por aquel restaurante que le recordaba tantas cosas. ¿Por qué lo había citado allí, si, en realidad, lo frecuentaba con Soledad? No lo sabía, pero, de alguna forma, intuía que por alguna afinidad con Mario no se le ocurrió otro lugar.

Allí estaba Gaizka, el dueño del restaurante, riendo las gracias de un cliente cuando no las suyas propias. Los pocos pelos que tenía eran canosos y su barriga había aumentado considerablemente estos últimos años. A él le gustaba frecuentar aquel lugar tan alegre, y el amor que se tenían Gaizka y su mujer, Txaro, le encantaba. Nunca los había visto discutir y siempre se gastaban bromas cariñosas. En cambio, él y Soledad habían sido demasiado diferentes: el blanco y el negro.

Se abrió la puerta del restaurante y entró un chico alto, espigado y rubio, llevando una chaqueta de cuero gastada. Cuando lo vio, sonrió y se acercó a grandes pasos. A Koldo le hubiera gustado disponer de más tiempo para observarlo, para estudiarlo, pero se le vino encima, de golpe. A primera vista, le pareció sano y simpático.

–Hola –dijo Mario, secamente.

–Hola, Mario –respondió Koldo con un hilo de voz–. La verdad, si te hubiera visto por la calle no te habría conocido.

–Yo sí –afirmó Mario–. Tú no has cambiado.

–Gracias. –Y levantándose le alargó la mano–. ¿No crees que tendríamos que darnos un abrazo?

–Como quieras –accedió Mario, sin excesivo entusiasmo.

Fue un abrazo desigual, asimétrico. Koldo le abrazaba con fuerza, como si quisiera comprobar que su hijo existía, que estaba ahí. Mario se dejaba hacer sin oponer resistencia pero sin colaborar para que el abrazo fuera algo más que un trámite. Les separó la llegada de Gaizka.

–¿Quién es este chico tan apuesto? –dijo Gaizka.

–Es mi hijo, Mario.

–¡Sopla! ¡Sí que han pasado los años!

–Encantado, soy hijo de Soledad. Habíamos venido algunas veces.

–¡Dios! ¡Si eras un mocoso!

–Ya lo ves, Gaizka, pasa el tiempo –advirtió Koldo.

–Bien, ¿qué queréis?

–Tú mismo, pero no estaría mal que se lo comentaras a Txaro. Hoy tenemos que quedar bien.

–Dalo por hecho, Koldo. Mario se chupará los dedos.

–Muchas gracias, Gaizka. Haces que me sienta importante –respondió Mario.

Gaizka se fue hacia la cocina y los dejó tranquilos. Padre e hijo se miraron, en silencio, como si estuvieran estudiándose. Mario fue el que tomó la palabra:

–El local no ha cambiado, está igual que siempre: las mismas fotos de Gaizka junto a cada uno de los clientes importantes –dijo como si hablara del tiempo con un conocido; casi por decir algo.

Koldo notaba que su hijo estaba a la defensiva, pero no estaba dispuesto a rendirse. Sentía tanto miedo como entusiasmo por tener a su hijo sentado ante él.

–Ni las sacará nunca ni pondrá nuevas –comentó en tono jovial–. Él dice que en las fotos se encuentra joven, con más pelo y más delgado. Txaro se ríe y lo besa siempre que se lo comenta a algún cliente.

—¿Aún se quieren?

«Está delante de mí, puedo hablar con él, sentir su olor, estudiar sus gestos, pero los diez años aún nos separan», pensaba Koldo. Aunque, a diferencia de lo que pensaba que ocurriría, encontraba siempre nuevas energías para seguir acercándose a su hijo.

—Se adoran. Nunca he visto una pareja que se quiera tanto. Por eso vengo tan a menudo; puedo sentir algo de su alegría.

—Ha sido una buena elección.

«Ha sonreído —pensó Koldo—. No me lo puedo creer; ha sonreído.» Sabía que había llegado el momento. Sabía que su hijo vendría a la defensiva, que no le iba a resultar sencillo recuperar diez años. Pero también sabía que si le había llamado, que si se había tomado la molestia de levantar un teléfono, hablar con él y venir a la cita no era para recordarle que había sido un mal padre. O por lo menos no había venido únicamente para eso. Había acudido a la cita para comprobar si valía la pena, después de tanto tiempo, sentarse delante del desconocido que lo abandonó y si podía recuperar a un padre. Y Koldo se guardaba un as en la manga, la llave para abrir la muralla de resentimiento y rechazo de su hijo.

—Si te acercas allí, en la esquina que da a la cocina y miras la foto que queda a la altura de los ojos, te sorprenderás.

Mario se levantó y fue al lugar indicado; cuando hubo visto la fotografía, se quedó petrificado y volvió a su sitio, emocionado.

—¿Qué te ha parecido? Estamos diferentes, ¿no?

—Mamá está guapísima. Y tú... bueno, tampoco estás nada mal. Se te ve muy joven y contento.

—¿Y qué hace el mequetrefe? —dijo Koldo.

—Saco la lengua. ¡Qué vergüenza! —respondió Mario.

–¿A que no sabes a quién le sacas la lengua? –continuó Koldo.

–No lo sé, tenía tres o cuatro años. Es imposible que me acuerde.

–Se la sacas a tu abuelo Aitor, en el único viaje que vino a vernos. No le gustaba Madrid: era demasiado vasco.

–¿Y por qué no salió en la foto? –inquirió Mario.

–Odiaba salir en ellas –dijo Koldo–. Decía que eran irrealidades y que algún día se volverían fantasmas.

–Extraño, ¿verdad?

–Era muy supersticioso.

Mario se quedó unos segundos mirando el plato, como si repentinamente tomara conciencia de que contenía la respuesta a algún enigma.

–Me gustaría –dijo Mario mientras levantaba la vista– que me contaras la historia de la familia.

«Ya está –pensó Koldo–. Por fin, estoy hablando con mi hijo.» Pero sabía que debía ser prudente, que no podía confiarse y creer que ya estaba todo el camino hecho. Debía desandar un camino de diez años de distancia y era consciente de que no lo iba a lograr en quince minutos.

–Algún día, quizá. Hoy vamos a hablar de comida. A través del estómago las personas se conocen; tenlo por seguro –dijo Koldo.

–Bien, me parece fantástico –aceptó Mario.

–Dime, ¿qué es lo que te gusta?

–Sobre todo, la pasta. Me gusta de todas las maneras posibles.

–¡Vaya! La pasta, precisamente, no es la comida típica de un vasco –dijo Koldo, haciendo aspavientos de fingida indignación.

–Lo sé, me lo ha dicho muchas veces mi madre: «A tu padre no le gustaría que comieras tanta pasta» –dijo Mario, imitando la voz de su madre.

–Es verdad, pero tienes que tener en cuenta que viniste a Madrid cuando tenías un año. A mí me gusta el pescado, pero sobre todo el bacalao al pil pil.

–No lo he probado nunca.

–Pues Txaro lo borda. Otra vez le diré que lo haga.

–Otra vez. Así que ya das por supuesto que habrá otra vez.

Koldo lo miró fijamente; luego, desplegó la servilleta y se limpió las gafas nerviosamente. No sabía interpretar las palabras de Mario. Quizá se estaba vengando de él. Quizá había acudido con la única intención de hacerle creer que podía recuperar a su hijo, pero acaso ya tenía decidido que no habría otra vez.

–Como tú quieras.

Lo había dicho con apenas un hilo de voz. Por la tardanza de Mario en contestar, dudaba de que efectivamente le hubiera oído.

–No te preocupes. Si tú quieres, a mí me gustaría que hubiera otra vez.

«No está jugando –se dijo Koldo–. No quiere mostrarse débil ni quiere que yo me sienta fuerte, pero no está jugando conmigo.»

–Bueno, pero sigamos hablando del tema de conversación más importante de este mundo. Aparte de la pasta, ¿qué más te gusta? –dijo Koldo, recuperando la convicción en la voz.

–El carpaccio.

–Parece que seas hijo de un italiano. ¡Qué horror!

–Lo siento –replicó Mario, juntando las palmas de las manos como si implorara perdón.

–Espero que te gusten las lentejas de Txaro. Además, después tenemos cocochas. Antes de sentarme he ido a la cocina y me he enterado de lo que había. No se lo he dicho a Gaizka, para no quitarle mérito.

–Probaré las lentejas, pero una vez comí cocochas y las encontré viscosas; perdona, no me gustaron.

–Verás, Mario, repetirás lentejas y te dispensaré de comer el manjar de los dioses.

–Vale, gracias. Comeré un trozo de carne bien grande.

–¿Un chuletón? –preguntó Koldo.

–Sí, estaría bien.

–Gaizka, dile a Txaro que prepare la carne como a mí me gusta –gritó Koldo.

–Tengo mucha hambre. De tanto hablar de comer, me comería hasta la carta y no dejaría ni un trozo de papel –advirtió Mario, mostrando una amplia sonrisa.

–Te explicaré una anécdota que estoy seguro de que te gustará. Juan Ramón Jiménez era amigo de Antonio Machado y solían salir juntos. Acostumbraban a encontrarse en el Café de Gijón, en el Paseo de Recoletos.

–Sí, lo conozco y he ido con algunos amigos. Me gusta mucho.

–Me alegro, porque yo suelo ir. Pues Juan Ramón narra en *Los papeles secretos de Puerto Rico* una historia sobre Antonio Machado, referente a una de las veces que se encontraron:

Una tarde me dijo, con gran secreto, que iba a leerme un poema, que iniciaba una nueva visión suya de las cosas. Sacó cuidadoso un papel doblado de su bolsillo y al abrirlo, en vez de poema, había un agujero. Se quedó atónito, más que yo. Se lo había comido. Yo sabía, por los libros que le prestaba, que él roía el papel, pero en los libros lo que roía eran las márgenes hasta dejarlos como países de abanico. Pero en su poema se había comido el poema.

–Pones tanto énfasis explicándolo que parece que hayas vivido con Machado.

–Por desgracia no he vivido con él, no lo podía conocer, no había nacido cuando murió, pero la que lo conoció era tu abuela Iziar. Cuando me explicaba cómo era y que se vestía de una manera estrafalaria, se me caía la baba. Ella me introdujo en su filosofía y en sus poemas.

Koldo sentía que se estaba dejando arrastrar, que quería explicarle a su hijo lo importante que había sido –que era– Machado en su vida. «Aún no. Es pronto», se repetía para no ceder al entusiasmo.

–Te dispenso de que te comas el papel del menú. Ahí vienen las lentejas. A por ellas. Castigado si te dejas sólo una.

Entonces, nada más acabar la frase, cogió la cuchara, se puso en pie y con voz clara recitó:

De un arte de Bien Comer,
primera lección:
No has de coger la cuchara
con el tenedor.

–De acuerdo. Tú y Machado me llevaréis de cráneo –comentó Mario con cara de fingido agobio.

Gaizka les sirvió las lentejas. Tras comprobar que olían de maravilla, los dos se abalanzaron sobre los platos y empezaron a comer como si hubiesen estado en ayunas durante varios días. De vez en cuando, Mario miraba a su padre y le brillaban los ojos. Koldo, con los carrillos llenos, le hacía señas para que continuara, para que no parara, y le blandía la carta como amenazándole de que, si dejaba una sola de las lentejas, se la haría comer.

–¿Estaban buenas? ¿Eh? –le dijo Koldo una vez que ambos hubieron vaciado sus platos.

–Riquísimas –respondió Mario mientras se frotaba la barriga.

–Tengo que educar tu estómago y tus papilas gustativas.

Pasta y carpaccio, ¡qué horripilante! Te haré probar una cococha y cambiarás de opinión –le recriminaba en broma Koldo con el dedo.

–Vale. Te haré caso –respondió Mario, divertido, bajando la cabeza en señal de asentimiento.

–Soledad se defendía en la cocina; no lo entiendo.

–Como en la universidad y para la cena me hago cualquier cosa –se justificó Mario.

–¿Tu madre no está, verdad?

–No suele estar.

–Bien. Aquí tenéis el chuletón y las cocochas, familia Iturriaga –dijo Gaizka, guiñando un ojo; y los contempló esperando a que probaran la comida.

–Exquisito –pronunció Mario con ademanes exagerados.

–Gaizka, mi hijo –y cuando pronunció «hijo», escrutó la cara de Mario por si veía alguna muestra de rechazo–, con esas expresiones, se comporta como un señorito de capital. Ya le puedes decir a Txaro que las cocochas están de cojones.

Koldo juraría que Mario no se había molestado porque se refiriera a él como su hijo. O por lo menos no lo había demostrado.

–Me alegro. ¿Sabéis que no os parecéis en nada? –sentenció Gaizka, mirándolos alternativamente como si asistiera a un partido de tenis.

–Lo sé. No nos parecemos, porque no nos hemos frecuentado. Si no seríamos como los perros que se parecen a sus dueños –dijo, riendo, Koldo.

–Tiene gracia –profirió Mario, riéndose relajadamente.

–Os dejo con vuestras tonterías –apostilló Gaizka.

Koldo y Mario le despidieron, se miraron y rieron durante un buen rato. Entonces, Koldo se levantó y recitó:

¡Reventó de risa!
¡Un hombre tan serio!
... Nadie lo diría.

Koldo hizo varias reverencias y se sentó riendo sonoramente. «Ahora se lo diré», pensó.

–Mario –Koldo intentaba que su voz sonara normal, libre de imploraciones o exigencias–, ¿te gustaría que nos viéramos aquí otro día?

Si se lo hubieran preguntado, Koldo habría asegurado que su hijo había tardado diez años en responder, los mismos que habían estado sin verse, los mismos que se había pasado temiendo y deseando ese momento.

–¿Por qué no? Pero pagas tú.

–Por supuesto –dijo Koldo mientras pensaba que daría sus ahorros, su trabajo, su casa y su biblioteca entera por comer otra vez con su hijo.

Ellos no sabían, en aquel momento, que aquel abrazo significaría el principio de una relación que los conservaría unidos y que las comidas de los jueves serían algo tan importante que marcaría sus vidas.

La infancia de Koldo

Mario esperaba en el restaurante y miraba nerviosamente su reloj. ¡Qué raro! Según Soledad, su padre era siempre puntual, algo que le había molestado a su madre, que llegaba tarde a todos los sitios. Era más que lógico que el matrimonio se fuera al traste. Koldo y su madre eran tan afines como un huevo y una castaña. Aunque cuando se conocieron tal vez no eran tan diferentes o quizá las diferencias no les importaron. Seguramente, se enamoraron por ser tan distintos, y, con el paso del tiempo, las diferencias que les habían unido se convirtieron en los motivos de la ruptura. En cualquier caso, Mario no tenía más piezas del puzzle que las pocas que le proporcionaba su madre, adicta al silencio y a responder con parquedad y malas caras a sus esfuerzos por comprender mejor por qué su padre se había ido. Aún se sorprendía de sí mismo cuando pensaba en su padre. Se obligaba a llamarle Koldo porque la palabra «padre» había sido siempre para él una palabra ajena, una palabra que no le pertenecía, una palabra que servía para designar una realidad que los otros poseían pero que a él le estaba vetada. Aún recordaba, con una ligera punzada de autocompasión, cómo se le hacía un nudo en la garganta cuando en clase el profesor le preguntaba: «¿Vendrá a hablar tu padre conmigo este cuatrimestre?, Mario». «No, señor. Mi padre está viajando. La Marina lo ha destinado a los Mares del Sur.» «Mario, dile a tu padre que tiene que firmar las notas.» «Las firmará mi madre. Mi padre está de viaje de negocios en Argentina.» «Mario, dice mi papá que tú no tienes padre. Que tu mamá es tu papá y tu mamá a la vez.» «Eso es mentira. Lo que pasa es que tu papá está cansado de trabajar en una oficina y tiene envidia de que el mío viaje por todo el mundo.» Nunca le comentaría a Koldo que se inventaba un padre cada vez que le preguntaban por él. Que cada mentira debía ser más fantástica, que se había convertido en el mejor de los fabuladores, que cualquier cosa que le viniera a la cabeza le servía como coartada para no asumir que su padre no estaba. Ahora, y desde hacía algunos años, desde que comenzó la universidad, le gustaba aparentar que era un tío seguro de sí mismo, autosuficiente; le gustaba alardear de su orfandad. Se sentía importante recogiendo las miradas de compasión y ternura de las chicas cuando les decía que él se había criado solo: sin padre, porque éste les abandonó siendo él muy pequeño; y casi sin madre porque estaba demasiado ocupada de sí misma como para acordarse de que tenía un hijo. Exhibía la ausencia de su padre como el soldado que enseña orgulloso las cicatrices de guerra. Así, había pasado de la nostalgia infantil al rechazo adolescente. Pero con los años comenzaba a aprender que sentía ambas cosas por su padre: nostalgia y rechazo. No dejaba de ser curioso que ambos sentimientos no fueran incompatibles, sino que se dieran sentido el uno al otro. No se compensaban, no se anulaban. Cuando sentía algo parecido a la melancolía o la nostalgia le nacía, de pronto, una especie de rencor que no sabía si iba dirigido hacia su padre o hacia sí mismo por haberse dejado vencer por la debilidad. Rechazaba y necesitaba a su padre. Y lo había demostrado en la cita que habían tenido. Quizá se le había ido la mano. Hubiera preferido mostrarse completamente distante, dueño de la situación. Había querido llevarle personalmente diez años de indiferencia a su padre y dejárselos sobre la mesa para que se los tuviera que llevar a cuestas. Creía que podía entrar y salir del restaurante como si entrara a comprar tabaco. Creía que estaba vacunado contra nostalgias, que sus veintidós años le otorgaban un bagaje vital suficiente como para no dejarse sorprender por sentimentalismos de telenovela. Pero había sucumbido. Y no cuando entró en el restaurante, sino el día que decidió llamarle por teléfono. No había sido una decisión largamente meditada. Todo lo contrario. Llevaba semanas sin pensar prácticamente en su padre. A veces, cuando una tarde se quedaba en casa, lejos de la vida excitante de la universidad, quedaba espacio en su cabeza para pensar en él. ¿Estaría con otra mujer? ¿Le echaría de menos? ¿Se habría arrepentido? Pero el día que le llamó, su padre era la última persona del mundo en la que hubiera pensado. Un viernes por la tarde tras una mañana repleta de clases, datos, apuntes, conversaciones en los pasillos, y antes de salir para reunirse con sus amigos y vivir el lado menos académico de la carrera: el de las chicas, las salidas y la noche. Su madre se había dejado al lado del teléfono la agenda telefónica abierta, y ésta mostraba la página de la letra I. Estaba acostumbrado a convivir con los despistes y el desorden de su madre, así que levantó el auricular para iniciar la ronda de llamadas telefónicas previas a un viernes noche y se distraía ojeando los nombres escritos en la agenda. Tuvo que leer el de Koldo Iturriaga varias veces para caer en la cuenta de que se trataba del nombre y apellido de su padre. Lo primero que se le ocurrió, mientras marcaba sin pensar el número que venía al lado, el número de la oficina de su padre, fue que era la primera vez que veía el nombre de su padre escrito. Hasta entonces, había pensado en él, había hablado de él con su madre, había mentido sobre él, pero nunca había tenido constancia escrita del nombre de su padre. Puede que ya tuviera decidido ponerse en contacto con él algún día y que sólo esperara a que el destino le ofreciera la ocasión, evidente e irrechazable, para que no pudiera echarse atrás. Escuchaba la señal del otro teléfono convencido de que colgaría nada más oír la voz de su padre. En cambio, a los pocos segundos, se oía conversar con Koldo y sentía que asistía como un tercero entrometido a una conversación entre dos personas que no tenían nada que ver con él. Casi sintió más rabia por sí mismo que por la indecisión y los titubeos de su padre. Estaba preparado para que el día que hablara con su padre por primera vez éste se mostrara sorprendido, para escuchar las vacilaciones y temblores de su voz, pero no para sentir el nudo en la garganta que le atenazó y que le obligó a hablar secamente, modulando cada sílaba para que no se filtrara emoción alguna entre las rendijas de las palabras.

Otra mirada al reloj. «Sólo han pasado cinco minutos, pero aún no ha llegado.» Había acudido a la primera cita con la intención de verlas venir, parapetado tras la expresión de seriedad y de estar de vuelta de todo con la que se enfrentaba a las chicas y alardeaba de las medallas de su orfandad. ¿En qué se convierte un padre que abandona a su familia? En un hombre frío e indiferente o en un hombre empequeñecido por la culpabilidad. «Veré qué tipo de hombre es y me iré por donde he venido.» Pero no había pensado en qué se convierte un hijo que se reencuentra con su padre tras diez años de ausencia. Ya no era el niño que se inventaba un padre que viaja por medio mundo, que se creaba un héroe, ni tampoco era el adolescente que engrandecía su currículum de tipo duro para salirse de lo convencional, para no ser tan vulgar como los demás, que tenían una madre y un padre esperándoles en casa. Era el adulto que llegaba a intuir –y aunque se sorprendiera de pensarlo, casi a comprender– las razones que pueden empujar a un hombre a dejar a su mujer y a su hijo para iniciar una nueva vida. Hacía tiempo que habían dejado de gustarle las películas de buenos y malos. No podía explicarse el comportamiento de su padre resumiéndolo en que era una mala persona. Cuando vio la foto en la que aparecían su madre, Koldo y él con apenas seis años, supo que no le iba a ser tan sencillo marcharse del restaurante sin ningún lastre. Entrar y salir. «Tan sencillo como entrar a comprar tabaco», se convencía días antes, la noche antes, minutos antes de entrar en el restaurante. Pero cuando vio la foto supo que el Mario Iturriaga que había entrado en el Ernani ya no sería el mismo que saldría más tarde. Le dio la impresión de que en esa foto estaban contenidas las piezas que le faltaban del puzzle, las respuestas a las preguntas que no le podía hacer a su madre. «Hay algo en esa foto, hay algo en la mirada y en los gestos de mi padre en esa foto, que me pertenece.» Si no hubiera visto la maldita foto, tal vez hubiera cumplido su plan. Pero allí estaban ellos: su madre, Koldo y él, un crío aún, sacando la lengua, como si fueran una familia normal, porque aún eran una familia normal y no una familia desmembrada. ¿Por qué su padre se había exiliado de aquella foto de sonrisas y aparente felicidad? Y ¿por qué a él le importaba tanto, ahora, cuando creía que ya se había acostumbrado a vivir sin padre? ¿Por qué le había pedido que le contara la historia de la familia? «Quizá soy como los demás. A lo mejor también necesito verme en el espejo de mis padres para saber quién soy.»

Miró otra vez el reloj y vio a Koldo a través de la cristalera. Estaba discutiendo con un guardia y juntaba las manos implorándole que le dejara estacionar allí. De vez en cuando, le decía algo al oído y el guardia se reía. ¿Qué es lo que le enseñaba de la cartera? Por lo menos le había dejado aparcar en aquel lugar reservado a carga y descarga. «Hasta las cuatro», le decía el guardia mostrando cuatro dedos y señalando luego el reloj. Así, mirando a su padre sin que éste lo supiera, se daba cuenta de que aparentaba menos edad de la que tenía. Aunque tampoco conocía su edad exacta. Hasta una información tan sencilla, un dato tan concreto, era un misterio cuando se refería a su padre. ¿Cuántos años debía de tener? No creía que tuviera más de cincuenta años. Entró como un vendaval, saludó a Gaizka, que le hizo un gesto con la mano como si le recriminara por llegar tarde, y fue corriendo hacia la mesa, la misma de la otra vez.

–Lo siento, Mario. Te juro que no acostumbro a llegar tarde. Para mí es imperdonable –dijo su padre mientras intentaba recuperar el ritmo normal de la respiración.

–No te preocupes. Ni me había dado cuenta de que llegabas tarde –mintió Mario.

–Bueno. ¿Qué tal? ¿Cómo estás? Me alegro de que hayas venido.

–Bien. Yo también me alegro de que estés aquí. ¿Vienes de trabajar?

–Sí. Y lo primero que tienes que saber es que tu padre acaba de perder a un cliente importante.

–¿Por? –Mario adoptaba un tono de voz de excesiva formalidad. Sin el poso de agresividad que le había acompañado durante la primera cita, pero sin bajar aún todas sus defensas.

–El muy cretino no quería dejarme marchar –respondió su padre, contento de explicarle a su hijo esa pequeña anécdota de su día a día–. Me retenía a la fuerza y yo le juraba y perjuraba que me estaba esperando mi hijo y él decía: «¿Y qué?». Me he enfurecido y le he dejado con la palabra en la boca. –Miraba a Mario calibrando hasta qué punto le interesaba la anécdota, hasta dónde quería entrar en su vida cotidiana–. Espero que lo arregle Marta, mi secretaria, porque el cliente de marras le gusta un montón.

–¿Y qué le decías al guardia?

–Que me dejara aparcar –dijo Koldo, y se concentró para no poner demasiado entusiasmo en la siguiente frase–.

Además, le he dicho que tenía una cita importante y que no podía llegar tarde.

Mario se escudaba tras la carta del restaurante y dialogaba con su padre mientras simulaba leer y releer la lista de primeros y segundos platos.

–¿Y qué le has enseñado cuando le has mostrado la cartera?

«No me mira a los ojos cuando me habla. Me quiere evitar», pensó Koldo.

–La foto de la chica que me estaba esperando. Siempre cuela. La complicidad une y mueve montañas –dijo Koldo, y soltó una sonora carcajada.

–No sabía que tuvieras novia –señaló Mario, que aún no quería rendir sus armas–. Según mi madre, has nacido para ser soltero.

–Seguramente tiene razón, pero salí durante dos años con una chica francesa que estaba como un tren y tengo una foto suya en bañador.

–¿La puedo ver?

–Claro, toma –y sacó la fotografía en cuestión de la cartera.

Mario la miró de arriba abajo varias veces, sinceramente sorprendido de que una chica como la que aparecía en la foto, una rubia con ese aire de suficiencia y elegancia que tienen las rubias que se saben guapas, hubiera compartido su vida durante dos años con su padre.

–Vaya, Koldo, eso son palabras mayores –afirmó Mario, asintiendo repetidamente con la cabeza–. ¿Por qué dejaste a esta divinidad?

–No sé. Cuestión de carácter –respondió Koldo, poniéndose algo más serio–. Era muy frívola, pero aprendí francés.

–¿Sales con muchas chicas? –inquirió Mario, mirando por primera vez a los ojos de su padre mientras se dirigía a él.

—Esa pregunta te la tengo que hacer a ti —replicó Koldo, sonriendo de medio lado.

—Con algunas. —Mario alisaba la servilleta como si intentara eliminar una inexistente arruga—. Pero aún no he encontrado a la chica que me haga pensar en el noviazgo.

—Bien, todo llegará. ¿A que no sabes lo que nos ha preparado Txaro?

—Me lo imagino: bacalao al pil pil.

—Justo —confirmó Koldo mientras aplaudía—, pero seguro que te lo habrá dicho.

—No, te juro que no. Lo dijiste tú el jueves pasado.

—Ahí viene Gaizka con el tesoro.

Gaizka se aproximaba a ellos con pasos cortos y rápidos, soplando para que supieran que el bacalao estaba tan recién hecho que aún quemaba. Dejó la cazuela en la mesa, se puso recto y los miró alternativamente.

—Muchachos, basta ya de charlas, lo que os traigo es cosa seria —pronunció solemnemente.

Koldo y Mario se miraron, se encogieron de hombros y se sirvieron una buena ración de bacalao. Blandieron los cubiertos como si fueran armas de guerra y empezaron a comer con avidez. Una pareja que estaba en la mesa de al lado los miró con simpatía.

—Está de morirse, Gaizka —dijo Mario, poniendo la mano sobre la boca para que no se le cayera demasiado bacalao—. Tenías razón, Koldo, Txaro es una cocinera excelente.

—Me alegro. ¿Sabes?, he estado esperando toda la semana a que llegara el jueves. Me gustaría que aprovecháramos el tiempo perdido.

—Te recuerdo que el tiempo lo has perdido tú. Yo no me fui —dijo Mario, mientras moderaba el ritmo de su masticación.

—Lo sé, lo sé —aceptó Koldo. Inspiró profundamente, consciente del riesgo de las palabras que iba a pronunciar—.

Habla sin cuidado, Mario, sin tapujos. Dime lo que has pensado de mí durante todos estos años en que no nos hemos visto.

–No lo sé con precisión –respondió Mario, arqueando las cejas–, pero quería conocerte. No tengas miedo, nunca te he odiado ni he sentido ningún resentimiento contra ti. Siempre me extrañó que te marcharas. Intuía que te fuiste por mi culpa.

–Eres muy buena persona, Mario. Mucho mejor persona que yo. Gracias por sacarme un peso de encima, pero el que no ha cumplido con sus obligaciones soy yo.

–He vivido lo suficiente como para saber que a veces hay que tomar decisiones que los demás pueden juzgar como malas –Mario estaba contento de poder hablarle a su padre con esa desenvoltura, con esa magnificencia, como si estuviera en sus manos conceder bulas y perdones–, pero no creo que siempre haya un motivo concreto, una causa específica. La cuestión es que ahora estamos aquí y no sabemos cuándo volveremos a vernos.

–A mí me gustaría que nos viéramos muchas veces más, Mario. Me sorprendes. No pensaba que mi hijo tuviera las ideas tan claras y que me diera una lección de modos. Supongo que querrás saber algo de mí, aunque tu madre te habrá explicado cosas.

–Mi madre no ha querido contarme nada de ti. Tampoco me ha hecho demasiada falta. Siempre me ha gustado ser una persona que mira al futuro y no quería perder el tiempo pensando en un pasado que es más importante para vosotros que para mí. Por algunos comentarios que se le han escapado, me he ido formando un rompecabezas, pero me faltan muchas piezas.

–Supongo que no se sintió muy feliz conmigo. ¿Sabes?, los últimos años fueron de una desavenencia total, apenas nos hablábamos. Pero no quiero ahondar en nuestra mala relación. Procuraré darte una visión neutral y tú serás el que te formarás la idea justa de lo que nos ocurrió. Te veo con capacidad analítica para ello. Si no te importa escucharme...

–Como quieras. –Mario dejó los cubiertos sobre el plato y se reclinó en el asiento.

–Creo que todo empezó en Lekeitio en el año 1910, cuando nace mi padre, Aitor. En aquellos tiempos, como ya sabrás, el pueblo vivía de la pesca. Más adelante se instaló un astillero y Aitor trabajó en él hasta el día de su muerte. –Koldo dejó unos segundos en el aire esa referencia a su padre para comprobar el efecto que producía en Mario. Éste le hizo una señal con la cabeza para que continuara–. Tu abuelo tenía setenta y un años y aún iba a dar consejos, y los obreros le escuchaban con respeto. Sabía construir barcos. Sí señor; era todo un maestro.

–Debe de ser un oficio bonito –apuntó Mario.

–Sí, lo es. La botadura de un buque o de un velero es excitante. A mi padre siempre se le escapaba alguna que otra lágrima de la emoción y yo me mordía las uñas de los nervios que me cogían. Él era muy sentimental; al revés que mi madre, que tenía temple de acero.

–¿Cómo era la abuela exactamente?

–Iziar era una mujer muy cultivada. Nació en 1915 en Rentería y siempre fue la lista de la clase. Cuando cursó estudios superiores coincidió con Koldo Mitxelena, que fue escritor y director de la Academia vasca y que estaba considerado como una de las máximas autoridades en euskera, ¿sabes? –Koldo había decidido no explicar directamente los motivos que le llevaron a romper con su madre. «Le explicaré la historia de la familia. Seguro que le interesa.» Quería que se fascinara por la familia porque tenía miedo de que le juzgara demasiado deprisa y no esperaba, precisamente, un veredicto a su favor–. Mitxelena propuso las bases del *euskara batua*; los vascos le adoran. Iziar se enamoró de él, y, según dicen, él no supo nunca de ese amor platónico, pero apasionado, que a ella la tenía obsesionada. Por esta causa, le fascinó la historia de Antonio Machado y las cartas que dio a luz Concha Espina en un libro que causó un verdadero escándalo, ¿sabes? Seguro que ya conoces la historia. El célebre poeta estaba enamorado de Pilar, que ya era escritora cuando se conocieron en el Hotel del Comercio en Segovia, donde ella se hospedaba. Pero como ella estaba casada y tenía tres hijos su amor fue imposible. La noche del sábado 2 de junio de 1928, visitaron el Alcázar y convirtieron esa visita en el principio de su clandestina relación. A partir de entonces, comenzaron a verse asiduamente y a escondidas en Madrid, en un café, modesto y apartado, del barrio de Cuatro Caminos, donde Machado, cuando volvía de Segovia, se encontraba una vez a la semana, generalmente el viernes, con Pilar. ¿Qué te parece?

–Como nosotros, pero un día después.

–¿Cómo? –preguntó Koldo.

–Que tú y yo nos encontramos los jueves y ellos, los viernes.

–Sí, sí, tienes razón –se apresuró a contestar Koldo, exultante de que su hijo hablara de «nosotros» y de sus citas como si fueran a tener una continuidad–. Y no te extrañe que yo obre en paralelismo y por eso te haya citado otros jueves influido inconscientemente por la obra machadiana, que revierte en mí y me obsesiona hasta tal punto que actúo bajo su influjo pero no me doy ni cuenta. Piensa que tanto Iziar como yo basamos nuestros actos, y diría incluso que nuestra vida, en la obra y la filosofía del poeta.

–Es curioso...

La comida se había convertido en un monólogo que se escenificaba ante un único y exigente espectador. Koldo se esforzaba por ser ingenioso, por recordar las historias más interesantes de su familia, consciente de que tenía ante sí una oportunidad única. Su hijo le estaba escuchando, le miraba, le preguntaba. Tenía que estar a la altura de las circunstancias, y sólo pensar en la posibilidad de un fracaso se le hacía un nudo en la garganta. Para evitarlo, había decidido hablar y hablar, aunque fuera atropelladamente. No quería que hubiera más silencios entre ellos. Tenía que hablar por todos esos años que habían estado sin verse. Diez años de silencio habían sido más que suficientes.

–Sí, quizá sea curioso –continuó Koldo–. Pero la evidencia es que está siempre presente. Yo soy un estudioso de la obra de Machado, ¿sabes? Me sé su vida, su gran amor, sus treinta y seis cartas escritas a Pilar, sus poesías. Todo de memoria –apuntilló, orgulloso.

–¿Y no se te hace extraño vivir y hablar en boca de otro, aunque ese otro sea Machado? –cuestionó Mario.

Koldo empezaba a sentirse más relajado. «Estamos conversando. Le estoy hablando de mí a mi hijo, y él me pregunta. Me hace preguntas. Se interesa por mí.» Hizo un gesto con la mano como si quisiera quitarse importancia.

–Es parte de mí. Vivo con ello. Me fluye solo, no me importa e incluso me gusta.

–Háblame del amor de Iziar hacia Mitxelena.

–Fue un amor puro. Desconozco si se cartearon. Todos los escritos de mi madre fueron destruidos en un incendio, pero eso te lo contaré más adelante. –«Más adelante. Le he dicho que hablaremos más adelante y no se ha negado»–. Aitor e Iziar se conocieron en la botadura del velero que encargó su padre al astillero y ella fue quien lo inauguró rompiendo una botella de champán en el casco de la nave. Ocurrió lo clásico que habrás visto en una veintena de películas: Iziar no tenía la fuerza necesaria para romper la botella y Aitor, vestido de marino y con un gorra que le hacía parecer un almirante, le ayudó a estrellarla con ímpetu para conseguir el objetivo deseado, bajo las risas de los presentes. Esa historia la oí cientos de veces, dicha por mi padre o mi madre. La narraban, se miraban, se reían y se daban un beso.

—Es una historia muy bonita.

Sólo había transcurrido una semana desde la comida anterior, una semana, nada en comparación con los diez años que habían estado separados, y cómo habían cambiado los gestos, las miradas, la forma de sentarse. Siete días antes, Mario estaba sentado en el borde de la silla, como dispuesto a irse en cualquier momento, fumando un cigarrillo tras otro y comiendo como si llevara meses sin probar bocado, quizá para llenarse la boca y tener una excusa para permanecer callado. Su padre había balbuceado más que hablado, rígido, doblando y desdoblando la servilleta, mirando continuamente la puerta de la cocina para ver si venía Gaizka y les ayudaba a romper el hielo. Ahora, Mario apoyaba la barbilla relajadamente en su puño derecho y Koldo daba la impresión de estar hablando con un viejo amigo, pues gesticulaba, servía vino y reía sonoramente.

—Sí que es una historia bonita, sí. Se quisieron siempre aunque eran más que dispares, ¿sabes? Fíjate, para mi padre su gran pasión eran los barcos y el mar, y mi madre era una amante de la literatura. Pero Aitor se empeñaba en distraerla cuando se sumergía en sus libros y perdía la noción del tiempo. De esa mezcla salí yo. Me gusta mi velero, el *Machado*, el mar y, por descontado, la lectura. Y digo lectura en vez de literatura, porque mi padre, que estaba celoso de todo lo que fuera letra escrita, no me dejó estudiar la carrera literaria y me forzó a que estudiara empresariales.

—Hubieses sido un buen escritor. Relatas muy bien y le pones empeño.

—Será que soy un lector y me gusta contar, aunque hacía tiempo que no lo practicaba. Vivo encerrado en la fábrica y la biblioteca. Y aquí viene la parte difícil de la historia, la que demuestra por qué soy como soy: una simbiosis que habita en mí mismo y que me atormenta y no me ha dejado ser feliz del todo, un querer y no poder. Como si el bacalao tan rico que nos hemos comido no tuviera gusto a bacalao.

–Pero da la impresión de que eres un buen negociante en la empresa en que trabajas y que llevas las riendas con mucha seguridad.

–Sí, pero actúo como si fuera una pantomima; me falta corazón –dijo Koldo, llevándose la mano derecha a la altura del corazón y agarrándose la camisa.

–Y la literatura la vives y la disfrutas.

–Sí, pero nunca he escrito nada. La verdad, todo lo hago a medias. Soy un frustre, no lo dudes. Me gustaría hacer algo de lo que estuviera convencido, que me llenara de orgullo, y sentirme satisfecho de haberlo realizado. Algo grande, algo hermoso.

–Te comprendo, a mí también me gustaría hacer algo así.

Mario puso su mano en el antebrazo de Koldo, que la miró sorprendido, como si fuera la primera vez en su vida que alguien le tocaba. A Koldo no se le ocurrió otra cosa que seguir hablando rápidamente.

–Iziar era especial; revolucionaria, diría. Piensa que toda la casa estaba cubierta de libros y casi todos ellos estaban escritos en euskera o *euskara batua,* como les gusta decir a los auténticos vascos. Celebraba reuniones y charlas hasta altas horas de la madrugada. Mi padre negaba apesadumbrado con la cabeza cada vez que había una de esas convocatorias, ¿sabes? Pobre Aitor, sufrió mucho y no me extraña que quisiera que su hijo se apartara de aquellas malas influencias. Como decía él: «Tu madre es buena madre, pero de tanto leer ha perdido la cabeza. Los personajes de los libros son fantasmas que la han atrapado». Me lo dijo tantas veces que aún lo recuerdo perfectamente. Pero ya era demasiado tarde, ella me cogía y me leía siempre que podía. Por ejemplo, cuando Aitor se iba a Bilbao a trabajar en los grandes astilleros y se ausentaba varios meses. Nos poníamos delante de los ventanales que daban al puerto y, mientras ella leía, yo, enterrado en los almohadones de un gran sofá, miraba al puerto, al mar y soñaba que era el personaje que describía tan bien mi madre.

–Me parece que te estoy viendo por lo bien que lo cuentas, aunque no conozca la casa y el puerto de Lekeitio.

Koldo hablaba ahora mirando por encima de la cabeza de Mario, con los ojos algo llorosos, como si forzando la mirada casi pudiera distinguir el puerto y la casa de su infancia.

–Era preciosa, antigua, pintada de blanco, con unas vigas de madera que la recorrían por fuera y por dentro. La galería era toda un ventanal y además estaba el famoso sofá del que te hablaba antes.

–¿Por qué dices «era»? –preguntó Mario.

–Porque se quemó y no quedó ni una astilla de madera, pero eso vendrá después. Ahora vamos a comer la tarta que nos ha preparado Txaro –dijo Mario, señalando hacia donde estaba la puerta de la cocina, que acababa de abrirse para dejar paso a Txaro–. La trae ella en persona.

–Koldo y Mario, aquí tenéis la famosa tarta del restaurante Ernani. Me la piden incluso para llevársela a casa. Está riquísima –presumió Txaro mientras se chupaba los dedos para que no quedaran dudas sobre la exquisitez de la tarta–. Si sobra algo, que se lo lleve el muchacho, que está tan delgado que se le ven los huesos. Si un día veo a tu madre pienso echarle una buena regañina. ¡Con lo guapo que serías un poco más rollizo, hombre!

–Claro, todos tenemos que estar gordos como vosotros, llenos de michelines –dijo Koldo, riendo aparatosamente.

—No te metas con mi gordura, que, por si no lo sabías, es una prueba de mi felicidad, simpatía y de que no nos falta nada. Mario, ¿tú has visto a un rico delgado?

—Algunos —respondió Mario, no muy convencido.

—Pues aquí no me los traigas, ¡faltaría más! —declaró Txaro, y se marchó dando saltos y moviendo su gran trasero.

—La verdad es que Txaro es un amor —afirmó Mario.

—Prueba la tarta, esto sí que es amor —dijo Koldo, hundiendo la cuchara en la tarta y llevándose un trozo enorme a la boca—. ¡Hum!

—Sí, está muy rica —confirmó Mario, y se sirvió prácticamente media tarta—. Pero sigue explicándome la historia de la familia, por favor.

—Cuando nací, mi madre me puso «Koldo». Iziar y Aitor discutieron porque ella no escondió que me quería poner este nombre por su gran amor, que como ya te he dicho fue Mitxelena, que se apodaba así. Mi padre se enfureció y le dijo que por qué no se había casado con él. Mi madre, que estaba a punto de parir, no quiso discutir y le dijo: «Te preferí a ti, vestido de marino y con la gorra de almirante, cogiéndome del brazo con tu cuerpo bien pegadito al mío». Consiguió que mi padre se riera y por eso me llamo Koldo.

—Divertido.

—No lo fue. —El semblante de Koldo parecía repentinamente serio—. Por poco se muere mi madre, ¿sabes? En aquel tiempo acostumbraban a dar a luz en casa y venía una comadrona que ayudaba en el parto. En mi caso, llegué al mundo atravesado y tuvieron verdaderos problemas para que saliera; mi madre había perdido mucha sangre y estuvo a las puertas de la muerte. Como decía ella: «Os aseguro que Dios es vasco, lo he visto rodeado de luz y con una chapela en la cabeza».

—¡Qué gracia! —gritó Mario, que casi se atragantaba con la tarta—. ¡Dios con chapela! Los vascos sois la hostia. Me encanta. Sois capaces de inventar cualquier cosa para ser diferentes de los demás.

—Mario —dijo Koldo, señalándolo con el dedo—, tú también eres vasco.

—No me considero vasco, ni tampoco madrileño. Creo que entre todos me habéis hecho un poco de cada, o sea: nada en concreto.

Koldo no se dio por aludido y continuaba enfrascado en su explicación.

—Mis padres se enzarzaban como verduleras sin llegar nunca a pelearse. La verdad es que eran muy diferentes. Como Iziar era muy fuerte, daba la sensación de que se mataban, pero no pasaba nada. Era normal: sus puntos de vista se encontraban a años luz.

—Como Soledad y tú.

—Ni más ni menos. Es increíble que después de haber visto lo que les pasó a mis padres tropezara con la misma piedra; pero es humano, supongo.

—¿Cuándo os casasteis y cómo os conocisteis?

—No corras, Mario, porque si quieres saber no puedes precipitar los acontecimientos. Deben fluir solos. Fíjate en lo que decía Machado respecto al tiempo y el saber:

> *Nuestras horas son minutos*
> *cuando esperamos saber,*
> *y siglos cuando sabemos*
> *lo que se puede aprender.*

—Bien, lo he entendido. Está muy claro.

—A mí me gustaban más las ideas de Iziar que las de Aitor. Eran más divertidas, me hacían soñar, aunque, no te creas, algunas veces iba a ver cómo trabajaba Aitor en los astilleros. Me acuerdo de que un día fui a la botadura de un velero. Era un velero precioso. Yo debía de tener por aquel entonces, no sé, unos catorce años. Me emocioné al ver cómo entraba con majestuosidad en el agua y levantaba una ola que me pareció inmensa. Al dueño de la nave se le veía satisfecho y muy orgulloso; a su lado estaba su hijo, que lo miraba con la boca abierta. Se produjeron unas miradas que para mí significaron mucho, ¿sabes? El padre miró a su chaval con arrogancia, el chico le devolvió la mirada con satisfacción y, cuando reparó que yo le estaba observando, me fulminó con sus ojos llenos de ínfulas. Yo bajé la cabeza, avergonzado, y mi padre se dio cuenta. Me cogió la mano, me la apretó y me dijo, muy serio: «Cuando seas importante y te lo puedas permitir, entre los dos construiremos un velero como éste y tú recorrerás los mares más rápido que el viento». Me quedé observándole como si fuera un dios, le sonreí y supe que así sería. Aquel día no se me ha olvidado nunca. Mira, espera, acabo de acordarme de otro día importante. Yo tenía dieciocho años y estaba en la típica época llena de dudas sobre qué camino tomar. Mi padre, que sabía que estaba pasando por un momento complicado, me dijo: «Deja los libros y fórjate un futuro. Eres listo. Puedes hacer dinero». Entonces, me acordé de aquella escena de la botadura, el niño mirando a su padre, aquellas miradas orgullosas, y le dije: «Lo que tú quieras, padre». ¡Cómo son las cosas! En aquel momento hipotequé la literatura y me eché a los brazos de una carrera que me diera el bienestar económico, que era lo que deseaba mi padre. —Koldo hizo una pausa para observar la cara de su hijo. Tenía la impresión de que llevaba horas hablando—. Pero bueno, hace un rato que has acabado el pastel y no hemos pedido los cafés. ¿Quieres más tarta o...

Mario sopló ostentosamente para hacer evidente que estaba más que lleno.

—No, para. Ya no puedo más. Tomaré un café.

—Y una copa de orujo gallego.

–¡Qué raro! –apuntó Mario, simulando cara de estar sorprendido–. Un vasco bebiendo algo que no es de su país.

–No te rías de mí, que extraño mi tierra –se defendió Koldo.

–Lo supongo; era broma.

–Me gusta el pacharán, pero hoy necesito algo más fuerte –confesó Koldo, bajando el tono de voz.

–¿Por qué?

–Para celebrar que nos hemos visto y para brindar por los próximos encuentros –dijo, emocionado, Koldo.

–Bebo poco alcohol –respondió Mario–, pero hoy haré una excepción.

–Entonces... –Koldo no se atrevió a acabar la frase.

–¿Qué? ¿Entonces qué?

Koldo se tomó unos segundos para reunir fuerzas. Lo que le tenía que decir a su hijo iba a marcar su vida. De un sí o un no dependía que su relación acabara ese mismo día o continuara.

–Pues eso, que si quieres brindar... Entonces, ¿va a haber más encuentros? –dijo Koldo con un hilo de voz.

–¿Por qué no? –contestó Mario, que se divertía viendo los apuros por los que pasaba su padre.

–Bien, bien –empezó a decir Koldo y, como si hubiera recordado de repente lo que quería decir, proclamó–: Te propongo que nos veamos cada jueves, aquí. Será nuestro lugar de citas. De citas y de confesiones.

–Me has despertado la curiosidad por conocer la historia de la familia. No tengo nada que perder y así además como gratis.

«No me lo puedo creer. Ha dicho que sí.» Koldo tenía la impresión de que en cualquier momento iba a ponerse a gritar de felicidad. Pero, entonces, vio como aparecía Gaizka por la puerta de la cocina.

–Es curioso, fíjate cómo Gaizka ha comprendido nuestra situación –advirtió Koldo–. Trae la botella y dos copas.

—Es una atención de la casa —anunció Gaizka con entusiasmo, y les sirvió las copas dejándoles la botella de orujo encima de la mesa.

Koldo se levantó con la copa en la mano y pronunció con un ligero temblor en la voz:

—Por nosotros, Mario.

—Por nosotros, Koldo.

Koldo se tragó el orujo de golpe y Mario, al querer imitarle, se ahogó y empezó a toser acompañado de las risas de su padre.

—Veo que te gusta charlar comiendo —dijo Mario, mientras se recuperaba del ataque de tos.

—Importante, muy importante —señaló Koldo—. ¿Sabes que la gente se conoce, hace negocios y se ama durante y después de las comidas?

—No lo había pensado, pero debe de ser verdad. Entonces, siguiendo con la bella historia que me contabas, ¿qué me aconsejas? Estoy estudiando económicas, como tú. ¿Lo dejo y me apunto a una carrera de letras? Porque la moraleja es ésa, ¿no?

—Esa pregunta tiene miga, pero te la contestaré con cuestiones que tú mismo responderás. ¿Te gusta lo que estás estudiando? ¿Cuándo lees te gustaría ser tú quien lo ha escrito? ¿Qué prefieres: ser empresario o creativo? ¿Te gusta soñar o prefieres tener los pies en el suelo?

Mario alzó la cabeza y miró al techo del restaurante como si en él estuvieran escritas las respuestas que esperaba su padre.

—Esas preguntas son evasivas. No te quieres mojar. —Y súbitamente clavó la mirada en su padre—. ¿Qué te gustaría que fuese tu hijo? ¿Un empresario o un escritor?

—Por descontado me encantaría que fueras un escritor, pero el quid no es sólo eso. Lo que desearía es que fueras bueno en lo que escojas y que te sintieras cómodo, ¿sabes? Escucha uno de los proverbios de Machado:

Pero tampoco es razón
desdeñar
consejo que es confesión.

–Bien, has ganado. Te voy a responder a las preguntas que me has formulado. No me gusta lo que estoy estudiando, cuando leo nunca se me pasa por la cabeza que pueda ser yo el autor del libro y, ¿cuál era la otra pregunta?, ¡ah!, sí, preferiría ser un empresario creativo y me gusta saber donde piso. Si tuviera que contar algo, no me importaría escribirlo, pero, de momento, no tengo nada que relatar.

–Bien, aprobado. Dictamen: sigue con lo que estás haciendo y, si alguna vez tienes algo que narrar, hazlo y te sentirás satisfecho.

–Eso quiere decir que tendría que estudiar las dos carreras.

–Por qué no.

–Me lo pensaré.

–Dímelo cuando nos encontremos el próximo jueves.

–De acuerdo.

–Por cierto, ¿qué dice tu madre de nuestras reuniones?

–Está extrañada. Creía que tú estabas en otro mundo, tu mundo, y no te interesaba saber nada más.

–Estoy contento de haber entrado en tu mundo, Mario.

–Y yo de saber cuál es el tuyo, Koldo.

Aitor e Iziar

Era la tercera vez que se encontraban y a ambos les pareció que se conocían desde hacía más tiempo que las dos semanas que habían pasado desde la primera cita. Se toparon en la misma puerta de entrada y se besaron. Se les veía alegres, relajados, casi como dos viejos amigos, y Koldo se metió con el atuendo de Mario.

–Pareces un adán.

–Así van todos los jóvenes.

–No lo dudo, pero cuando vengas a la cita de los jueves, ponte bien guapo y decente. Me haces pensar en Machado, que iba el pobre hecho un andrajo –dijo Koldo, mientras cogía la chaqueta de Mario con la punta de los dedos y la estudiaba con una exagerada expresión de asco.

–Yo pensaba que siempre iba elegante. He visto varias fotos de él con sombrero, chaleco, corbata y bastón.

–Escucha lo que opinó Juan Ramón Jiménez de su aspecto en sus papeles secretos:

Era corpulento, corpachón, sanguíneo y terroso, con algo de grueso troncón acabado de arrancar, y vestía su tamaño con unos ropones negros y pardos que no se correspondían, chaqué nuevo, pantalón perdido y abrigo viejo, deshechos, equivocados, y se cubría con un chapeo de alas deshechas y caídas, de la época de su nombre. En vez de pasadores, llevaba en los puños del camisón unas

44

cuerdecitas, y a la cintura, por correa, una cuerda como un ermitaño de otra clase.

–Hubiera triunfado en la universidad –replicó Mario–. La gente se pirraría por él. ¡Qué clase! ¡Qué innovador! –añadió, casi gritando.

Koldo hacía ver que se escandalizaba.

–Tú eres un revolucionario.

–Yo, justamente, no lo soy, pero me gusta ir despendolado.

–Ya lo veo. Bien, no quiero ser antiguo, ve como quieras. Retiro lo dicho. No me gusta coartar a nadie, ¿sabes? Haré como Juan Ramón, que continuó diciendo después de esa retahíla que te he soltado:

Yo no sabía si todo esto era mejor o peor, bueno o malo; en realidad, no me fijé mucho hasta que otros, otras, me llamaron la atención.

–Bien dicho; sí, señor –dijo Mario, y cogiendo a Koldo del hombro entraron en el restaurante.

Nada más entrar se encontraron a Gaizka plantado delante de ellos. Les había escuchado llegar y esperaba al otro lado de la puerta para no entrometerse entre padre e hijo.

–Buenas, Gaizka –saludó jovialmente Koldo–. Aquí nos tienes. Como puedes ver, Mario va vestido a la moda: moderno, despreocupado y con los pantalones rotos para que se le vean las piernas. Supongo que no te importa, ya que cuando llegue a casa voy a poner los pantalones en lejía, les haré unos cuantos zurcidos y algún que otro agujero. ¡Ah! Y, para más inri, me pondré un arete en la oreja.

Koldo se cogía el lóbulo de su oreja derecha y se lo estiraba mientras soplaba y hacía ver que le dolía.

–Koldo, tiene razón tu hijo –opinó Gaizka, poniendo su mano sobre el hombro de Koldo como si quisiera consolarlo–. Tú eres un clásico, te has quedado en tu biblioteca leyendo libros de hace mil años y no sabes cómo van vestidos los jóvenes hoy en día. Si continúas con este talante, al que no dejaré entrar es a ti.

–¡Dios mío! –exclamó Koldo, llevándose las manos a la cabeza–. Todos en mi contra. ¡Estoy perdido!

–Pasa, Koldo, y no te hagas el mártir –dijo Mario, dándole unas palmadas en la espalda–. La próxima vez, me vestiré de persona normal, como bien dices tú.

–Ahora ya estoy contento; he vencido. ¿Qué tenemos para comer?

–Potaje castellano y callos a la madrileña.

Koldo se había parado de repente en mitad del restaurante y miraba a Gaizka como si estuviera ante una aparición.

–No, por favor, no me hagas eso –balbuceó.

–No os quedéis como pasmarotes. –Gaizka no podía reprimir una sonrisa traviesa–. Ocupad vuestra mesa, cerrad los ojos y... ¡a degustar los manjares preparados por la gran Txaro!

–Vale –se tranquilizó Koldo.

Se sentaron obedeciendo las órdenes de Gaizka, cerraron los ojos y sonrieron cuando sintieron que Txaro les daba un beso a cada uno.

–Ya podéis abrir los ojos –dijo Txaro–. Hoy tenemos almejas a la marinera y txangurro.

–¿De verdad? –dijo Koldo, abriendo unos ojos como platos.

–¿Y eso qué es? –preguntó Mario.

–Un centollo preparado y servido en la misma concha –explicó Txaro, levantando las cejas y suspirando.

–Una delicia, Mario. Te lo jura tu padre.

–Vamos allá, pues –aceptó Mario, y dirigiéndose a Txaro dijo con un ligero tono de súplica en la voz–: ¿Algún día me harás pasta?

–La próxima vez, te lo prometo –auguró Txaro.

Txaro los miró y, al darse cuenta de que estorbaba, se fue tarareando una canción. Koldo se limpió las gafas con el mantel y se quedó por unos momentos ausente, mirando al vacío. Mario empezó a chasquear los dedos ante la cara absorta de su padre.

–¡Eh! Koldo, vuelve, te has ido. ¿Te recuerdo dónde estábamos?

–Me acuerdo perfectamente –contestó Koldo, volviendo de su ensimismamiento–. Fue el momento en que Aitor me convenció de que estudiara una carrera con porvenir. Y así lo hice. Me trasladé a Bilbao y viví en una pequeña pensión barata y bastante limpia. La dueña me mimaba y me guisaba unos platos que me chupaba los dedos. Me parece que aún puedo acordarme del aroma de los guisos que me hacía. La dueña se llamaba... vamos a ver... Mertxe, sí, y tenía dos hijas preciosas y dulces. Como no sabía con cuál quedarme, ¿sabes?, me enamoré de las dos y no les importó que tonteara con ambas. Se reían y coqueteaban conmigo. Sé que no está bien lo que te voy a decir, pero la carrera la encontré un coñazo, un perfecto coñazo –insistió Koldo, remarcando las sílabas–. Sólo esperaba volver a la pensión, donde las chicas me hacían la vida más agradable, y que llegaran los sábados y domingos porque los pasaba en Lekeitio. ¡Qué recuerdos!

–Estoy de acuerdo contigo –aseguró Mario–. Yo también creo que las económicas son un tostón, pero yo no tengo a dos chicas que me alegren la vida –dijo, cogiendo a su padre por el moflete y zarandeándole suavemente.

–Éramos jóvenes y estábamos deseosos de experimentar, ¿sabes? –Koldo miraba otra vez por encima de la cabeza de Mario, con la misma expresión soñadora que Mario le había sorprendido otras veces, como si ya no estuviera en el restaurante, sino en los lugares y situaciones que le narraba–. Les divertía cómo era yo y se burlaban de que leyera tanto. Qué maravilla la primera vez que me besó la más joven, Arantzazu, mientras Gaxuxa la miraba desde la puerta entornada y se le escapaba la risa. –Una amplia sonrisa protagonizaba el rostro de Koldo, que continuaba hablando totalmente enfrascado en su relato–. Habían echado a suertes con una moneda quién de ellas me besaba y le tocó a la menor.

–¡Dios, qué suerte! ¡Se te rifaron! –gritó Mario.

Varios comensales habían vuelto sus cabezas hacia la mesa en que padre e hijo charlaban, reían y gritaban. Koldo se dio cuenta y moderó un poco el tono de voz.

–Sí, tuve suerte, la verdad. Yo estudiaba y leía y sólo las miraba a hurtadillas, pero cuando nos encontrábamos por la mañana haciendo cola en el lavabo, las miradas, ¡uf!, eran más que penetrantes. –Koldo volvía a su expresión soñadora–. Yo las observaba y me ponía en una posición que me permitía ver a contraluz cómo se perfilaban en las batas, que por cierto trasparentaban bastante, los cuerpos desnudos de Zazu y Xuxa, como se hacían llamar. Ellas se daban cuenta de que las miraba para sorprender su desnudez y se reían. Más adelante, cuando ya teníamos mucha confianza y besos acumulados, abrían la bata, ¿sabes?, y, sin pudor, me enseñaban sus atributos. Desde entonces, por las noches, las visitaba en sus habitaciones y les recitaba una estrofa que me cantaba mi madre cada vez que me daba las buenas noches y me besaba:

Si vivir es bueno
es mejor soñar,
y mejor que todo,
madre, despertar.

De repente, Koldo volvió de nuevo al restaurante. Mario ya estaba acostumbrado a que su padre se ausentara mentalmente y a que regresara de sopetón. Le divertía pensar que las conversaciones con su padre eran un reflejo de cómo había sido su relación hasta entonces. Se había ausentado de su vida para regresar de golpe, y cuando charlaba con él, le daba la impresión de que su padre se ausentaba de nuevo al mundo de sus recuerdos para, inesperadamente, recordar que tenía a su hijo delante. No le importaba. Es más, le gustaba tener un padre apasionado y que se dejaba llevar por sus recuerdos y sentimientos.

–Perdona, Mario. No sé por qué te explico esas interioridades, ¿qué pensarás de tu padre?

–Lo mejor es que seamos amigos y que la paternidad la dejemos a un lado. Además, me gusta que me las cuentes. Me gusta saber de tu vida y vivirla contigo mientras la explicas. No te preocupes por mí. Dentro de una semana cumpliré veintidós años. Ya no soy un niño.

–Tienes razón. ¿Sabes lo que me gustaba de esas relaciones?

–Me lo supongo, la complicidad de los tres.

–Exactamente –confirmó Koldo, contento de sentirse tan comprendido por su hijo–. Sin decirnos nada, ¿sabes?, éramos partícipes de un secreto que nos unía y que nos convertía en conscientes pecadores. Esa sensación nos hacía disfrutar mucho más del sexo.

–¿Y cómo se acabó? –inquirió Mario, que estaba verdaderamente interesado por esa relación triangular, un *ménage à trois* que tenía a su padre como protagonista. Nunca lo hubiera imaginado.

–Xuxa y yo teníamos veinte años y Zazu, dieciocho. –No le costaba recordar los datos, los nombres, lo que había sucedido tantos años atrás. Para Koldo, pensaba Mario, el pasado tenía una vigencia tan importante como el presente. O quizá más–. Su madre murió de una apoplejía y ellas vendieron la pensión. Nos hemos visto unas seis o siete veces a lo largo de estos años. Están casadas y tienen tres hijos cada una. Pero cuando nos vemos, el brillo de nuestros ojos aún persiste. Y, ¿sabes?, el aroma de sus cuerpos tibios cuando me metía en sus camas y el olor del jabón de las sábanas... aún los noto. –Koldo inspiraba profundamente, intentando recuperar esos aromas tan lejanos–. Si cierro los ojos, ahora mismo, me vienen esas fragancias. Fuertes, sensuales, agradables.

–Las percibo yo sin haberlas vivido –aseguró Mario–. Me hace pensar en la primera chica con la que salí. Me acuerdo que hicimos el amor en su casa, en su cama, con el aroma a lavanda mezclado con su olor de mujer. Fue muy bonito y, la verdad, siempre me acordaré. Espero que a ella le pase lo mismo. A veces nos vemos en fiestas en casas de amigos comunes y la mirada de los dos es difícil de explicar. –Se detuvo unos segundos como si intentara encontrar las palabras exactas para los sentimientos que se agolpaban–. Hay sensaciones y sentimientos contrapuestos que se juntan. No sé. Vergüenza y descaro, timidez y pasión, recuerdo y olvido.

–Bien explicado. Creo que si estudiaras literatura, podrías ser un buen escritor –dijo Koldo, encantado.

–Lo haré, mejor dicho, ya lo estoy haciendo –anunció Mario–. Me he apuntado a unos cursos nocturnos en la Universidad de Letras.

–No sabes lo feliz que me haces –Koldo no podía reprimir la emoción que sentía–. Eso quiere decir que pronto escribirás.

–No sólo eso –replicó Mario, que estaba entusiasmado–. Tengo que leer mucho y aquí es donde entras tú.

«Me deja entrar en su vida», se deleitó Koldo, que se había acercado de golpe a la mesa, y a punto estuvo de volcarla. Mario le miraba entre divertido y emocionado, y a Koldo se le agolpaban en la mente las obras de Machado que le encantaría que leyera su hijo.

–Con sumo gusto. Podemos programar unas entrevistas literarias. Cada jueves te traeré un libro, tú lo lees y el otro jueves lo comentamos.

–Hecho, me será muy útil.

–Pero no dejes las económicas –le aconsejó Koldo, algo más tranquilo ya.

–No te preocupes, sería un poco tonto –dijo Mario, tocándose la sien con el dedo–. Me falta este año y el que viene, y se acabó.

–Bien, volviendo a la historia que nos ocupa, te diré que acabé la carrera con sobresalientes y que el último año tuve matrículas de honor. Eso me valió mucho, ¿sabes?, ya que al cabo de un año, allá por el 1968, una empresa extranjera se informó en la universidad de qué alumno había destacado en los últimos cursos y le dieron mi nombre. Así que me ofrecieron un puesto en una compañía americana dedicada a la información. Era el principio del *boom* de los ordenadores; piensa que las computadoras de la tercera generación se empezaron a vender en el año 1965, por lo que se preveía que sería un buen negocio, como así ha sido.

–¡Qué bien! ¡Qué felices debían de estar los abuelos!

–Mi padre estaba orgulloso y mi madre se abstenía de dar su opinión porque decía que nadie le había consultado. Aitor había recibido un dinero de las comisiones que los astilleros habían tenido a bien darle, y, como regalo, me hizo saber que empezaríamos a construir el velero de mis sueños.

–¡Qué ilusionado debías de estar!

–Yo no lo podía creer –añadió Koldo, mientras negaba con la cabeza–. Me sentí, ¿cómo decírtelo?, no sé, me sentí... Sí, ya está: me sentí pueril. No te creas, la construcción fue más que larga, pero valió la pena por dos motivos: poder navegar con un barco elaborado por ambos y las conversaciones que surgieron mientras lo fabricábamos.

—Me interesa saber cuáles fueron esas conversaciones. ¿De qué hablabais?

—Allí es cuando mi padre se dio cuenta de que, por mi manera de ser, se había equivocado al aconsejarme que fuera un hombre de negocios, ¿sabes? Allí supo que hubiera sido más feliz siendo un simple escritor o incluso un marinero. No sé. De alguna forma intimamos y llegamos a comprendernos. Fíjate. Cuando me contó que lo que más estimaba en su vida era construir barcos para poder dar alegría a las personas que navegasen en ellos, me emocioné. —Otra vez la mirada de Koldo buscaba el pasado—. Mientras armábamos el armazón me decía: «Cada golpe de martillo es una ola que chocará con el casco». Cuando lijábamos la cubierta, comentaba: «Púlelo bien, los pies descalzos llegarán a amar la madera. Pies de niño embobado viendo las velas al viento; pies de adolescente mirando cómo surca el velero; pies de enamorados buscando los besos salobres; pies de padre llevando el timón con seguridad; pies de madre con el rostro azotado por el viento queriendo que su hijo en el vientre lo note también; pies de abuelo mirando el horizonte, pensando en lo que ha hecho y mirando el Más Allá».

—¿Te acuerdas de todo eso de memoria? —preguntó, asombrado, Mario.

—Sí. Claro que sí. Me lo he repetido tantas veces...

—Aitor era un poeta.

—Sí. Él no se había dado cuenta de que Iziar, durante todos esos años, le había inculcado aquellos sentimientos, aquellas metáforas.

—Se lo hiciste ver.

—Sí, se lo dije.

—¿Y qué repuso Aitor?

—Dijo que tenía razón y que, aunque protestaba siempre, comprendía a su mujer y le gustaba que fuera de aquella manera. Confesó que cuando a Iziar le había gustado un libro, él se lo llevaba al trabajo y, fuera de horas, lo leía y así sentía que podía amar más a su esposa. Ella sabía lo que hacía y no le decía nada, pero una vez él se lo confesó e Iziar le dijo que le gustaba que lo hiciera porque se sentía más unida a él.

—¡Admirable! —se maravilló Mario.

—Sí, admirable. —Koldo agachó la cabeza y cerró los ojos unos segundos, como si buscara un recuerdo que tenía bien enterrado, antes de continuar hablando—: Mi madre sufría de asma y el doctor hacía muchos años que le había pronosticado que, por su salud, tenía que vivir en otro lugar, una ciudad o un pueblo en las montañas, lejos del mar, de la humedad, ¿sabes? Ella siempre le contestó que amaba el mar y que su marido era un constructor de barcos, que sólo la sacarían de allí muerta. Amaba la casa, los recuerdos y sus libros, que, igual que ella, respiraban la humedad y estaban acostumbrados a soportarla. En el año 1969 se murió de un ataque de asma mientras nosotros estábamos en el astillero construyendo el velero. La encontramos en el suelo con los dos libros que más amaba, uno de Mitxelena y otro de Machado. Los tenía agarrados y nos costó sacárselos, aunque después la enterramos con ellos. Mi padre lloró muchísimo y yo, no sé, durante varios días me sentí como si me hubiera quedado sin alma. Pedí dos meses de prórroga en el trabajo y me los concedieron. Entonces, ocurrió algo que no olvidaré nunca. Aitor quiso que le leyera los libros que más le habían gustado a Iziar, los que me leía a mí cuando era un chaval. Así que yo ocupé el sitio de mi madre en aquel sofá, delante del gran ventanal; mi padre se puso como yo cuando era pequeño, envuelto en los cojines y mirando al mar. Nos pasamos los dos meses así, honrando a Iziar. Ella hubiera estado contenta si nos hubiera visto.

—Koldo se dio cuenta de que su hijo se frotaba los ojos—. ¿Qué te ocurre, Mario?

–¡Dios! Estoy llorando –respondió Mario, mientras sacaba un pañuelo del bolsillo y se secaba los ojos–. Tengo un nudo en la garganta y el corazón me late más apresurado.

Koldo sonreía tiernamente a su hijo.

–Sí, fue una bonita historia. Un día le leí unos poemas de Machado y se quedó asombrado por una frase de uno de ellos:

Lo mejor de la historia se pierde
en el secreto de nuestras vidas.

–«Tiene razón», dijo mi padre –continuó hablando Koldo, mientras Mario se sonaba–. Y a continuación me contó la historia de ellos dos. Los celos que él siempre tuvo y que sabía que Iziar le había engañado de joven, pero que él se lo había perdonado porque eran simples devaneos, ¿sabes? Pero lo que nunca le perdonaría, incluso después de muerta, es si descubría una mentira. Más adelante me acordaría de esa tarde en la que la noche nos sorprendió a ambos; me asusté de la expresión de su cara cuando la vislumbré en plena puesta de sol. Le había visto enfadado, encolerizado, pero aquel gesto amenazador era nuevo para mí. Supe que era capaz de cumplir su promesa, como así sucedió.

–No quiero preguntarte lo que ocurrió. Espero que me lo cuentes llegado el momento.

–¡Ay, Mario! ¡Qué triste es la muerte! –suspiró Koldo–. Sobre todo para el que queda. Aitor vino temblando una mañana cuando aún no había salido el sol, en su mano sostenía una carta de Iziar. La había encontrado en la cómoda, junto a las sábanas bordadas por ella y un ramillete de lavanda seca. No se atrevió a abrirla él solo y venía como si fuera un niño para que se la leyera. Dentro sólo había un poema de Machado:

Sé que habrás de llorarme, cuando muera,
para olvidarme y, luego,
podemos recordar, limpios los ojos
que miran el tiempo.
Más allá de tus lágrimas y de
tu olvido, en el recuerdo,
me siento ir por una senda clara.

–Con lágrimas en los ojos –prosiguió Koldo–, me preguntó qué significaba y por qué no estaba acabado. Yo le repuse que no importaba, que faltaba una frase, pero no le atañía a él sino a la amada del poeta, por eso Iziar no la puso. Aquel día decidí bautizar el velero; le pondría *Machado*.

–Empiezo a entender por qué estáis marcados por este poeta –señaló Mario, asintiendo lentamente con la cabeza–. Tendré que leerlo.

–De eso me encargo yo. Déjame que te traiga el próximo jueves un libro suyo, pero, atención, no todas las poesías te dejarán sin habla. Como decía mi madre: «Las flores son bonitas, pero hay unas que no alcanzan la belleza de las otras».

–He tenido suerte.

–¿Por qué lo dices? –inquirió Koldo, que no tenía la menor idea de a lo que se refería su hijo.

–Porque si no hubiera sido valiente y no te hubiese llamado, no sabría estas historias tan bellas y tan emotivas.

–Siento que te hayas comido el txangurro sin poderlo apreciar –dijo Koldo, señalando el plato de Mario.

–El txangurro estaba bueno y contigo comeré muchos txangurros, pero he preferido degustar tus relatos –repuso Mario, señalándole a él.

–Me encanta que te gusten.

–No sólo estoy descubriendo el Koldo que quería conocer, sino que también estás desvelando, como si fueran cuentas del rosario, el relato de tu vida acompañándolo de personajes entrañables, con personalidad y con sentimientos, y, además, sazonado con las poesías de Machado.

–Veo que has empleado para narrar tus emociones una simple metáfora muy explícita: «Las cuentas del rosario y sazonado». ¡Bravo! –dijo exultante Koldo, mientras palmeaba en la mesa.

–Tengo un buen profesor.

–Simple narrador.

–¿Por qué no supo apreciarlo Soledad?

–Lo apreció y lo valoró. Y durante mucho tiempo fuimos felices, pero luego no aguantó, y no se lo recrimino. –Otra pausa. Koldo hacía un verdadero esfuerzo cada vez que debía recuperar un recuerdo doloroso. Por eso se tomaba unos segundos y cerraba los ojos. Para no transmitirle en su narración ese dolor a su hijo. Ese dolor era suyo y no quería que su hijo lo tuviera que sufrir–. La causa fue el encierro obligado que tuvo que soportar por mi culpa durante dos largos años.

–¿Por qué lo hiciste?

–La muerte de mi padre. Pero ya te contaré otro día. El próximo jueves relataré la historia de Soledad y un servidor. Después podrás analizar los pros y los contras, y quién sabe si conseguirás comprender el porqué de nuestra separación.

–Lo intentaré. Procuraré ser un buen árbitro.

–Es difícil, porque así a primera vista el culpable fui yo.

–No vale –repuso Mario–. Me has quitado protagonismo.

–No creas, existen la razón y la sinrazón. Éste es el dilema que tendrás que averiguar.

–Me ganas siempre –se quejó Mario.

–Esto no es un partido de tenis o de fútbol. En la vida se juega: a veces ganas y otras pierdes. Y, de tanto en tanto, cuando ganas pierdes muchas cosas. Algunas otras veces pierdes y ganas un sinfín de otras cosas.

–No lo entiendo.

–Te pondré un ejemplo tonto. Tú sales con una chica y tenéis una discusión fuerte; pongamos, por ejemplo, que ganas en esa disputa. Pero, cuidado, cabe la posibilidad de perderla a ella. O nos encontramos con que pierdes aposta. Ésa es la gracia, ya que de esa manera la has conquistado para siempre.

–Muy agudo –señaló Mario.

–¿Qué hora es? –preguntó Koldo, que de súbito le habían entrado todas las prisas del mundo.

–Las cuatro –informó Mario.

–¡Ah! Llego tarde. Me voy a ver a un cliente.

–El mismo que perdiste por mi culpa.

–Sí, por eso tengo que ser puntual.

–¿Podemos cambiar el día la semana que viene?

–No. Sé que es tu cumpleaños. Puedes salir con tu madre el día antes o por la noche del jueves. Nuestros jueves son sagrados –dijo Koldo, mirando inquisitoriamente a su hijo.

–¿Eres supersticioso? –se burló Mario.

–Mucho, no tanto como los gallegos, pero casi igual.

–Yo no lo soy nunca.

–Acompáñame tres calles hasta el coche –le pidió Koldo.

Se levantaron a la vez y saludaron a Gaizka y Txaro, que les siguieron hasta la puerta para despedirlos.

–Adiós, familia –dijeron al unísono–. ¿Cómo estaban los txangurros?

–Ya los puedes cocinar otro día. Hoy estábamos tan abstraídos que no nos hemos dado cuenta de lo que comíamos.

–¡Dios mío, una se esfuerza y, ya lo ves, Gaizka, una patada en el trasero! –se quejó Txaro, dándole una patada al trasero de su marido.

Koldo y Mario se rieron, saludaron con la mano exageradamente y doblaron la esquina.

Soledad

Koldo sabía que tenía que ir con pies de plomo para explicarle a Mario su relación con Soledad. Mario quería a su madre y, obviamente, no le gustaría que él la menospreciara. Sólo había hecho alusión a Soledad en dos o tres ocasiones, nada más. Apenas hablaba de ella y cuando se le escapaba un comentario, una referencia a su madre, lo miraba de reojo para comprobar su reacción. La frialdad del primer encuentro se le antojaba ahora como un recuerdo imposible, una sensación que chocaba con la calidez y la fraternidad de las dos últimas comidas. Estaba tan absorto mientras aparcaba en la zona azul que, en un primer momento, no vio cómo Mario descendía de un deportivo rojo que estaba aparcado delante del restaurante. En el asiento del conductor vio a una mujer y notó cómo el corazón se le aceleraba. Enseguida quiso saber si era Soledad quién llevaba a Mario a la cita, y, en efecto, allí estaba ella. Mario le hacía señas para que no bajara, pero ella no le hizo caso y se apeó del flamante coche, giró por la parte de atrás y le dio un par de efusivos besos. Koldo se agarró al volante, como si temiera caerse, y se quedó en el coche, escondido, para que no lo vieran. ¿Por qué? ¿Acaso tenía miedo de enfrentarse con ella? Bien pensado, ¿qué le diría? «Se te ve muy bien, estás cada día más joven.» ¿Cuántos años hacía que no se veían? ¿Cuatro o cinco? ¿Qué le diría Soledad? «Te conservas bien», como si fuera una compota. Koldo se miró en el espejo retrovisor y comprobó el estado de su rostro. Qué tontería. Los años no perdonan. Las arrugas y los kilos de más en los lugares menos estéticos podían atestiguarlo. ¿Aún la quería? No, sólo quedaba aquella sensación vaga, difusa, que los recuerdos dejan. Un sabor un poco añejo, sin llegar a rancio. Mario lo había visto y le hacía señas para que fuera a donde estaban. «¡Dios, qué horror! No hay remedio», pensó. Cerró el coche con el pulsador y se dirigió hacia ellos con pasos atléticos. ¿Para qué? ¡Qué ridiculez! ¿Qué quería demostrar?, ¿que aún era joven? Allí estaba ella, sonriendo por compasión. No era aquella sonrisa sincera y clara que recordaba de cuando navegaban en el *Machado*. No. Era la misma que exhibiría él, una sonrisa de cara a la galería, una sonrisa de circunstancias. Besó a Mario y se quedó mirando a Soledad, a medio camino de ella, sin saber qué hacer. «¿La beso o le doy la mano?» Creía recordar que la última vez que se vieron se habían besado. No se decidía y tenía la impresión de que estaba quedando como un cretino.

–Dame dos besos, Koldo –exclamó Soledad, acercándose decididamente a Koldo–. No te ocurrirá nada.

Y certificó su dominio de la situación dejándole el recuerdo del carmín de sus labios en las mejillas.

–No sé. –Koldo se puso tan recto como pudo, intentando recuperar una dignidad y compostura que sabía que ya no tenía–. Últimamente hay mucho virus suelto y no me gustaría pegarte alguno.

–No te preocupes –repuso Soledad–. Estoy fuerte y podré con ellos –añadió, cerrando los puños y simulando que boxeaba con los invisibles virus.

–Me alegro. ¿Qué es de tu vida?

–Bien, no me quejo.

–Yo, en cambio, no me quejo suficiente. La vida en Madrid es un asco.

–Vaya. Por lo que veo, no has cambiado.

–No tengo por qué.

–He acompañado a Mario porque hemos ido de compras y nos pillaba cerca. Estoy contenta de haberte visto, estás...

–Por favor, perdón por interrumpirte, huyamos de tópicos. Estamos como estamos, con algunos años encima, adornados de michelines y arrugas que no se van con la plancha. Punto.

Koldo se sentía cómodo en el terreno de la ironía. Era una forma de hablar de sí mismo que le permitía distanciarse, que le permitía referirse a su vida como si fuera la de otro, que le posibilitaba reírse de sí mismo y, por ello, de los demás. En situaciones que no dominaba, y ésta era una de ellas, echaba mano de su mejor repertorio de frases cínicas e irónicas, para esconder al Koldo que menos le interesaba que vieran los demás.

–Como siempre... tan amable –acertó a decir Soledad.

–¿No querrás cambiarme? A la edad que tengo...

–No, sería inútil.

–Perdona, Soledad. A mí también me ha gustado volver a verte. Me ha hecho soñar con aquellos buenos tiempos y he tenido un flash: estabas en el *Machado*, con el pelo alborotado por el viento, sonriendo y llevando el timón.

–Fue muy bonito. Yo también pienso a veces en aquellos momentos.

–¿Os vais a declarar otra vez? –preguntó Mario, interviniendo en la conversación.

–A mí no me importaría –dijo Koldo–. Volvería años atrás.

–Es mejor que los recuerdos sean buenos. Aunque abogo por no repetir la experiencia –repuso Soledad, mirando a Koldo.

–Sea pues –replicó Koldo, contento de poner punto y final a una conversación que temía se le pudiera escapar de las manos–. Besémonos otra vez, agur y que la salud nos acompañe.

–Adiós, Koldo, y gracias –dijo Soledad, mientras besaba a Koldo, esta vez con menos efusividad. Apenas un roce de las mejillas de ambos–. Estoy contenta de que os encontréis cada semana. Mario se siente muy feliz.

–Nos lo pasamos bien. Yo le cuento, Mario me escucha y, de vez en cuando, me habla de sus cosas. Lo has educado muy bien, Soledad. Te felicito. Adiós, hasta la vista –se despidió Koldo de Soledad, que ya se había dado la vuelta y caminaba hacia el coche.

–Adiós, madre –dijo Mario.

Soledad entró en el coche y no pudo evitar que se le subiera la falda dejando a la vista buena parte de sus muslos. Saludó con la mano, envió besos como si fuera una estrella de cine y se perdió en el tráfico. Mario y Koldo se quedaron unos instantes mirando como Soledad desaparecía. Luego, Koldo cogió del brazo a Mario y entraron en el restaurante. Saludaron a Gaizka, que estaba conversando con una pareja, y se sentaron en la mesa de siempre. Su mesa. El primero en hablar fue Koldo.

–Tu madre tiene unas buenas piernas. Sí señor. No me importaría pecar con ella; te lo aseguro. Porque supongo que liarse con la ex es un pecado, y de los gordos.

–¡Koldo, respeto!

–Perdona, Mario, es que no esperaba tener que sostener una entrevista que, a todas luces, ha sido descabellada y estúpida.

–Sí, pero no podemos huir del pasado, y cuando ocurren situaciones como ésta, uno tiene que comportarse con dignidad, y tú, precisamente, no has actuado como debías: sobraba lo de viejos, que no se podían planchar las arrugas y que tenéis michelines. No me interrumpas; la culpa es mía. Y te seré sincero: yo le he dicho que me acompañara, con la sana intención de que os vierais.

–Bien, asumo las culpas. Y perdón por haber obrado tontamente, aunque al final lo he arreglado, ¿no?

–Sí, suerte de eso. Bueno, ya no se puede volver atrás. No importa.

–Felicidades, Mario. Toma, te he comprado un detalle para que te acuerdes de Koldo.

Mario empezó a abrir con impaciencia el paquete que le había dado su padre. Rasgó el papel de regalo y apareció un estuche forrado con piel verde. Lo abrió y, entre sedas, sacó un Rolex de acero inoxidable.

–¡Qué pasada! –exclamó Mario.

–El otro día, cuando te pregunté la hora, me fijé que tenías un reloj que no se correspondía con el que debe llevar una persona de tu edad –explicó su padre, orgulloso de que a su hijo le hubiera gustado el regalo.

–Sí, es verdad, perdí el que me había regalado mi madre y llevaba una baratija. Éste ya es para siempre –dijo, mientras se lo ponía en la muñeca y lo miraba con satisfacción.

–¿Has visto una película italiana titulada *¿Qué hora es?*

–No. ¿De qué se trata?

–Es la historia de un padre y su hijo que se encuentran y se explican sus vidas; así, como nosotros. El padre le regala un reloj y cada vez que se encuentran, e incluso mientras tienen sus conversaciones, le pregunta la hora. El hijo se la dice y los dos se ríen. Es entrañable; si puedes verla te gustará.

–La pediré en el videoclub.

–¿Qué hora es, Mario?

–Las dos, Koldo, las dos en punto.

Y ambos se rieron.

–Hora de comer –puntualizó Koldo–. Y parece que nos han oído. Ahí llega Gaizka con dos platos de pasta. Lo has conseguido, Mario. Tienes a la cocinera conquistada.

–Sí, pero es pasta cocinada a la vasca, ya veréis –dijo Gaizka, riendo mientras dejaba los platos en la mesa.

–A mí me gusta la pasta de todas las maneras –se relamía Mario–. Gracias.

–Feliz cumpleaños.

–Lo nunca visto: ¡tallarines para celebrar el aniversario!

Disfrutaban los tres de la divertida pugna que mantenían Koldo y Mario por los gustos culinarios de este último. Era una manera de fortalecer su complicidad.

–Y carpaccio para después. Lo siento, Koldo –apostilló Gaizka–. Hoy no es tu día.

–¡Bien! –voceó Mario, palmeando la espalda de Gaizka.

–¡Dios mío! A media tarde tendré que prepararme un bocadillo –se quejó Koldo, con cara entristecida.

–Calla y come la pasta, está riquísima –dijo Mario, que ya tenía la boca repleta de tallarines.

Koldo se comía la pasta sin abandonar un mohín de asco. Gaizka y Mario se reían de él.

–Es broma –dijo Koldo–. Están muy ricos.

–Bueno, yo me vuelvo a mis ocupaciones –anunció Gaizka. Y dirigiéndose a Mario continuó–: Y tú, vigílame a tu compañero de mesa, para que no se deje ni un tallarín en el plato.

–Eso está hecho. –Mario esperó a que Gaizka se marchara. Quería estar a solas con su padre–. Bueno, adelante, explícame tu historia y la de Soledad.

Koldo se limpió los labios, manchados de tomate, con la servilleta y bebió un largo trago de vino, más por ganar tiempo que por acompañar los tallarines. Por una parte, quería hablarle a Mario de su relación con Soledad, pero, por otra, sabía que debía andar con pies de plomo para no molestar a su hijo.

–Vale, hoy es el día. Además, después de haberla visto, la memoria se hará eco y la narración saldrá fluida.

–Soy todo oídos.

–A ver. Cuando Iziar murió nos quedamos vacíos, ¿sabes? Yo la veía cocinando, poniendo la mesa, lavando los platos, leyéndome en el sofá... y me faltaban sus besos antes de dormirme. Besos mojados, como siempre le decía; y ella se reía. Fueron tiempos muy difíciles. Mi padre se paseaba por la casa como si fuera un fantasma y apenas podía dormir. Yo volví a trabajar a Bilbao, pero procuraba volver los viernes y pasar el fin de semana con él. Siempre me venía a recoger a la parada de los autobuses y me buscaba ansioso entre la gente, como si no existiera nada más importante en el mundo. El velero se iba construyendo poco a poco y no se adivinaba cuándo iba a estar acabado. Así que Aitor decidió convocar a los amigos para que nos ayudaran. Fue muy bonito. Los empleados y muchos marineros venían siempre que podían, y el *Machado* dejó de ser un sueño para convertirse en una realidad. Aitor les prometía que en la botadura se haría una gran fiesta, que cerraríamos el puerto, ¿sabes?, y que estaríamos varios días celebrándolo hasta acabar borrachos como cubas. Esa promesa los motivaba, y las cajas de cerveza que se bebían entre canciones y risas, pues la verdad es que también, para qué te voy a engañar. Aitor decía que el capítulo más caro en la construcción del barco fue la bebida: «Tu madre te ha enloquecido con los libros, en vez de llamarlo *Machado*, tendrías que apelarlo *Borracho*». Y tenía razón, porque la mayor parte de las veces se quedaban durmiendo la borrachera dentro del casco.

–¿Cuántos eran?

–Empezamos siendo unos ocho, pero se fue añadiendo gente y en los últimos meses éramos más de veinticinco. Era un desbarajuste: nos tropezábamos unos con otros por el poco espacio y también por la bebida. Las mujeres los venían a buscar y se los llevaban a trompicones. El que no podía andar se quedaba tirado como un pelele en cualquier sitio. ¡Dios! ¡Qué gozada!

–¿Y cuánto tiempo tardasteis en construirlo?

–Cuatro años. Los tres primeros años trabajábamos Aitor y yo, y sólo los fines de semana. Fue el último año cuando se recurrió a la ayuda externa y cuando el *Machado* adquirió fama. Me peleaba con mi padre porque los dos queríamos pagar los gastos de la fiesta. En el último momento, acordamos que compartiríamos los gastos, y fue una suerte porque la celebración duró tres días y el pueblo entero vino a beber y pasárselo bien. Era el barco de todos porque quién más y quién menos había intervenido. Fue una fiesta grandiosa: se cerró el puerto, se colocaron bombillas de todos los colores, se construyó un tablado para la orquesta, y los restaurantes se encargaron de que no faltara ni comida ni bebida. Menuda fiesta. La botadura la hicimos un viernes, a la caída del sol. Fue muy bonita. Mi padre llevaba la americana de marino y no se la pudo abrochar porque su abultada panza no le dejaba, ¡ja, ja! Además, tampoco pudo ponerse los pantalones, porque le venían muy estrechos. Qué risa. El pobre se pasó toda la botadura maldiciendo: «¡Ay! Iziar, suerte que no me ves, porque no te hubieras enamorado de este gordinflón de marino».

–Por lo que cuentas fue una fiesta tremenda –dijo Mario, aprovechando una pausa que había hecho su padre para beber y descansar de tantas risas.

–Sí, fue genial. La abuela de Lekeitio, que tenía ciento diez años, estrelló la botella de champán en el casco de la nave. Todo el pueblo estaba eufórico, de verdad. Mi padre lo había previsto: «No nos vamos a quedar un día entero a que la vieja le dé golpes a la botella; le pondré una carga explosiva en el culo y cuando la tire... ¡pum!». Yo le dije: «Cuidado, no me hundas el barco». Y Aitor se reía, ¿sabes? Puso un cable pegado a la cinta roja, y con un dispositivo que se guardó en el bolsillo de la americana hizo que explotara, pero con tan mala fortuna que la detonó antes de que chocara contra el casco, y los que estaban cerca acabaron perdidos de champán. ¡Ja, ja!, creo que nunca me he vuelto a reír tanto en la vida. La gente comentaba: «La abuela es tan fuerte que ha hecho explotar la botella antes de que tocara el casco».

Koldo acompañaba su explicación gesticulando como si lanzara una botella contra el casco de una nave y hacía ruidos con la boca para simular el fragor de una explosión. Mario lo miraba encantado.

–Fantástico, Koldo. Es como si lo viera.

–Fue un recuerdo imborrable. –Koldo se limpiaba con un pañuelo las lágrimas que le brotaban de la risa–. Mi padre me cogió del brazo y me dijo: «Koldo, ya tienes tu barco. Ha sido un buen bautizo; procura darle un buen entierro» –añadió, poniendo voz grave para imitar a su padre–. Y yo le repuse: «Aitor, te juro que no lo olvidaré, el *Machado* no es un velero cualquiera, es el barco de todo el pueblo; navegaré por estos mares con el corazón y tendrá un final glorioso». Y lloró tanto que las mangas de aquella americana acabaron mojadas por sus lágrimas. «Estoy orgulloso de ti, Koldo. Sé que hubieras preferido ser escritor, como quería tu madre, pero has hecho caso a este patán y serás un hombre afortunado, gracias.» Yo estaba muy emocionado y le dije que le quería y que el *Machado* era el mejor regalo que me podría haber hecho. Y le recité una estrofa de uno de los poemas de Machado que acostumbraba a declamar Iziar:

> *Dios a tu copla y a tu barco guarde*
> *seguro el ritmo, firmes las cuadernas*
> *y que del mar y del olvido triunfen,*
> *poeta y capitán, nave y poema.*

Mario se había contagiado de la emoción de su padre, aunque había logrado reprimir las lágrimas durante todo el relato, pero el poema de Machado terminó por desmontarle.

–No sé cómo lo haces, pero siempre acabo llorando con tus historias.

–Son historias tiernas que perduran en mí –se sinceró Koldo–. ¿Sabes, Mario? El poema de Machado que te acabo de recitar es mi favorito. Porque le encantaba a mi madre y porque habla del mar, dos de los grandes amores de mi vida.

–¿Y Soledad?

Mario no olvidaba que el tema de ese encuentro era la relación de Koldo y Soledad. No le había importado que su padre le explicara cómo habían construido el *Machado*. Sabía que para él era importante contárselo, pero también sabía que su padre daba muchos rodeos cuando se trataba de hablar de Soledad.

–La conocí en la fiesta. –Koldo se sirvió más vino y bebió. Reposó el líquido en la boca, como si repentinamente hubiera recordado que no había catado el vino, y prosiguió–: Llevaba un vestido vaporoso blanco y destacaba del resto de las chicas. Su melena rubia se balanceaba al compás de la música, ¿sabes? Lucía una sonrisa que cautivaba a cualquiera; de vez en cuando, se le escapaba la risa y la gente la miraba con envidia. Cuando la vi, fue como si hubiese recibido un latigazo. Me quedé boquiabierto y se me cortó la respiración. –Koldo se llevó la mano al pecho como si le hubiera sobrevenido el mismo pinchazo que sintió cuando vio a Soledad por primera vez–. Me acuerdo que fui hacia ella como si no existiera nadie más y la invité a bailar. Ella me miró con aquellos ojos verdes tan expresivos, me sonrió y me dijo: «Tú eres el rey de la fiesta, ¿verdad? El dueño del velero más bonito que he visto». Y yo le contesté: «La única reina eres tú».

–¡Bravo!

—Fue un flechazo. No paramos de bailar, comer y beber durante los tres días que duró aquella fiesta. Incluso se bailó la *kaxarranka*.

—¿Qué es ese baile?

—Se acostumbra a bailar el 29 de junio, en la festividad de San Pedro. Su existencia se conoce desde el siglo XV por lo menos. La tradición señalaba que los bienes, documentos y poderes de la Cofradía de Pescadores se debían traspasar dentro de un arcón o *kaxarranka* de un mayordomo a otro, quien tenía que velar por ellos. Sobre el arcón, un *dantzari*, que viste pantalón y camisa de color blanco, faja y pañuelo rojo, chaqué negro y sombrero de copa, baila el *zortziko* o el *arin arin*. Tendrías que verlo. Es impresionante la destreza de los *dantzari*. Luego, ocho *arrantzales*, así se les llama a los pescadores, portan el arcón mientras el *dantzari* baila en diferentes lugares del pueblo.

—¡Muy divertido! ¿Y qué pasó con Soledad?

—Dormíamos en la cubierta, bajo las estrellas, con las manos cogidas, y no parábamos de besarnos. Era el mes de agosto y ella había ido a pasar las vacaciones en casa de unos familiares suyos. Ya no pudimos dejar de vernos. Nos encontrábamos en el puerto por la mañana, antes de salir el sol, cogíamos el *Machado*, nos gustaba estar en pleno mar cuando amanecía, ¿sabes?, y yo le declamaba poemas de mi Antonio. Era fantástico. Uno de los que a ella le gustaba escuchar es el que te voy a recitar ahora. Escucha:

El casco roído y verdoso
del viejo falucho
reposa en la arena...
La vela tronchada parece
que aún sueña en el sol y en el mar.

El mar hierve y canta...
el mar es un sueño sonoro
bajo el sol de abril.

El mar hierve y ríe
con olas azules y espumas de leche y de plata,
el mar hierve y ríe
bajo el cielo azul.

El mar lactescente,
el mar rutilante,
que ríe en sus liras de plata, sus risas azules...
¡Hierve y ríe el mar!...

El aire parece que duerme encantado
en la fúlgida niebla del sol blanquecino.
La gaviota palpita en el aire dormido, y al lento
volar soñoliento, se aleja y se pierde en la bruma del sol.

Cada vez que Koldo recitaba un poema de su Antonio, callaban unos segundos, como si quisieran escuchar en su interior, otra vez, el poema. Era una especie de pacto no escrito que habían cumplido desde la primera cita.

–Bonita poesía –dijo Mario, que empezaba a comprender que los poemas de Machado eran para su padre algo más que buena literatura.

Ya se lo había dicho. Ya le había advertido su padre que Machado, para él, era la manera de ver, comprender y sentir el mundo. Pero cada vez que oía los versos de Machado en boca de su padre, algo cambiaba en la expresión de éste, en su mirada, y Mario podía vivir lo que Machado significaba para su padre.

–A ella le encantaba este poema.

–Sigue, por favor.

—Nos hacíamos el amor, le encantaba esa expresión, ¿sabes?, le encantaba decirme: «Hazme el amor». Luego nos sumergíamos en el mar, desnudos. Pasamos el mes más bonito que recuerdo y nos enamoramos mucho, muchísimo. No queríamos que se acabara nunca. Y navegábamos día y noche, como si así eternizáramos nuestro amor, y yo le brindaba poesías de Machado sobre el firmamento:

Tras de mucho devorar
caminos de mar profundo,
vio las estrellas brillar
sobre la panza del mundo.

Mario miraba a su padre con unos ojos que tenían algo de emoción y algo de sana envidia.

—Me gustaría tener una historia tan romántica como ésta.

—La tendrás, seguro que sí.

—Cuenta, Koldo, por favor.

—Después de la Fiesta de los Gansos, Soledad se fue a Madrid y yo me quedé muy solo.

—¿La Fiesta de los Gansos? —inquirió Mario, sorprendido de su propia ignorancia sobre las fiestas vascas.

—Sí, parece mentira que seas vasco. La Fiesta de los Gansos se celebra en la primera semana de septiembre, siempre que no coincida con el viernes 5. Desde unas embarcaciones, los jóvenes de Lekeitio tratan de arrancar el cuello ensebado de un ganso muerto que cuelga desde una cuerda sujeta sobre el agua entre dos puntos del puerto. Desde uno de los lados, un grupo de muchachos afloja y tira de dicha cuerda para que el joven que ha logrado coger uno de los gansos suba y baje y así provocar los chapuzones. Si el joven suelta el ave, pierde su turno. Gana quien sea capaz de arrancar el cuello al ganso y se quede con su cabeza.

–¡Qué barbaridad! –clamó Mario.

–Sí, acostumbra a levantar muchas polémicas.

–Continúa, por favor –le apremió Mario.

–Vale, vale. Nos carteábamos y yo cogía las cartas de Machado a Pilar y, prácticamente, las copiaba, ¿sabes? Ella me decía que era un gran poeta. Después, cuando nos enfadamos, siempre me recriminaba que le había mentido: «Ése fue el principio de tu engaño», me decía. Al cabo de un año nos casamos en Lekeitio en contra de las intenciones de ella, que quería celebrar las nupcias en la capital. Yo estaba tan enamorado de ella que no me hubiera importado, pero mi padre se opuso a ello de una manera tan categórica que incluso Soledad prefirió darle el gusto. Yo estaba ciego de amor y no me di cuenta de que éramos muy diferentes. Ella era dicharachera, sólo pensaba en divertirse, ir a fiestas. Estaba un poco loca, ¿sabes? Y yo era todo lo contrario: un hombre apocado, tímido, pensativo y al que le gustaba quedarse en casa leyendo. Esa forma de ser tan dispar nos pasaría factura. Créeme, Mario, cásate con una chica que sea afín a tus gustos y con la que te lleves de perlas, como si fuerais siameses.

–Te haré caso. Pondré un anuncio en el periódico que diga: «Se busca chica que sea igual que yo y así poder ser felices toda la vida».

–Me gusta que no menciones las cualidades.

–Si las digo, contestarán menos. Aparte de que, de esta forma, estoy creando un misterio con pintas de morbo. Así dirán: «¿Cómo será el menda?».

–Muy bien, muy bien –dijo Koldo, divertido de las ocurrencias de su hijo.

–Pero continúa con la historia, Koldo. ¿Qué ocurrió?

–Nos fuimos a vivir a Bilbao y cogimos un piso que daba a un parque. No era la casa de Lekeitio, pero sustituí el mar por la arboleda, ¿sabes? Los olores eran diferentes: el olor a mar y a pescado, por el olor de los árboles de eucaliptos; el sonido del chapoteo de las olas contra los cascos y el crujir de los palos y los chillidos estridentes de las gaviotas, por el trinar de los pájaros y el sonido de la campana de la iglesia de al lado que tocaba las horas, las medias y los cuartos. Muy bonito. Y allí naciste tú. Fuimos felices, pero ella se aburría mucho sin sus amigos, sin fiestas, sin trasnochar. Yo estaba dedicado al trabajo y por las tardes, cuando llegaba a casa, me ponía a leer. Suerte que, los fines de semana, íbamos a Lekeitio y salíamos con el velero a navegar. Allí, nos sentíamos en el cielo y disfrutábamos del mar. Soledad quería volver a Madrid y no paraba de incordiarme, aunque yo no me dejaba convencer.

–Era normal que extrañara a su familia y sus amigos.

–Sí, es verdad, pero yo no lo veía. No acababa de comprenderlo, ¿sabes? No sé, estábamos bien y nos sentíamos a gusto.

–¿Y qué ocurrió? –Mario no disimulaba su ansiedad. Por fin alguien le explicaba lo que había ocurrido entre su madre y su padre, y tras años de silencios y de incógnitas le costaba esperar siquiera unos segundos para que su padre descansara un momento y le apremiaba para que continuara con el relato–. Sigue, Koldo. ¿Cómo recalasteis aquí, en Madrid?

–Voy, hombre. Déjame respirar un poco –se quejó Koldo, que interrumpía su narración para tomar un poco de aire pero también para saborear la atención que le dedicaba su hijo–. Vamos a ver. Llegó una oferta del gerente de la empresa en la que trabajaba. Me ofrecía hacerme cargo de montar una fábrica de ordenadores en la capital. Yo me llevaría un tanto por ciento de los beneficios. A partir de ese momento, Soledad y el gerente me acuciaron de tal modo que me sentí hostigado y perseguido. Me sentía acorralado, Mario. Mis negativas envalentonaron a la gerencia y tomaron la decisión de hacerme socio. Entonces, ya no pude negarme más y se salieron con la suya. Soledad estaba contenta y radiante, pero yo me sentía la persona más desgraciada del mundo. Ya sé que era una buena oferta, Mario, pero no era lo que yo quería hacer con mi vida. Me acuerdo de la despedida que tuve en Lekeitio con mi padre y el *Machado*. Lloré como un niño y le prometí a Aitor que iría cada semana a verlo: «Navegaremos con nuestro querido velero y continuaremos con nuestras charlas», le prometí.

–¿Y cumpliste la promesa?

–Más o menos –contestó Koldo–. Creo que iba dos veces al mes, por mi padre y por el *Machado*.

–¿Te acompañaba Soledad?

–Al principio, sí; luego, nos fuimos distanciando. –Koldo no disimulaba su aflicción. Estaba llegando a la parte menos bonita de la historia–. Tú nos acompañabas muchas veces. ¿No te acuerdas?

–Tengo una ligera idea. ¿Qué edad tenía?

–Eras un niño. Creo que la última vez que nos acompañaste tenías seis años. Recuerdo aquellos momentos como si fueran ahora. Delgado, con la mirada inquisitiva y preguntándolo todo, tirabuzones rubios que se ondulaban al viento igual que la melena de tu madre, cogiendo el timón con aquellas manos tan pequeñas y bregando con el envite de las olas. –Koldo tenía la mirada acuosa. Carraspeaba y bebía algo de vino como si así pudiera beberse la emoción–. Yo te miraba con orgullo y se me caía la baba. ¡Qué tiempos, Mario! Soledad estaba preciosa; siempre ha estado hermosa en el *Machado*. Le gustaba que le diera órdenes y las cumplía a rajatabla sin discusión alguna. Me gustaba navegar con ella porque nunca preguntaba y, en cambio, sabía lo que tenía que hacer pero esperaba que yo se lo dijese. Allí siempre tuvo un gran respeto hacia mí y el mar. Cuando las olas embravecidas pasaban por encima de la cubierta, nunca tuvo una mirada de miedo o de desconfianza, ¿sabes? Se ponía a mi lado, se agarraba fuerte y me miraba con endiosamiento. Cuando ocurría eso, yo miraba al velamen, al mar enfurecido y a ella, que me observaba con aquel rostro sereno, y me sentía seguro de mí mismo.

—Cierro los ojos y os estoy viendo.

—Aquel mar es increíble e inolvidable.

—Me gustaría navegar contigo y experimentar las emociones que me cuentas.

—Puede ser que algún jueves nos acerquemos a Lekeitio y naveguemos juntos.

—Me encantaría.

—No sé. Tengo que pensarlo. Estamos creando un mundo entre estas cuatro paredes, y, este mundo, que es nuestro, Mario, tuyo y mío, tengo miedo de perderlo si queremos abarcar demasiado. Somos frágiles, no lo olvides. La fortaleza la tienen las mujeres; nosotros, los hombres, nos perdemos en recovecos y no nos damos cuenta de cuándo cometemos errores.

—¿Quieres decir que nuestras relaciones no serían las mismas fuera de aquí? —Mario estaba verdaderamente sorprendido. No se le había ocurrido que para su padre los encuentros en el Ernani le servían para construirse un mundo aparte con él, y que fuera del restaurante, la relación que estaban construyendo estuviera en peligro.

—Puede ser, Mario, puede ser. Ahora, estamos experimentando una serie de emociones fuertes que no sé si las tendríamos en el día a día.

Mario sopesó unos segundos las palabras de su padre. Imaginaba cómo serían sus encuentros en otros lugares: paseando, por ejemplo, o en otro restaurante o quizá en un viaje a Lekeitio.

—Te comprendo, Koldo. Tienes razón. Yo sólo espero que llegue el jueves para verte y oír tus historias, tu vida, tus pormenores, que me llenan de sentimientos no vividos hasta ahora.

–¿Lo ves? –Koldo estaba contento y aliviado de que su hijo aceptara que el Ernani, y sólo el Ernani, fuera su lugar de encuentros–. Todas las cosas necesitan de la atmósfera adecuada y nos sentimos bien porque huimos de lo rutinario, ¿sabes? Imagínate que te vaya contando la historia de tu madre o la de tu abuelo mientras estamos parados en un semáforo o haciendo cola en el cine. ¿Qué te parecería?

–Un horror.

–¿Ves? Te das cuenta. Cuando uno está bien, cómodo, con un buen plato delante, sin que nada distraiga, porque están los mismos elementos de siempre, que no estorban, es cuando surgen los pensamientos libres y las emociones renacen.

–Lo veo claro. ¡Que nadie ose quitarnos estos jueves! ¡Lo mato! –bramó Mario, mientras blandía el cuchillo.

–¡Ése es mi chico! –gritó Koldo.

–¡Ése es mi padre!

–Creo que habías quedado con tu madre. ¿Qué hora es?

–En el reloj que me has regalado son las cinco, Koldo. Y siempre que mire la hora pensaré en ti –dijo Mario, y se rió a gusto.

–Te he traído un libro de Machado. –Koldo sacó el libro de la bolsa y se lo acercó a Mario. Era una buena edición, algo antigua, y se notaba que lo había leído una y otra vez aunque se conservaba en buen estado, como si lo hubiera tratado con mucho cariño–. Espero que en la próxima reunión me digas lo que te ha parecido.

–Lo haré –dijo Mario, cogiendo el libro con un respeto casi religioso, como si asistiera a un momento cumbre de sus encuentros. Estudió la portada y añadió–: Aunque será difícil entrar en la literatura, con poemas.

–Trata de captar la esencia.

—Lo intentaré.

—Felicidades, Mario.

—Gracias, Koldo. ¿No vienes? —Mario se levantaba y se ponía la chaqueta.

—Me quedaré un rato tratando de poner orden a mis ideas. Todo ha surgido tan rápido que me ha cogido desprevenido.

—¿Lo dices por Soledad? ¿Te ha afectado volver a verla?

—Sí, claro. No se lo digas, pero aún estoy enamorado de tu madre.

—Lo veo cuando hablas de ella. Y la forma en que la miras.

—¿Tú crees que ella lo ha notado?

—Seguro que sí. Es muy intuitiva.

—Por eso me he hecho el duro.

—Ya, pero ni yo me lo he tragado.

—¡Dios mío! —se lamentó Koldo.

—Tranquilízate, Koldo. ¿Volverías con ella?

—Me lo he preguntado muchas veces y la respuesta es rotunda: no.

—¿Por qué?

—Porque no la haría feliz, tan sencillo como eso.

—Eres legal, Koldo.

—Lo procuro, compañero.

—Se dice compi.

—Adiós, Mario.

—Hasta el otro jueves, Koldo.

—¡Cuanta cortesía! —No se habían dado cuenta de que Gaizka se había acercado a su mesa—. ¡Parecéis de la Edad Media! —dijo Gaizka, riendo a mandíbula batiente.

—Si te ríes de Mario y Koldo, te estrello una paella en toda la calva —gritó Txaro, que estaba despidiendo a unos clientes.

—Gracias por la pasta, estaba buenísima. —Mario le enviaba un beso a Txaro, ya desde la puerta del restaurante.

–¡Vete con Dios, hijo! –dijo Txaro, emocionada.

Una vez que Mario se fue, Gaizka empezó a recoger los platos. Koldo callaba y jugaba haciendo rodar migas de pan sobre el mantel.

–¿Quieres una copa? –propuso Gaizka, y le enseñó una botella.

–¡Orujo! Sí, por favor. –Koldo miraba a Gaizka con la expresión cómplice que sólo puede establecerse entre el dueño de un restaurante y uno de sus clientes favoritos. Gaizka intuía los estados de ánimo de Koldo con apenas una mirada y cruzar unas palabras con él. Y como si fuera un médico que en lugar de recetas expende manjares y licores, le sugería unas buenas kokotxas para celebrar algo, un bacalao al pil pil para compartir con alguien un momento de felicidad o un orujo para combatir la nostalgia–. Y si no te importa me quedaré un rato meditando.

–El rato que quieras –contestó Gaizka, mientras le servía una buena copa de orujo–. Ya he visto por la ventana que te has encontrado con Soledad.

–Eres un chismoso.

–No es eso. Me gusta veros cuando os saludáis tú y Mario. Se os ve con buen rollo, y yo, la verdad, estaba en guardia esperando el encuentro.

–Pues sí. La he visto y supongo que eres del mismo parecer. Está guapísima.

–Francamente, está fantástica. Ha sabido madurar como las frutas cuando las pones en conserva.

–Buena descripción. Se lo diré y seguro que me tira un plato a la cabeza. ¡Fruta en conserva!

–¿Aún estás enamorado de ella? –preguntó Gaizka, dejando la botella sobre la mesa.

–Pienso que sí, aunque no nos parecemos en nada –Koldo paladeaba el orujo y sentía que de alguna forma el calor del licor bajando por la garganta le reconciliaba consigo mismo.

—Lo que pasa es que necesitarías una compañera. Estás demasiado solo. ¿Qué diría tu poeta sobre la mujer?

Koldo tragó el orujo y recitó con voz cantarina:

Sin mujer
no hay engendrar ni saber.

—Bien, me gusta, era un tío legal. ¿Y tú qué dices al respecto?

—Quiero estar solo.

—Sí, de acuerdo, pero lo tuyo es exagerado. Suerte que Mario te da vidilla.

—Tienes razón. Me siento muy contento de haber conseguido esta amistad tan bonita. Tengo que valorarlo. Ya sabes que siempre lo estropeo.

—Es de tanto leer. Te gusta coger el papel de cada uno de los protagonistas de tus novelas. Y la vida no es eso.

—Estás equivocado, la vida es una novela. Y ahora déjame con mis pensamientos.

—Vale, Koldo, pero te conozco y no sólo son pensamientos, son dudas.

—Eres un lince, Gaizka; has dado en el blanco.

—El restaurante te da eso, don de gentes.

Y salió silbando una canción marinera. Koldo se quedó ensimismado y se sirvió otra copa, larga, de orujo.

El desencanto

Mario había llegado una hora antes para sopesar lo que le contaría hoy su padre. El pasado jueves vio que Koldo había interrumpido el relato expresamente. Tendría que ayudarle para que no sufriera contando las vicisitudes que motivaron su separación de Soledad. Procuraría quitarle hierro al asunto y así evitaría que Koldo se sintiera incómodo. Cada encuentro era más emotivo, y se sentía encantado de oír las trifulcas de su padre narradas con la facilidad y la pasión que le ponía. Nunca se hubiera imaginado que Koldo fuera así y no entendía por qué no había escrito sobre su vida. Tenía madera de escritor. Relataba de una forma que era fácil revivir cada una de sus vivencias. El otro día, en clase, tuvo que escuchar la bronca de un profesor que le preguntó por lo que estaba explicando. Seguramente el profesor vio su cara de ensimismamiento. Mario había dejado viajar sus pensamientos a Lekeitio, a la construcción del velero, a la fiesta, a las salidas en el *Machado*. Hoy le preguntaría por qué no se había atrevido a escribir. ¿Le pesaba demasiado, acaso, el respeto por el pasado? ¿Tanto como para no relatar sus historias?

–Tómate una cerveza, Mario. Y no pienses tanto. Tu padre es un tío muy sencillo y además es un gran hombre. Un poco descontento con lo que ha hecho en este mundo, pero fiel a su ideología –le dijo Gaizka, que se había acercado a la mesa de Mario y que siempre parecía estar de un excelente humor.

—Ya lo sé, Gaizka, ya lo sé. —Mario probó apenas la espuma de la cerveza y dejó la copa sobre la mesa—. Lo único que me gustaría es que fuera feliz. ¿Sabes lo que me preguntó mi madre el otro día cuando nos vimos?

—De tu madre, cualquier cosa. Es imprevisible.

—Pues nada de eso. Me preguntó si Koldo estaba viviendo con alguien. Tú que los conoces, ¿qué sentido tiene?

Gaizka tomó la copa de cerveza de Mario y echó un buen trago.

—Curiosidad de mujer, nada más. No creo que Soledad quiera vivir otra vez con él. ¡Uf, madre mía, compartir la lectura, la novia de tu padre! —Gaizka sentía que no traicionaba los sentimientos de Koldo. Las vidas de Koldo y Soledad eran irreconciliables y no quería que en la cabeza de Mario fuera creciendo la posibilidad de una reconciliación—. Mario, date cuenta de que Koldo vive por y para los libros. Él está colado por tu madre, siempre lo ha estado.

—¿Entonces?

Gaizka vació la copa de cerveza mientras se arrepentía de no haber servido una más grande. Se quedó observando el fondo de la copa mientras calibraba las palabras que le diría a Mario. No quería ser muy duro, pero tenía que ponerle coto a sus deseos entusiastas de hijo que recupera a un padre tras diez años.

—Cuando algo se rompe, es muy difícil recomponerlo y más tratándose de amores.

—Es la primera vez que mi madre se interesa por mi padre. Mario no quería darse por vencido.

—Es normal. Piensa que le hace tilín que os veáis. Yo qué sé, debe de sentir un pequeño escozor, no sé, celos de madre o algo así.

—¿Estás seguro?

Mario parecía haber depositado en el juicio de Gaizka todas las esperanzas de que sus padres volvieran a estar juntos.

–Naturalmente, le gusta que os encontréis, pero se siente celosa. No se podía imaginar que Koldo dedicara a su hijo todos los jueves después de casi diez años sin saber uno del otro.

–No lo había pensado.

–Lo vuestro es muy fuerte y al mismo tiempo es precioso.

–Sí, tengo que confesar que es algo hermoso.

–Y chocante, por eso os gusta.

–Es más o menos lo que me dijo el otro día Koldo.

–Txaro y yo estamos muy contentos. ¿Cómo te lo diría? Nos habéis conquistado. Y cuando se os ve, él hablando y tú con la boca abierta, es fantástico.

–Gracias, Gaizka. –Mario había visto que su padre entraba en el restaurante y se paraba un momento a saludar a Txaro–. Disimulemos, ahí viene. No me gustaría que pensara que estamos hablando de él.

–Esto queda entre nosotros. Voy a la cocina a ver lo que os ha preparado mi mujercita.

Koldo se acercó a la mesa con grandes zancadas, lucía una sonrisa llana y le brillaban los ojos. Besó a su hijo y se dejó caer en la silla, resoplando. Mario lo miró, extrañado.

–Parece que vengas de escalar el Himalaya –se burló.

–Casi, te lo aseguro. No tengo coche y vengo a pie desde casa. Diría que hay unos dos kilómetros.

Koldo se había desabrochado la parte superior de la camisa y resoplaba ostentosamente.

–No seas exagerado.

–Las he contado: hay dieciocho calles.

–Vale, tienes razón, pero eso te va bien.

–No lo dudo, pero estoy echando el hígado por la boca. De todas formas he estado pensando sobre lo que te tenía que decir hoy y me ha ido de fábula.

–Yo he venido una hora antes. También necesitaba pensar. –Mario quería que su padre le explicara, que le contara los pormenores de su vida; deseaba entrar en su mundo, pero no quería que se sintiera forzado. Durante unos segundos sólo se oía la respiración agitada de Koldo. Esperó a que se calmara y continuó–: El otro día no quisiste explicarme más y paraste la conversación de golpe.

–Sí, eres muy perspicaz.

–Trato de aprender de ti –dijo Mario, sonriendo.

–Te recitaré un proverbio de mi amigo Machado sobre el arte de aprender y de saber; no lo olvides nunca, te ayudará en la vida:

Si me tengo que morir
poco me importa aprender.
Y si no puedo saber
poco me importa vivir.

–¡Caramba, Koldo, es muy bueno!

–Machado era y es filosofía pura. ¿Sabes lo que tenemos hoy para comer?

–No.

–Patatas, simples patatas y carne, pero nunca habrás comido unas tan sabrosas. Y para beber, un buen txacolí que guarda Gaizka para los clientes especiales.

–No dudo que será una comilona. Y ahora al trabajo. Mis oídos están muy abiertos.

–Tú eres un poco chafardero.

–Te equivocas, soy muy chafardero.

La complicidad y el buen humor se habían convertido en una constante de sus comidas. A Mario le parecía ahora una estupidez haberse preocupado por si su padre se tomaría a mal que le recordara que en el anterior encuentro había interrumpido su relato expresamente cuando hablaba de Soledad. Ni tremendismos, ni reproches. Lo habían arreglado con una pequeña broma.

–Bien, adelante. ¿Por dónde estábamos? Ah, sí. El traslado a Madrid fue una equivocación. No por la ciudad en sí, solamente, sino por el cambio que significa la gente y el ritmo desenfrenado que te obligan a llevar. No eres nadie si no frecuentas los bares y tomas los chatos y las tapas.

–Pero eso es peor en Bilbao. Creo que la vida transcurre en los bares.

–Es diferente, te lo juro. Aquí en Madrid vives para los demás. Es una razón social.

–No veo la diferencia, de verdad. Te encuentras con amigos y tomas unas copas. Qué importa una ciudad u otra.

–El motivo es distinto. En Bilbao es una camaradería; en cambio, aquí se transforma en un acto público. En el País Vasco, si vas a las tascas, bien: bebes, te emborrachas un poco, ríes y te vas a casa. Pero si no vas no pasa nada. En cambio, aquí, si no vas: o piensan que te has puesto malo o te buscan cantidad de defectos. En resumen, estás mal visto.

–Sí, es verdad. Tienes que dar mil excusas. No he podido venir por esto o por lo otro.

–Exactamente. Es lo que no me gusta. Te sientes obligado a ir a tomar unas copichuelas y la mayor parte de las veces te cae muy gordo, pero es igual, tú ya has cumplido.

–Lo que tú has dicho muchas veces: hacer el paripé.

–Ni más ni menos.

–Bien, lo he entendido, continúa.

–Tu madre, y no quiero meterme con ella, porque critico sólo esta forma de vivir, era, y supongo que continúa siendo, amante de esta fea costumbre. ¡Dios, qué horror! Tuve que soportar a mil imbéciles explicando las mismas bromas, los mismos chistes, anécdotas trasnochadas, burlándose por la cosa más nimia, sarcasmos sin ton ni son, pero oliendo, eso sí, a Chanel y Armani. Las conversaciones eran odiosas: ¿De dónde has sacado este modelito? Caray, de Dior, ¡te habrá costado un montón! –Koldo ponía voz de pito–. Este peinado te sienta francamente mal. Es que la dueña de la pelu estaba esquiando en los Alpes y me ha peinado una chica sudaca que no tiene ni idea. ¿Has visto la última película de Richard Gere? Sí, horrible, pero yo se lo perdono porque está más bueno que el pan. ¿Quieres que continúe? Porque te podría decir mil y una preguntas y otras tantas contestaciones insulsas.

–No, por favor.

–No me aclimaté ni lo aguanté. Eso sí, lo procuré porque quería a Soledad, pero a medida que iba conociendo a sus amigos, los fui encontrando cada vez más insoportables, con menos gracia. Daba excusas. Que si el trabajo, que si lo otro... ¿sabes? Y luego comprendí que tenía que ser más sincero y le dije la verdad. No se puede decir la verdad nunca si piensas que la persona que la recibe se puede sentir ofendida, créeme.

–Por lo que veo, se ofendió.

–Sí, porque cuando le expliqué los motivos, se sintió igual que sus amigos.

–Claro.

–Intenté arreglarlo, pero fue en vano. Me dijo que era un bicho raro y que me quedara en casa leyendo mis libros. Y eso es lo que hice. Salíamos alguna vez a cenar o al cine, pero era evidente que nos separaba una forma distinta de ver la vida. No digo que Soledad fuera superficial y yo un loco por las letras, pero ella se lo tomó malamente.

–¿Y?

–Mal, muy mal. Estabas tú, que nos llenabas de oxígeno de vez en cuando, pero nada más. Ya no me acompañó a Lekeitio, y navegar en el *Machado* juntos, que era algo que nos había unido, se acabó. Triste, porque me di cuenta de que no era lo mismo, que me faltaba. Y así se lo dije. Su contestación fue lacónica: «Mi mundo no te gusta, lo encuentras vacío; pues el tuyo me parece aburrido». ¿Sabes?, analizando todo aquello, ahora, después de estos años, te diré que no me importaría aguantar a aquellos imbéciles para poder estar con tu madre.

–Y ella se debe de arrepentir de no haber ido contigo a navegar.

–¿Estás seguro?

–Completamente, porque la única fotografía que tiene en la estantería de los libros, junto con algunas mías, es una en la que estáis los dos llevando el timón del *Machado*.

–Me acuerdo perfectamente.

–Y te diré por qué le tiene un cariño especial: un día no la vio y le preguntó a la criada dónde estaba y qué había ocurrido.

–¿Y?

–Le contestó que se le había caído, que se había roto el cristal, y que como sabía que aquella foto le gustaba no le había dicho nada y encargó uno de repuesto para sustituirlo. Yo estaba delante y te juro que se alegró de lo que le dijo.

–Me gusta oírlo. A esa foto le tengo una gran estima. Marca una etapa importante en la decisión que tomamos juntos.

–¿Se puede saber cuál fue esa decisión?

Al ver la sonrisa de su padre, Mario supo que su pregunta tenía mucha más importancia de la que podía imaginar. Era una sonrisa nueva, que no se limitaba a ser cariñosa, tierna o simpática, sino que era todo eso y mucho más. Había en ella un sentimiento mucho más profundo. Koldo mantuvo la sonrisa unos segundos y contestó:

–Tenerte a ti. Aquel día te concebimos, por eso la guarda. Estábamos en un mar tranquilo, en un día de un sol de justicia, y, a lo lejos, vimos una niebla que venía hacia nosotros, penetramos en ella y nos quedamos sin ver nada, apenas nos vislumbrábamos. Arrié las velas, puse las luces de posición y me mantuve al pairo. Nos miramos y, sin decirnos nada, nos desnudamos. Era una desnudez mórbida, como la niebla. Yo me acerqué a ella y le dije al oído que no sólo quería penetrarla sino que quería tener un hijo suyo. Ella me besó y me respondió que lo deseaba tanto como yo. No puedo definir cuánto duró aquel momento. Me pareció que una eternidad, como si lo viviéramos al ralentí, ¿sabes? Uf, fue precioso e intenso. De la misma forma que vino la niebla, se fue; y para recordar aquellos bellos instantes, puse el angular en la máquina de fotografiar, la situé en la cubierta, la apoyé en un cabo y le fui dando el ángulo apropiado. Coloqué el automático y nos hicimos la foto. Cuando vayas a casa fíjate que mi mano está apoyada en su vientre como salvaguardando al posible hijo que los dos quisimos concebir y que así fue, puesto que al cabo de nueve meses naciste en un día que no había niebla, pero era de aquellos días tan nublados que el cielo parecía recién asfaltado.

Mario había escuchado toda la explicación sobre cómo había sido concebido, sujetando a medio camino entre la mesa y su boca la copa de vino. Finalmente, acabó de llevarse la copa a la boca y bebió muy lentamente. «Acaba de contarme cómo me concibieron. Es alucinante.»

–Bonita historia. Es... es... muy romántica. Pero ¿eso quiere decir que soy el hijo de la niebla?

–No lo creo, porque eres todo lo contrario. Alegre, expresivo y claro. Puedes estar contento, no todos tienen la suerte de haber sido concebidos de una forma tan original. Piensa que mucha gente ha nacido por sorpresa o para disgusto de sus padres.

–Me siento afortunado. Soy el hijo del amor y del señor de las tinieblas.

–¿Cómo te sientes cuando el cielo está gris oscuro o hay niebla?

–Alzo la vista al cielo y clamo como un loco: «Papá».

–Muy gracioso.

Los dos rieron con ganas. Gaizka, cuando vino con los platos, los encontró en pleno delirio hilarante.

–¿Qué pasa, muchachos?

–Nada, todo normal, Gaizka. Resulta que soy el hijo del señor de las tinieblas.

–Tú, con tus novelas –dijo Gaizka dirigiéndose a Koldo–, eres capaz de hacer creer en los fantasmas y el Más Allá.

–Gaizka, no le hagas caso a Mario –replicó Koldo, haciéndose el ofendido–. Es él el que tiene demasiada fantasía.

–No me extraña, os habéis bebido la botella de vino y habéis comido muy poco. Estáis borrachos.

–Aún no, trae otra y se verá cumplido tu augurio –repuso Koldo, riendo sin parar.

–Eso, trae otra y volaremos. A lo mejor nos transformaremos en Dédalo e Ícaro.

–Gaizka, escucha un proverbio de Machado:

Demos tiempo al tiempo,
para que el vaso rebose
hay que llenarlo primero.

–¿Proverbios y poesías? Es lo único que sabes. ¿Te parece bien emborrachar a tu hijo? Si se da cuenta Txaro, te echará una bronca...

–No se lo digas, guárdanos el secreto –dijo Koldo, llevándose el índice a los labios para pedirle un silencio cómplice.

Gaizka se fue meneando la cabeza y refunfuñando. Koldo y Mario le miraban y se partían de risa.

–No seas malo, Koldo. Matarás al pobre Gaizka a disgustos –dijo Mario. Y cuando hubo probado el guiso de patatas miró hacia la cocina y le envió un montón de besos.

–¿Deliciosas, no?

–Fabulosas.

–Bueno. Pararé de relatar y me dedicaré a degustarlas. Contigo hablo y hablo y no me doy cuenta de lo que como –dijo Koldo, de buen humor.

–Ésa es mi astucia. Escuchar y comer –dijo Mario con la boca llena.

–Te hace falta, estás delgado. En cambio, yo tendría que aprovechar estas charlas y ayunar. De esta manera me quitaría algunos kilos de encima.

No se dijeron nada mientras comían. Compartían en silencio ese momento en el que se sentían tan a gusto. De vez en cuando, se miraban y sonreían. Koldo rebañó el plato, lo dejó limpio como una patena y bebió un buen trago de vino. Se limpió las gafas con la servilleta, las miró a contraluz dando por buena la limpieza con aquel gesto tan usual en él, se arremolinó en el sillón y se quedó mirando a Mario con un brillo especial en los ojos.

–Ahora ya puedo continuar –le informó.

–Si quieres no me cuentes nada más de Soledad, lo comprenderé.

–No, me va bien. Es la primera vez que cuento estas intimidades a alguien. ¡Quién mejor que mi hijo para conocerlas y poder tener una opinión imparcial! Aparte de que, cuando pasa mucho tiempo, ¿sabes?, la realidad se vuelve diferente y adquiere unas tonalidades desconocidas incluso para el que las ha vivido.

–La percepción es buena –dijo Mario, asintiendo con la cabeza–. Continúa.

–Así, de una forma cansina, pasaron varios años. A ver... –Koldo cerró los ojos y murmuraba como si llevara interiormente la contabilidad de aquellos años de distanciamientos–. Sí. Creo recordar que fue cerca de una década. La rutina nos envolvió en papel de aluminio –Vio que Mario no había entendido la metáfora, y le explicó–: Es decir, teníamos una gran dificultad para expresar lo que sentíamos. ¿Cuántas veces leí las poesías de Machado? No lo sé, pero me las aprendí de memoria. Adquirí la costumbre de reseñar en la primera página de los libros la opinión que me merecían y los releí varias veces. Hablaba a solas con ellos, soñaba con los personajes, creía que yo era un compendio de todos ellos, y Soledad me avisó de que si seguía así, fácilmente podría acabar loco. Y, bueno –continuó Koldo tras soltar un suspiro–, nos amoldamos a nuestras pequeñas cosas, a nuestras costumbres, a nuestros vicios, y construimos una felicidad ficticia. Ella iba al gimnasio por la mañana y se pasaba allí horas y horas; luego comía con sus amigas y por la tarde volvía a casa sobre las seis, se arreglaba y volvía a salir a tomar copas y a cenar por ahí. Yo me levantaba muy pronto, a las siete, de puntillas para no despertarla, me vestía e iba también al gimnasio a nadar durante una hora. Sobre las nueve y media llegaba a la fábrica y me pasaba todo el día atendiendo a los clientes y discutiendo nuevas formas de entrar en el mercado. Entre tú y yo, te puedo decir que no era nada complicado, porque los ordenadores estaban y están en el mejor momento, por lo tanto, viento en popa y a toda vela.

–¿Va bien?

–Mejor que bien, imposible que vaya mejor. Tuvimos que agrandar la fábrica de montaje tres veces y no damos abasto. Internet ha acabado de fortalecernos más. ¿Quién no tiene un ordenador en su casa?

–Eso quiere decir que habéis llegado a un tope.

–No, al cabo de un año la computadora ya es vieja y siempre sale un modelo nuevo que tiene muchas más aplicaciones. Las telecomunicaciones nos comerán y los técnicos no paran de hacer innovaciones. El final no existe; es terrible, ¿no?

–Para ti está muy bien. Es un negocio seguro.

–Sí, ya lo sé, pero esta evidencia me sobrecoge. Está tan lejos del mundo que me gusta, del mundo en el que me siento cómodo y emocionalmente estable, que lo echaría todo a rodar. No te asustes, no lo haré, aunque tu madre me tache de esquizofrénico aún tengo la cabeza sobre los hombros.

–No soy quién para decirte lo que tienes que hacer, pero me duele que malgastes energías.

–Volviendo al hilo. Te diré que llegaba a las seis de la tarde a casa y así podía ver a Soledad, aunque fuera sólo una hora. Después, me encerraba en la biblioteca y era feliz con mi lectura. A las doce me acostaba y, algunas veces, tenía la suerte de que Soledad llegaba a la misma hora. Ésa era nuestra vida, monótona, y, teniendo en cuenta lo que debe ser una pareja, era muy insustancial. Yo me iba a Lekeitio a navegar y, como tu madre no venía, opté por quedarme aquí en Madrid, ¿sabes? Así podía salir contigo y hacer excursiones.

–Comprendo por qué os separasteis.

–Hubiésemos podido continuar con ese esquema si no hubiese acaecido una desgracia. Aitor, tu abuelo, me llamó un día diciéndome que era urgente que fuera a Lekeitio. Lo dejé todo y no perdí ni un solo instante. Sabía que algo grave debía de ocurrir. Llegué a casa y me encontré a mi padre. Me esperaba sentado en el umbral de la puerta. Estaba muy serio y se veía que no había dormido en varios días. Pobre, qué cara tenía. Lo besé y me dijo que nos fuéramos a navegar en el *Machado*. Hacía muy mala mar y le previne de que no era el día más adecuado, pero él no se avino a mis consejos.

Mario había dejado los cubiertos sobre el plato. Escuchaba a su padre con los codos apoyados en la mesa y la cabeza reposando sobre las manos juntas, fuertemente cerradas, como si quisieran contener la inquietud que sentía.

–¿Tuvisteis un percance en el mar?

–No, Aitor sólo quería hablarme de padre a hijo.

–¿Y?

Mario se había acercado a su padre hasta el límite que marcaba el borde de la mesa.

–Fue muy triste. Comenzó a llorar y estuvo un buen rato abrazado a mí, sin decir nada. Yo no sabía qué hacer ni qué decirle. Aquel silencio pesaba más que una losa. Se me quedó mirando fijamente y tuvimos una larga conversación.

–Koldo, ¿qué dirías si te confesase que tú no eres mi hijo?

–Nada, me quedaría igual, tú siempre has sido mi padre.

–Gracias, hijo, me figuraba que me contestarías eso, pero para mí no es tan fácil.

–¿Qué ha ocurrido?

–El otro día, miré los estantes de los libros y vi que estaban llenos de polvo. Pensé, de inmediato, que a Iziar no le hubiera gustado verlos así. Y me acordé de cuando ella cogía aquella escalera especial que le regalaron sus amigos el día que cumplió cincuenta años y se pasaba días y días limpiando los libros, más bien diría acariciándolos. E hice lo mismo. Estaba contento porque hacía algo que a ella le hubiese gustado si lo hubiera visto; de pronto, en el último estante de la biblioteca que da al comedor, encontré detrás de algunos de ellos una caja metálica, una de esas cajas antiguas de galletas. Me dio un vuelco el corazón y noté que me latía más deprisa de lo normal. Bajé y me senté en el sofá. La abrí con cuidado y me extrañé de que hubiera un montón de cartas atadas con una cinta roja. Las fui leyendo y me quedé sin sangre. Eran cartas de amor dirigidas a tu madre, y muy íntimas. En ellas, no sólo se relataba la pasión que sentían, sino que el amante hablaba del hijo que estaba esperando Iziar y descubría, con detalles que me da vergüenza explicar, los entresijos de sus amoríos y el día que decidieron concebirte. Aquellas tertulias, que duraban hasta la madrugada, fueron los momentos que ellos aprovechaban para amarse y cuando ella me era infiel. –Aitor acabó de hablar entre sollozos.

–¡Dios, lo siento por ti! Espero que por mí no te sepa mal, a mí me da igual, te lo he dicho antes.

–Para mí no lo es, Koldo, para mí no lo es. No pude leer más, ni quise. Se me cayeron al suelo y no las recogí siquiera. Todo me importaba un bledo. Me sentí muy poca cosa, un infeliz. Sólo quería morirme. Había sido traicionado por la persona que más quería. Ya no me quedaba nada, ni siquiera el hijo, tú. Ni mi hijo era mío.

–No digas tonterías. Me importa un comino saber quién es mi padre biológico. Siempre me ha hecho gracia ese nombre.

–Gracias, Koldo, pero te figurarás cómo estoy.

–Eso sí, sé que estás hecho polvo, pero no cambia nada, de verdad.

–Lo cambia todo. Ya no puedo mirar a nadie con la cabeza alta; me doy vergüenza a mí mismo. Ni a ti te puedo mirar sin bajar la cabeza. Tu madre, después de muerta, me ha quitado lo único que me había dejado.

–No seas exagerado, padre. Tú sabías los devaneos que tenía Iziar, pero no por eso no te quería.

–Por favor, Koldo. No es lo mismo un devaneo que la constancia de unas continuadas mentiras y traiciones. Odio este tipo de cosas, tú lo sabes y me conoces.

–Sí, claro, tienes razón, pero no podemos arreglarlo. Ha sucedido y no podemos cambiarlo.

–Antes de llamarte he estado una semana dándole vueltas y más vueltas y no encuentro ninguna solución. Al final decidí telefonearte para que vinieras y poder explicártelo. Necesitaba sacarme la pena.

–¿Y?

–No lo he conseguido. Me he quedado vacío y nada más, aunque agradezco las palabras que me has dicho. Te quiero mucho, Koldo.

–Yo diría que tienes que venir a Madrid a pasar una temporada con nosotros y, entre todos, trataremos de que te olvides de esto.

–Sabía que me lo dirías y puede que esta vez acepte. Aquí ya no me quedan ni los recuerdos.

–Me quedaré unos días. Prepara las maletas y...

–Gracias, Koldo.

–No me des las gracias y déjate de tonterías. ¡Hala!, se acabó tanta charla. Ven a estrechar a tu hijo con un fuerte abrazo.

–Te quiero, Koldo.

–Yo también, padre.

–¿No querrías saber quién es tu verdadero padre?

–Ya tengo uno y es el mejor; no quiero, ni me interesa, saber nada más.

–Eres un buen chico.

–Y tú un buen hombre.

Mario sabía que tenía que decir algo, pero se limitaba a mirar a su padre con los ojos más abiertos de lo normal. Imaginaba lo que Koldo debió de sentir cuando Aitor le dijo que no era su padre. Y podía llegar a figurarse el dolor y la sensación de vacío que su abuelo tuvo que arrastrar a partir de ese momento. En un instante, Aitor había visto como su vida daba un vuelco, como lo que había sido más importante para él, su familia, se convertía, con el simple gesto de abrir una carta, en un fraude.

–¡Qué horror! ¡Qué tristeza! –acertó a decir.

–Sí, muy triste. –Koldo hablaba ahora como en un susurro. Como si quisiera mitigar el sufrimiento provocado por los recuerdos bajando el volumen de su relato.

–¿Y qué ocurrió? –preguntó Mario, intentando evitar cualquier matiz de apremio o exigencia en su voz. Veía que a su padre le costaba continuar y no quería forzarle.

–Bueno. Pues tu madre me llamó diciéndome que tenías mucha fiebre y que el doctor le había diagnosticado que era probable que tuvieras una apendicitis. Yo le dije a mi padre que me tenía que ir a Madrid urgentemente, que lo vendría a buscar al cabo de unos días y que hiciera las maletas mientras tanto. Me pareció que estaba sereno y me marché algo receloso pero tranquilo porque incluso sonrió cuando lo alcé en brazos y lo llené de besos. Fue la última vez que lo vi. Estaba allí, de pie, en la estación de autobuses, saludando, riendo y corriendo detrás del autobús, como si fuera un chaval.

–¿Qué pasó? –Mario ya no disimulaba su inquietud. Le ofrecía a Koldo una mirada que era mitad cariño y mitad angustia–. Me temo lo peor.

–En el avión tuve un presentimiento y sentí un latido fuerte, una punzada. –Cada palabra que pronunciaba Koldo era una nuevo pinchazo en el pecho, una nueva estocada que le recordaba aquella tarde cuando bajó del avión y vio a Soledad, que lo esperaba con la expresión seria y espantosa de las malas noticias–. Cuando llegué al aeropuerto, Soledad me comunicó la desgracia. Aitor había amontonado todos los libros en el salón de la casa y les había prendido fuego. No quedó nada, ni una astilla. Encontraron los restos de mi padre completamente calcinados.

Koldo se enjugó las lágrimas que le bajaban por las mejillas. Mario se quedó rígido, no se atrevía a moverse. Tenía la mirada extraviada y, pasados unos segundos, se puso a llorar. No les importó que la gente les mirara, les daba igual. Ni Gaizka se atrevió a preguntarles qué les pasaba. Mario se levantó y abrazó a su padre. Una pareja, al verlos abrazados y llorando, empezó a aplaudir y los demás hicieron lo mismo. Koldo y Mario se miraron y se pusieron a reír, mientras que las lágrimas continuaban cayéndoles.

—¿Qué estarán pensando de nosotros? —dijo Koldo, riendo y llorando a la vez.

—No sé, que hemos hecho las paces.

—O que somos unos imbéciles.

—Si pensaran eso no aplaudirían.

—Tienes razón, Mario.

—Yo lo dejaría por hoy. Creo que ha sido demasiado fuerte.

—Sí, ahora sería horrible continuar. Acabaríamos como auténticas Magdalenas.

—Hablemos de otra cosa. He leído parte del libro de poemas de Machado.

—¿Y?

—Me gusta, pero tenías razón cuando me decías que algunos de ellos no me llegarían al alma. No sé, con algunos no me siento identificado. Aunque hay una frase, una simple frase, que es muy adecuada para ti.

Poned atención:
Un corazón solitario
no es un corazón.

—Me has tocado, Mario. Como dicen en esgrima: *touché.*

—Lo siento, Koldo, pero creo que no es bueno que estés solo. Tendrías que procurar encontrar a alguien, abrirte a posibles aventuras. ¿Por qué no?

—Me da pereza. Y además así me siento bien.

—No me engañes y no te engañes a ti mismo. Estás encerrado en las cuatro paredes de tu casa viviendo un mundo de recuerdos, de fantasmas y de seres que nacen de los libros. No me parece que tu vida se deba reducir a eso. Tú eres más rico en sentimientos como para tirarlos por la borda.

–¡Vaya bronca! Mi hijo tratando de llevar por el buen camino a su padre. ¡Habráse visto!

–No te lo tomes a mal, lo digo por tu bien.

–Aceptado. Voy a salir a hacer el imbécil por ahí. O preséntame a la mujer de mis sueños, ¿vale?

–Eres tonto de remate.

–Gracias. ¿Qué hora es?

–Nuestra hora: la hora que nos encontramos, la hora que nos despedimos. Siempre tenemos una hora.

–Las de hoy han sido horas de llorar.

–De cuando en cuando va bien, Koldo.

–Te quiero, Mario.

El incendio

Koldo se encontraba en el restaurante, sentado en la mesa, y leía un libro. De vez en cuando cogía el lápiz y subrayaba alguna frase. Se le veía contento. Gaizka se le acercó y le dijo:

–Acaba de telefonear tu chico y me ha dicho que se retrasará una hora. Está en la universidad en pleno examen y, como es natural, está tratando de sacarlo adelante. Le he dicho que no sufriera y le he deseado suerte. Me ha extrañado que le dejaran telefonear y me ha contestado que se examinaba un amigo por él. ¡Qué cara y qué listo!

–Seguramente, él habrá hecho algún examen por su amigo. Yo también lo hice en mis buenos tiempos. Nos repartíamos las asignaturas.

–Pero eso no es estudiar: es hacer trampa.

–¡No seas pelagatos!

–De tal padre, tal hijo. No me extrañaría que le hayas dado tú la idea.

–No, no lo he hecho. Son cosas de estudiante; en el fondo, las triquiñuelas despiertan la creatividad.

–No se lo diré a Txaro. Se llevaría un disgusto. Cree que Mario es el chico más bueno y formal del mundo.

–Y lo es.

–Es un tramposo. Se lo voy a decir a tu hijo; así de claro.

–Y él se reirá.

–¿Quieres tomar algo?

–Si tengo que esperar una hora, no estaría mal que me trajeras una botella de vino blanco y unas tapas.

–Y cuando venga, te encontrará trompa perdido. Te traeré una copa, y vas que chutas.

–Eres peor que mi madre, que en paz descanse. Trae lo que quieras.

–Eso haré.

Koldo sonrió y se enfrascó en la lectura. Tenía que darle el libro a Mario y antes quería leerlo de nuevo. Le gustaba el sencillo análisis que Mario había hecho sobre algunas de las poesías de Machado: «Un corazón solitario no es un corazón». Lo había cogido de pleno, sin defensas, y había dado en la misma diana: él era un corazón solitario. Peor aún: hasta que empezaron las comidas con Mario consideraba que ni tenía corazón. Ahora era diferente. Se sentía lleno de emociones: reía, lloraba, soñaba, y no era producto de la fantasía de sus libros. Era la realidad, la pura y magnífica realidad. Se limpió las gafas con el faldón de la camisa, comprobó que estuvieran limpias, sonrió y pensó que su hijo sería un buen negociante, una buena persona, convincente, y que aportaría a los clientes credibilidad, que es, a la postre, lo más esencial en las ventas.

Llegó Gaizka con unas patatas picantes, buñuelos, jamón y una botella de vino blanco. Retiró el plato y se lo puso todo delante. Koldo miró alternativamente los platos y a Gaizka.

–Si me como todo esto, no tendré tragaderas para después. ¿Estás loco?

–Hemos tenido una discusión Txaro y yo –dijo Gaizka–. Ella decía que eres mayorcito para saber cuánto vino has de beber y yo me he atrevido a traerte todas estas tapas para paliar el golpe. Tú mismo.

–Vamos, siéntate y ayúdame –dijo Koldo, señalando la silla vacía.

–No, que vendrán clientes y a Txaro no le gusta que me vean sentado. «Da la sensación como que te sientes cansado antes de empezar», me dice.

Gaizka imitaba muy bien la voz de mujer y Koldo se reía con ganas siempre que lo oía.

–Perdona por lo del otro día, pero los sentimientos, a veces, te traicionan.

Koldo estaba algo avergonzado por los lloros y los abrazos del otro día ya que temía que los clientes del restaurante se pudieran haber sentido incómodos.

–No pasó nada, Koldo, todo lo contrario. La gente no entendió nada y aplaudió a rabiar; hasta Txaro hizo sonar las cacerolas en la cocina. Fue bonito, muy bonito. La mayor parte de los clientes me dijo que daba gusto veros. ¿Te has fijado? Hay más gente, sobre todo los jueves. Txaro dice que lo hablan entre ellos y que algunos repiten el mismo día que vosotros. Os haréis famosos y saldréis en la televisión. La relación que mantenéis es chula y la gente se pirra por ver los sentimientos aflorar. Cuando se echan cuatro lagrimitas, entonces se vuelven como la mantequilla y se funden en lloriqueos. Sin ir más lejos, te diré que mi mujer me monta saraos por vuestra causa, y eso es demasiado: «Que tendríamos que adoptar a un chiquillo, que la paternidad es la mejor virtud, que aprende de Koldo, que el chico es un primor, etcétera».

–Lo siento. No me gustaría que os pelearais por nuestra culpa.

–No, despreocúpate. A ella le gusta, echa unas lágrimas, moja la almohada, se estrecha a mí, me hace unos mimos y se queda dormida como una marmota. Yo procuro darle la razón; si le discuto, luego tardo en dormirme. Te dejo porque ahí vienen los del otro día. Verás que querrán la misma mesa; no querrán perderse ni un momento de vuestra conversación. ¡Chafarderos, más que chafarderos!

Gaizka fue a atender a los clientes y Koldo terminó de subrayar alguna frase más. Luego cerró el libro y lo dejó encima de la mesa, cerca del plato de Mario. Vio que se acercaba Txaro con su delantal blanco salpicado por pequeñas manchas de salsa de tomate.

—¿Qué me cuenta mi Koldo?

—Ya ves. Casi nada y mucho. No ocurre ni un drama, cosa que es bueno; y me siento feliz, sobre todo los jueves.

—Ya lo he notado y estoy muy satisfecha; oronda, más bien diría.

—Mario es un chico que tiene los defectos del padre y las virtudes de la madre. La combinación es buena, te lo aseguro.

—Yo diría que es todo lo contrario.

A Txaro no le gustaba que Koldo fuera tan desdeñoso consigo mismo.

—No es verdad. Soledad tiene muchas virtudes y los defectos que tiene, por suerte, Mario no los ha adquirido. Yo trato en mis conversaciones de contarle mi vida, mis sentimientos y mis dudas, de que vea algo que es difícil de percibir cuando eres joven: la sensibilidad y la fortaleza. Con ellas se disfraza la crueldad que nos depara nuestra existencia. Son las pátinas que disimulan las asperezas y los conflictos. Las corazas que te ayudan a sobrellevar la pesada carga.

—Se me cae la baba al oírte. ¡Eres tan leído!

—De algo me tiene que servir. ¿Ves?, aquí encima le dejo este libro con una serie de frases subrayadas para que Mario se dé cuenta de dónde está la esencia de lo que quiere decir el escritor.

Txaro cogió el libro, lo abrió y pasó algunas páginas rápidamente, casi como si se estuviera abanicando en lugar de hojeando el libro.

—Pero a lo mejor a él le gustan otras frases que le lleguen más adentro.

—No importa, se sumarán a las mías. Siempre sumar, nunca restar. ¿Sabes lo que decía mi padre?

–No lo sé. Dime.

–Decía: «Nunca restes ni dividas, di que no sabes. Suma y multiplica, andarás mejor en la vida. Eso no te lo enseñarán en las asignaturas de empresariales; lo aprendí de un catalán que era un verdadero fenicio».

–Muy buena.

–Mi padre era un caso.

–Hablabais de él el otro día.

–Sí, por eso lloramos.

–La muerte de tu padre fue horrorosa.

–Sí, la verdad es que sí, pero al mismo tiempo fue hermoso. Tuvo el final más novelesco que hubiera podido encontrar, y eso que él desdeñaba todo lo que hiciera referencia a la literatura. Fue un final apoteósico, de ópera wagneriana. Ahora lo puedo decir; ahora que los años lo han cicatrizado casi todo.

–No quiero herirte, pero la fantasía puede contigo. Transformas el drama en un final épico.

–Justamente esa forma de ver las cosas es la que trato de inculcar a Mario.

–No quiero quitarte la razón. Tú sabes mucho más de letras, pero cuidado con el amor, en eso estás casi suspendido.

–Vale, tocado y hundido –dijo Koldo, y le sonrió con aquella cara de no haber roto nunca un plato.

–¿Así que éste es el libro que le recomiendas? –preguntó Txaro, dejando el libro sobre la mesa, al lado del plato de Mario.

–Pues sí. *La sonrisa etrusca*, de José Luis Sampedro. Una maravilla.

–Yo se lo leí a Gaizka y lloramos los dos. El amor del abuelo hacia su nieto es encomiable.

–No sabía que le leyeras a Gaizka.

–Sí. A él le gusta y a mí me chifla. Así reímos y lloramos juntos.

—Lo encuentro perfecto.

Txaro iba ya a despedirse para volver a la cocina, pero dudó y finalmente miró a Koldo como si valorara el efecto que pudieran tener sus palabras.

—¿Te puedo hacer una pregunta? —se atrevió a decir.

—Las que quieras.

—¿Lo sacarás de aquí, de estas cuatro paredes?

—Lo discutimos el otro día y he decidido que no. Este mundo que hemos creado es nuestro y de nadie más, salvo de vosotros, que también formáis parte de él. Es un mundo en que nos sentimos bien, muy cómodos. No necesitamos aderezos ni parafernalias para crear una atmósfera más adecuada que ésta.

—Creo que algún día la tendrás que romper. —Txaro seguía hablando con sumo cuidado, despacio, casi de puntillas—. Por ejemplo, cuando se gradúe tendrás que ir.

—Lo he pensado. Iré, pero procuraré que no me vea. Me pondré en la última fila y trataré de pasar desapercibido.

—Pero a él le gustará verte, compartir su momento de gloria.

—Lo sé, pero no quiero romper el hechizo.

—La vida no es un cuento, Koldo.

Txaro ya había cedido a la exasperación que sentía ante las fantasías y las ideas de Koldo. Ahora, le hablaba casi regañándole.

—Perdón, Txaro, pero creo que te equivocas. La vida sería mejor que fuera un cuento, y esto es justo lo que estamos haciendo mi hijo y yo.

Txaro negó con la cabeza, sin decir nada, como si diera el caso por perdido.

—Te dejo, Koldo. Tu hijo está entrando por la puerta y, por su cara, se nota que es feliz.

Mario llegó a la mesa, dicharachero y silbando. Tiró los libros en la silla de al lado, besó a Koldo y se arremolinó en su asiento.

—Veo que estás feliz —dijo Koldo.

—La verdad es que sí.

—¿Te han ido bien los exámenes?

—Perfectamente. Llevo toda la semana examinándome y no me puedo quejar. Hoy han sido los últimos y ya está. Podré dormir tranquilo. Esta semana no he pegado ojo.

—¿Y cómo ha ido?

—Bien.

—Por eso has llegado tarde.

—Sí, tenía un examen difícil.

—Claro.

—Seguro que se ha ido de la lengua Gaizka.

—Un poco.

—No acostumbro a hacerlo, pero esta asignatura la llevaba bastante mal y he aprovechado la oferta de un amigo del último curso para que se presentara él.

—¿Cuánto te ha costado?

—Nada, ni una peseta. Su hermano, que está en un curso inferior al mío, tiene problemillas y haré el examen por él. Es de cálculo: coser y cantar. Tendrá matrícula de honor.

—¿Y cómo lo hacéis?

—Hay un nota que en el ordenador falsifica los carnets de una forma fantástica. Sustituye la foto de uno por el otro y consigue la misma cartulina en secretaría. Un prodigio.

—A éste sí le tenéis que pagar.

—Sí, pero es un apasionado del cine. Se contenta con un vídeo. Verás, lo compramos entre cuatro o cinco, lo vemos en casa de uno de nosotros y luego se le da al menda. De un tiro matamos dos pájaros.

—¿Y qué tengo que decirte?

—Reñirme, por principios; y felicitarme, luego.

—Vale.

—Seguro que tú u otros hacíais lo mismo.

—Más o menos.

–¿Ves?, hay cosas que no cambian ni con el transcurso del tiempo.

–No quiero profundizar.

–Más te vale, saldrías perdiendo. Tú, que tenías inquina a estudiar empresariales, seguro que hiciste cantidad de añagazas.

–Algunas, pero eso no es de lo que tenemos que hablar hoy.

–Porque no te conviene, pero de nuestros diálogos me ha quedado la idea de que en la vida se tiene que ser astuto. ¿Me equivoco, acaso?

–No, es verdad, pero piensa que gustándome o no la carrera, saqué las mejores notas y, gracias a eso, me dieron la oportunidad de trabajar en el mejor lugar que en aquel momento existía. Y ahora me va de perlas.

–Vale, me has dado una lección.

–Gracias, Mario. Por cierto, hoy no tengo ni idea de lo que vamos a comer y eso que he charlado con Txaro durante un buen rato.

–Mejor, será una sorpresa.

–¿Sabes que somos famosos?

–No, no lo sabía.

–Fíjate en el restaurante. –Koldo y Mario recorrieron el restaurante con la mirada. Por primera vez, tenían conciencia de que había otras personas, otras conversaciones, otras historias, en el restaurante de sus encuentros–. ¿Ves, Mario, cómo se llenan las mesas a nuestro alrededor? Hay tres parejas que son las mismas de siempre, no se quieren perder ningún lloro, y no he mirado debajo de la mesa, por si hubiera un micrófono escondido.

–Fantástico. Será como el teatro. Alardea de gestos y exagera los ademanes, seguro que nos aplauden como la última vez.

Mario subía y bajaba los brazos y observaba a los comensales por si captaba la atención de alguno de ellos.

–Si continúa el éxito de parroquianos, tendremos que pedirles descuento a Gaizka y Txaro –se rió Koldo.

–Bien pensado, que nos inviten.

–O podemos pasar el plato y con las ganancias pagar la comida –apuntó maliciosamente Koldo.

–Mejor, mucho mejor –replicó Mario, y se puso a reír casi a gritos bajo la mirada de todos los comensales.

–¿Has visto el libro que te he dejado?

–Sí, ¿es bueno?

–Creo que sí. Es muy emotivo y llega al alma. Te gustará. Prefiero que vayas entrando en la lectura con libros que te despierten las ganas de leer.

–¿Es triste?

–No, es sensible.

Mario miró sorprendido a Koldo.

–Explícame la diferencia.

–Lloras y sientes pena, pero, cuando lo acabas de leer, te quedas con una sonrisa tierna en la boca.

–Ahá. Me gusta. Lo empezaré a leer hoy mismo.

–He subrayado algunas frases para que veas la intención del autor. Creo que te ayudará en tus ejercicios.

–El profesor de narrativa nos ha dado un texto que me parece harto difícil.

–¿De qué se trata?

–De narrar tu vida en retazos enlazados por objetos o cosas distintas. Y aún lo complicó más: la historia tiene que empezar en la época actual y acabar en el día que naciste.

–Divertido y fascinante.

–Para ti sí, pero yo lo he encontrado peliagudo.

–Vamos a ver. Estás aquí, conmigo, y tienes el libro que te he dado en la mano. Empiezas contando la conversación que tienes conmigo, lo que hablamos, lo que te cuento, etcétera, y, en esa entrevista, te presto un libro. Pasas a la siguiente escena, en la que estás leyendo un libro en casa de tu madre y ella entra en la habitación y te pregunta si quieres merendar; como podrás comprobar eres más joven, no sé, tienes unos quince años. Le dices que sí y entonces el teléfono suena y resulta que es una chica que te gusta mucho. Hablas, te declaras y cuelgas el auricular; suena otra vez, pero la mano que contesta no es la tuya, es la de tu madre, que habla conmigo y me dice que tú tienes un ataque de apendicitis y que se tiene que practicar una intervención. Entonces ella dice: «Piensa, Koldo, que sólo tiene diez años». Yo le contesto que cojo un avión enseguida. El avión aterriza y bajamos del mismo los tres, contentos y felices porque vamos a navegar en el *Machado*; tienes seis años. Explicas la aventura del velero, cómo la niebla nos envuelve y todo eso. Ahora, encima de la cubierta tú ya no estás, se encuentran tus padres, desnudos, concibiéndote.

Mario empezó a aplaudir. Koldo sonreía y hacía reverencias.

–¡Bravo! Me ha encantado.

–Pero, por favor, no te relames en la última escena –dijo Koldo, guiñando el ojo derecho.

–Justamente, esa escena será la más larga –replicó Mario, y su risa llenó el restaurante y los parroquianos se contagiaron y se rieron a gusto sin saber muy bien de qué.

–Gaizka y Txaro estarán contentos. Las botellas de vino se vacían y las ventas suben –dijo Koldo–. Por cierto, por ahí viene nuestro chef favorito.

–Aquí tenéis la fritada de pescado que os ha preparado la cocinera –exclamó Gaizka, arqueando las cejas.

–Bien, gracias, Gaizka. Nos la comeremos sin dejar las espinas –le replicó Mario.

–Me gusta tu risa abierta, Mario, y, por lo que se ve, al resto de la clientela también –apuntó Gaizka.

–Tendremos que hacer negocio contigo. Nos tendrás que dar una comisión.

—Me lo pensaré —dijo Gaizka, y se fue corriendo hacia la cocina.

—Koldo, creo que tienes que continuar con la historia aunque no te apetezca.

—No me molesta contar la tragedia de mi padre. Se lo explicaba a Txaro antes de que vinieras. En el momento que ocurrió fue algo espantoso, pero, francamente, tengo que decirte que mi padre no hubiese sido el de antes. Estaba muy hundido y no hubiera soportado ese peso y esa amargura, por lo que su final, imprevisible para nosotros, fue un alivio para él.

—¿Tú crees?

—Es verdad. Patxi, el encargado del puerto, amigo suyo de toda la vida, me entregó una carta de Aitor dirigida a mí en la que explicaba cómo lo había hecho y por qué. Mira, ésta es la carta. Léela tú mismo y opina.

Mario la cogió con cuidado. El papel amarilleaba un poco y pesaba más de lo esperado, como si cargara con toda la historia que contenía. Además, se notaba que mucha gente la había leído, puesto que estaba a punto de romperse por sus dobleces. Empezó a leerla en voz baja:

Querido Koldo:

Ya sé que voy a hacer una tontería y que no me lo perdonarás nunca, pero la vida es de uno y cada uno puede disponer de ella como le plazca; así lo pienso yo. Me ha gustado mucho la conversación que hemos mantenido a bordo del Machado. *No ha sido una simple conversación de padre a hijo, sino que había una complicidad de amigos que es lo que más me ha gustado. Por eso, como amigos, creo que me entenderás.*

Yo ya no seré el mismo y sentiría que no soy más que una carga para vosotros, por lo que he desestimado tu cari-

ñosa oferta de ir a vivir contigo y tu familia. Además, he comprobado que en los últimos tiempos las relaciones entre tú y Soledad no son muy buenas y no quiero molestaros. Por lo tanto, cuando te has ido, me he quedado entre estas cuatro paredes y se me ha venido el mundo encima. No podría vivir sin mi mar, sin mi puerto, sin mi astillero, pero, menos aún, podría vivir en una casa donde todo lo que hay me recuerda a Iziar, en un momento en que no quiero ni siquiera mentarla.

Me ha entrado una rabia enorme y, sin pensarlo dos veces, he ido tirando los libros en mitad de la estancia. Primero lo hacía con saña, después divirtiéndome y luego me he echado encima de ellos y he llorado al recordar que ella te los leía con aquella dulzura y tú la escuchabas con los ojos cerrados imaginándote que eras el protagonista de sus historias. Pero luego he comprendido que los libros son los culpables de la infidelidad de tu madre y se me ha ocurrido hacer una hoguera con todos ellos para poner fin a mi vida.

Te estoy escribiendo antes de cometer este sinsentido, pero mi vida también lo es. Voy a darle la carta a Patxi para que te la entregue en mano y voy a despedirme del Machado y de mi mar. No temas, no sufriré, porque me pegaré un tiro después de haber prendido fuego a los libros.

A tu madre le gustaría este final, lo encontraría novelesco.

Por favor, no me entierres al lado de Iziar, entiérrame bien lejos, en la otra punta del cementerio. No sabría qué decirle.

Tu padre que te quiere.

Aitor.

P.D.: Te adjunto uno de los escritos que encontré escondidos para que sepas quién es tu verdadero padre. No soy nadie para ocultártelo y estás en el perfecto derecho de saber la verdad.

Mario levantó la vista de la carta y miró a su padre, que había escuchado la lectura de la carta con los ojos cerrados. Durante unos segundos, Mario esperó a que su padre abriera los ojos y regresara al Ernani.

–¡Dios!, Koldo. ¡No sé qué decir! La carta de Aitor es sobrecogedora. ¿Y el escrito?

–Esta carta la habré leído cientos de veces y lo curioso es que, cada vez que la leo, le encuentro un sentido diferente. En cuanto al escrito que la acompañaba... ya te lo contaré más tarde.

–¿Y qué sentido le encuentras a la carta, ahora?

–Al principio me sentí culpable, triste. Me comían los remordimientos. La muerte de Aitor fue el detonante de la ruptura con tu madre. Ahora, en cambio, pienso en su muerte y, no sé, me siento sosegado, en paz.

–¿Por qué?

–No lo sé definir, pero es así. Yo lo veo como el vencedor de una gran batalla. Toda su vida luchando contra los libros, contra los protagonistas, que él tachaba de fantasmas, de las novelas que leía mi madre; contra su mujer y contra su hijo, que quería ser escritor. Y, por último, con una simple cerilla y un coraje propio de los héroes, los destruye a todos aunque tenga que sacrificar su vida. Magnífico. No podía tener mejor muerte.

–Me has dejado atónito. Casi no puedo respirar.

–No me juzgues mal, pero llegar a esta conclusión no ha sido fácil.

–¿Qué pasó después?

–Llegué aquí, a Madrid, con el corazón en vilo por la operación urgente de apendicitis que te tenían que practicar y me encontré que sólo había sido un susto: tenías una inflamación en los intestinos. Soledad me esperaba en el aeropuerto y, cuando me vio, se puso a llorar. Enseguida, te lo juro, enseguida lo comprendí por su semblante. Aquel diálogo lo recordaré siempre, palabra por palabra. Nunca olvidaré nada de lo que hablamos cuando bajé del avión. Cuando la vi, le pregunté de sopetón:

»–Le ha ocurrido algo a mi padre, ¿verdad?

»–Sí, está muerto.

»–¿Cómo ha pasado?

»–Ha incendiado la casa con él dentro. Lo siento, es horrible.

»–¡Dios mío! Lo he dejado tranquilo y me ha pedido que lo fuera a buscar cuanto antes. No puede ser, me dijo que iría preparando el equipaje.

»–¿Por qué lo habrá hecho?

»–Tenía sus motivos. Ya te contaré. Pero no pensaba que pudiera hacer algo así. No sé. Me ha repetido varias veces que se quería morir, que no le importaba nada en este mundo, pero lo que ha hecho es... es... espantoso. No me lo puedo creer.

»–Dime el motivo, Koldo, por favor.

»–Me contó que había descubierto un escondrijo de Iziar. Ahí, mi madre guardaba unas cartas que evidenciaban que tenía un amante y que yo era hijo de ese amante, no de Aitor.

»–¡Madre mía! ¡Ahora lo entiendo!

»–¿Y Mario?

»–No tiene apendicitis, se ha equivocado el doctor. Siento haberte dicho que vinieras con urgencia.

»–¿Te das cuenta de lo que has hecho? Mi padre aún estaría vivo.

»–Lo sé... Sólo se me ocurre decirte que... que me perdones. Lo siento, lo siento de verdad. No sabía lo que pasaba con tu padre. Mario lloraba y el doctor...

»–Me tengo que ir a Lekeitio. Cuando venga, hablaremos.

»–Te he comprado el billete, sales dentro de media hora. ¿Quieres que vaya? He traído una maleta. Puedo ir contigo y...

»–No, ahora no. Ya vendrás al entierro. Supongo que antes habrá que arreglar muchos papeles y se hará una investigación. Bueno. Ya nos llamaremos.

»–Llora, Koldo, te hará bien.

»–Lo haré, pero ahora no puedo, no sé por qué. Cuida de Mario. Adiós.

»–Bésame, Koldo, lo necesito. Te quiero.

»–Ahora no puedo, lo siento. Agur.

»Me quedé vacío, con el corazón muy pequeño. Me sentía ausente. Me dirigí como un autómata a la puerta de embarque, subí en el avión y comprobé que Soledad me había reservado un asiento en *business*. La verdad, se lo agradecí. Miré a mi alrededor, y al ver que no había nadie más, me puse a llorar con un desespero enorme. Las azafatas no me dijeron nada. Comprendieron que era mejor dejarme solo. No sé lo que duró el vuelo: me pareció que tardaba horas y horas. Veía a mi madre, con una zapatilla en la mano, correr por los pasillos persiguiéndome para atizarme y yo escabulléndome y mi padre riendo. Veía a Iziar cocinando aquel bacalao al pil pil y Aitor que probaba el guiso y se relamía los dedos. Me veía con mi madre, sentados en el sofá, en el gran ventanal; ella leía y yo la escuchaba, soñando, mientras que mi padre paseaba delante de nosotros, fumando en pipa y meneando la cabeza. Veía mi habitación llena de veleros y dibujos de barcos; las vigas de madera oscura que atravesaban todas las estancias, las estanterías de libros, el despacho de mi padre lleno de planos de barcos, el cuarto de mi madre, donde los bordados estaban mezclados con los libros y se aguantaban en un equilibrio propio de circo. Flashes y flashes, recuerdos y más recuerdos que me llenaban de emoción y me provocaban más lloros. ¿Dónde estaría todo esto? No existía nada, seguro. Conocía la casa, llena de jácenas de madera, y, junto con los libros, aquello debió de ser un infierno. ¿Y mi padre? ¿Habría sufrido? Preguntas que no podía responder. Así que llegué a Bilbao y alquilé un coche para desplazarme a Lekeitio.

—Fueron unos momentos dramáticos, ¿no?

—Sí. Cuando llegué y vi lo que quedaba de nuestra casa... Fue algo... algo... No quedaba nada, se habían hundido los techos y se veía el cielo. Las dos casas adyacentes estaban parcialmente quemadas. Y menos mal que las bocas de incendio del puerto habían ayudado en la extinción del fuego, si no hubiese ardido todo el barrio pesquero.

—¡Qué catástrofe!

—Tuve una sensación de impotencia, Mario, que no te puedes imaginar. No lloré, porque ya no me quedaba ni una lágrima, pero cuando de madrugada sacaron los restos carbonizados de mi padre, se me nubló la vista y perdí el conocimiento. Una vez que abrí los ojos, me vi rodeado de personas que conocía: de los pescadores, de los obreros amigos de mi padre, de mucha gente. Las mujeres gemían, sollozaban y me daban besos; los hombres me abrazaban y lloraban también. Amaneció con un sol radiante que contrastaba con aquel ambiente tan triste y desconsolado. Pregunté dónde estaba el cadáver de mi padre y me dijeron que se lo habían llevado en una ambulancia y que permanecía en el depósito del hospital a la espera de que el médico forense dictaminara las causas de la muerte. No sabía qué hacer ni qué decir. Me trajeron de todo: copas de coñac, café con leche, bocadillos, bizcochos... La gente se arremolinaba a mi alrededor y yo me sentía un pelele. Vino una pareja de la Guardia Civil y me dijeron que les acompañara. Les seguí, como si fuese un sonámbulo, y me hicieron pasar al despacho del comandante. Estuve, no sé, unas dos o tres horas como flotando y mirando aquella habitación adusta repleta de carpetas y más carpetas, todas ellas llenas de polvo.

112

–Pero ¿por qué no te dejaban con tu tristeza?

–Porque nadie es capaz de parar la burocracia y los papeles. Eso ya lo aprenderás.

–Sigue, Koldo.

–Entró el comandante, me dio el pésame y empezó a preguntar y a preguntar. Yo le respondía como si fuera un robot y les conté lo que me había explicado mi padre unas horas antes en el *Machado*. El escribiente apenas sabía teclear la máquina de escribir e iba tan despacio que yo tenía que repetir y volver a repetir lo que había sucedido y los motivos de mi padre para hacer esa barbaridad. Firmé papeles y más papeles y me dijeron que el alcalde había dispuesto que el féretro lo llevaran al ayuntamiento, una vez que le hubiesen practicado la autopsia, para que la gente pudiera despedirse de Aitor. Les dije que me parecía muy adecuado. Así que salí de la comandancia de la Guardia Civil y me encontré que estaba esperándome Patxi. Me abrazó y me llevó a la taberna de Leopoldo, un bar frecuentado por los pescadores, los obreros y la gente del puerto, que para mi padre era como su segunda casa. Allí estaban todos. Nadie había ido a trabajar; se habían cerrado incluso los astilleros. Me hicieron un pasillo para que pudiera entrar ya que estaba tan lleno que apenas se podía uno mover. Cuando vi la silla en la que se sentaba mi padre, vacía, me emocioné. Patxi me dijo que me sentara en aquella silla que tanto significaba para todos. Les hice caso y los amigos de Aitor se arremolinaron a mi alrededor. Luego, Patxi me entregó la carta. El silencio que se produjo fue inenarrable, se oyó perfectamente cómo rompí el sobre, y todos se quedaron esperando expectantes para que les leyera las últimas palabras de mi padre.

En ese punto del relato, Koldo se quitó las gafas y se secó un par de lágrimas que le caían por las mejillas. Entonces, se limpió los cristales con meticulosidad, los miró a contraluz, se colocó las gafas con parsimonia y continuó:

–Ellos se descubrieron y, con la mirada baja y la chapela entre las manos, se prestaron a escucharme. Estaban ansiosos de saber por qué Aitor había cometido aquella locura; no entendían que un hombre tan sensato hubiera sido capaz de cometer aquella insensatez. Yo se lo debía a mi padre; no podía destruir su imagen y que quedara como alguien que había perdido la razón. Les leí la carta y, cuando acabé de pronunciar la última palabra, nadie osó decir nada, ni murmurar. Fue algo emocionante, Mario. Leopoldo, el dueño del bar, en silencio, fue distribuyendo cervezas para todo el mundo. Patxi levantó la copa y brindó por Aitor. La gente bebía y lloraba su muerte. Yo tenía un nudo en la garganta, pero bebí aquella cerveza y no sé cuántas más. Todo bailaba a mi alrededor y reía sin parar. Patxi acalló a todo el mundo y, medio borracho, dijo que habían decidido ser ellos, el pueblo de Lekeitio, quienes compraran la tumba de mi padre. Alguien trajo un caja de pescado vacía y fueron pasando, no sé, cientos de personas que iban depositando el dinero, unos más, otros menos, para la tumba de mi padre. Yo veía a la gente en *flou*, ¿sabes?, Mario, como si fueran fantasmas. Me daban abrazos y dejaban su óbolo en aquella caja que apestaba a pescado.

–¡Qué emocionante! –exclamó Mario.

–Sí, lo fue. El alcalde vino al bar para decirme que, al día siguiente, fuera al ayuntamiento porque deseaba conversar conmigo. Después, no me acuerdo de nada más. Supe que acabé en casa de Patxi porque me desperté en la cama de su hija; conocía aquella habitación porque había salido con ella cuando éramos jóvenes. Aunque ya estaba casada y tenía varios hijos y vivía en otra casa, no habían cambiado la decoración y aún se percibía su olor. Tenía la cabeza embotada y cuando me miré al espejo me asusté, parecía otro. Oí unos nudillos que tocaban a la puerta y abrí sin darme cuenta de que me encontraba desnudo. La mujer de Patxi se rió y, sin bajar la mirada, me dio toallas, muda limpia, el traje planchado y una pócima que tomé con cara de asco bajo la comprensiva mirada de ella. Le di las gracias más balbuceando que hablando, me afeité, me duché y me acicalé lo mejor que pude. Cuando llegué al ayuntamiento me esperaba el alcalde, que me hizo entrar en su despacho y me dijo:

»–Siento lo que ha ocurrido, Koldo, pero tenemos que enfrentarnos al destino. Conozco los pormenores y no voy a molestarte mucho, pero hay preguntas que, inevitablemente, tengo que formularte.

»–Adelante.

»–¿Tenía seguro?

»–Sí.

»–¿Qué clase de seguro? Piensa que las dos casas de al lado están muy afectadas y no sabemos lo que se tendrá que hacer. Y las que están detrás, menos, pero también han sufrido las consecuencias. Se tardará varias semanas en poder tener el peritaje completo, pero como puedes comprender, tengo que calmar los ánimos. Los costes pueden ser muy cuantiosos.

»–No tenga miedo, señor alcalde. Desconozco el seguro que tenía contratado mi padre o el dinero que tenía en el banco, pero yo me haré cargo de todo. Ya se lo puede notificar a los afectados.

»–Tutéame, Koldo; llámame Txema. Nos conocemos desde hace muchos años. Antes de que tú nacieras ya iba a tu casa y asistía a las célebres reuniones que preparaba tu madre. Yo era el benjamín del grupo. Tenía cinco años menos que tu madre.

»–Lo sé, pero siempre le tuve un gran respeto y no puedo dejar de tratarle de usted. Tanto mi padre como mi madre le apreciaban mucho.

»–Gracias, Koldo. Tú sabes que se tenía en gran estima a Aitor, y, por eso, sus restos se depositarán aquí para que el pueblo le rinda homenaje.

»–Se lo agradezco. Sobre todo porque a la gente le gustará.

»–Me han dicho que los amigos de Aitor han recaudado un dinero para comprar la nueva tumba.

»–Sí, es verdad, ha sido una acción muy bonita. A Aitor le hubiera satisfecho.

»–Por favor, y no te ofendas, Koldo, pero los gastos del entierro me gustaría que corriesen a mi cargo. Sabes que tu padre no me cobró nada cuando me construyó la barca que tanto quiero y que solíamos ir a pescar en compañía de Patxi.

»–No lo sabía.

»–Aitor era un benefactor, por eso todos le queríamos. Le gustaba hacer favores: se sentía importante.

»–Era un buen hombre.

»–Perdona, pero conozco el contenido de las últimas palabras de Aitor y sé que te ha dejado una carta en la que descubre el nombre de tu verdadero padre. ¿Qué piensas hacer? La gente quiere vengarse de él y yo temo que puedan surgir problemas. Me gustaría acabar mi último mandato sin que hubiera escándalos.

»–No tema, no la he abierto ni la pienso abrir. Pienso quemarla ante la tumba de mi padre, tiraré las cenizas en la fosa encima de su ataúd y así el pueblo quedará tranquilo. Nadie sabrá quién es y, por supuesto, yo tampoco. No quiero saberlo ni me importa. Aitor era mi verdadero padre.

»–Los Iturriaga siempre habéis sido hombres de honor. Te felicito.

»–El problema será restituir el buen nombre de mi madre.

»–Yo creo que, a la larga, se le perdonará. Iziar era un bastión de la cultura euskera. Y cuando has sido grande de espíritu, te perdonan las faltas. Yo, en persona, promoveré un acto en el ayuntamiento para que el pueblo pueda valorar el trabajo que hizo tu madre.

»–¡Dios le oiga! ¿Cuándo se celebrarán las exequias? Tengo que avisar a mi mujer.

»–Dentro de tres días, el domingo, para que la gente se vuelque en el entierro. ¿Qué harás con el solar que ha quedado? ¿Lo vas a vender? ¿Lo sabes?

»–Sí. Construiré la misma casa, sin olvidar ni un detalle. Tengo fotografías y planos en Madrid. Faltarán los libros, claro.

»–No lo digas en voz alta porque el pueblo es capaz de aportarte parte de los libros que tienen en sus casas.

»–Buena idea, no lo había pensado. Y no lo digo por lo que valen, sino porque los libros en euskera no son fáciles de encontrar.

»–Koldo, sois de una raza distinta. ¡Vaya familia!

»–Tiene razón; somos especiales, pero buena gente.

»–Por supuesto.

»–Nos vemos, señor alcalde.

»–Aquí tienes a un amigo de verdad. Te ayudaré en lo que haga falta. Cuenta conmigo. Adiós, Koldo.

»–Adiós, señor alcalde.

Mario lo miraba extasiado y Koldo sonrió al percatarse de que su hijo estaba emocionado.

–¿Qué hora es, Mario?

–Tarde, pero no importa. ¿Sabes lo que has comido?

–No me acuerdo, pero prométeme que no se lo dirás a Txaro –dijo Koldo con énfasis.

–De acuerdo. Y fíjate que nos hemos quedado solos. Hasta la clientela que viene a presenciar nuestros encuentros se ha ido. Estamos tú y yo, nadie más. Gaizka y Txaro se han ido arriba, al apartamento, y me han dicho que cuando acabemos les avisemos para poder cerrar.

–No me he dado ni cuenta.

—Lo he visto. Estabas transfigurado e incluso cerrabas los ojos.

—Me he trasladado allí, a Lekeitio

—Y yo también, aunque no has terminado, ¿verdad?

—No, lo dejaremos para otro día. Estoy muy cansado, ¿sabes? Me siento como si hubiera andado varios kilómetros.

—No me extraña. Cuentas las cosas como si estuvieras viviéndolas y eso cansa. Yo también estoy hecho polvo. Llevo sin dormir toda la semana.

—Perdona, hubiera tenido que darme cuenta. Me lo has dicho al entrar. No has dormido, a causa de los exámenes.

—No te preocupes, me ha gustado muchísimo escucharte. Son historias bellas que ponen la piel de gallina.

—¿De verdad?

—Te lo juro. No sé cómo podía vivir sin saber todo lo que me estás narrando. Forma parte de nuestra vida y me siento orgulloso.

—Estoy contento de que te gusten mis historias. Yo no me he atrevido a contárselas a nadie; ni siquiera a tu madre, que sabe lo imprescindible.

—No se lo contaré. No te preocupes.

—Me da igual, ya ha pasado mucho tiempo. Vete, yo avisaré a Gaizka y Txaro.

—¿Estás seguro?

—Sí, vete a dormir. Me tomaré una copa con ellos y me iré a mi casa.

—Adiós, Koldo, y gracias.

—Adiós, Mario. Acuérdate de un proverbio de Machado que enseña a saber vivir:

Hoy es siempre todavía.

—Magnífico, Koldo, no lo olvidaré nunca.

La separación

Mario y Koldo estaban sentados en la mesa de siempre. Habían llegado prácticamente a la misma hora, aunque más temprano que de costumbre, y, como no esperaban encontrarse, se rieron al coincidir en la puerta del restaurante.

–Me has pillado. Quería estar solo durante una horilla para recordar el punto en que dejamos la charla el otro día –dijo Mario.

–Lo mismo que yo. Quería pensar y analizar.

–Al final, resultará que seré igual que tú –repuso Mario.

–No te lo aconsejaría, tengo demasiados vicios y la soledad es mi compañera –apuntó Koldo, cínicamente.

–Porque quieres. No pararé de decirte que tienes que buscarte a alguien para compartir tus aficiones, tus pensamientos y tu vida sentimental.

–Claro, es muy fácil. ¿Quién quiere tener por compañía a un ególatra lector? ¿Quién quiere estar con un hombre lleno de manías y excentricidades? –dijo Koldo, mientras entraban en el restaurante y se sentaban en su mesa.

–Esa mujer existe. No lo dudes.

–Mario, de acuerdo, la buscaré. No te preocupes.

–Gracias, Koldo. Y ahora continúa con la historia. Estoy en ascuas.

–Primero convendría saber lo que nos tiene preparado Txaro.

–¡Gaizka! –gritó Mario.

Gaizka y Txaro salieron de la cocina y se dirigieron a donde estaban sus parroquianos más queridos.

–Señores, hoy tienen un menú vasco de verdad –dijo Txaro con voz solemne.

–Somos todo oídos –pronunció Koldo con expectación.

–Ostras al txacolí, pencas de acelgas rellenas y jibiones rellenos de txangurro con salsa de cigalas. De postre, helado de arroz con leche. ¿Qué os parece?

–A Mario ni se lo preguntes. A mí me parece extraordinario. Después de esta comida me sentiré más vasco que nunca.

–Pues adelante, Txaro –dijo Gaizka, mientras empujaba cariñosamente a Txaro en dirección a la cocina–. Hazles la vida agradable. Yo les traeré un vino de Rioja bueno de verdad. No me hagas mala cara, Koldo. No es vasco, pero es estupendo.

Gaizka y Txaro se fueron a preparar la comilona. Gaizka pellizcó el culo de Txaro y ella lo miró y rió.

–Son cojonudos. Los quiero –dijo Koldo.

–Tienes razón. Son estupendos.

Koldo limpió las gafas con la servilleta, las miró a contraluz y, cuando vio que estaban relucientes, se aposentó cómodamente en la silla y continuó hablando:

–Mario, creo que tienes que pasar por el oculista. El otro día no te lo dije, porque estaba enfrascado en la historia de mi padre, pero me fijé que, cuando leías la carta, la tuviste que acercar a un palmo de la cara. Seguro que tienes miopía.

–Mi madre también me lo ha dicho y, a veces, veo borroso –confirmó Mario.

Koldo sacó la agenda, arrancó una de las páginas y escribió en ella. Luego se la dio a Mario.

–Aquí tienes la dirección de un amigo mío. Ve de mi parte y déjate aconsejar. Me gustaría contribuir a que veas las cosas claras; por lo tanto, los gastos corren de mi cuenta, si no te importa.

–Todo lo contrario. Estoy encantado.

–Bien. Seguiré con la historia de tu abuelo.

–Vale. Habías tenido la entrevista con el alcalde... –le ayudó a empezar Mario.

–Exactamente, me gusta que te acuerdes –dijo Koldo, mirando cariñosamente a su hijo.

–Si algún día se lo tengo que contar a alguien, conviene que no me olvide de nada y lo retenga con toda clase de detalles –dijo Mario, para mayor satisfacción de su padre.

–Pierde cuidado. Lo tengo escrito y bien guardado en mi casa.

–Eso quiere decir que has escrito tu biografía.

Mario no disimulaba su entusiasmo.

–No, no –se apresuró a negar. Y para justificarse añadió–: Sólo tengo una sinopsis cronológica bastante amplia. Eso sí, con los suficientes datos como para que alguien pueda escribir la historia.

–¿Y por qué no la escribes tú? –Mario seguía insistiendo.

–No lo sé, me gustaría, pero me da reparo y un gran respeto. Alguien que lee todos los días le tiene miedo a escribir.

–Gilipolleces –dijo Mario, que no quería que su padre buscara excusas.

–Puede ser, pero son manías. Mario, tú podrías escribir esta historia perfectamente. No te atañe y puedes ser imparcial. Se dice que el libro que le dio la fama a Daniel Defoe y que era su primer libro imaginativo, *Vida y extraordinarias y portentosas aventuras de Robinson Crusoe de York, navegante*, realmente se basó en lo que había escrito el mismo Crusoe, y le proporcionó una inmensa popularidad, tan grande que publicó el mismo año una segunda parte y al cabo de otro año la tercera parte. ¿Y sabes cuántos años tenía?

–No.

–Tenía la friolera de sesenta años.

–¡Dios mío! –gritó Mario, llevándose las manos a la cabeza–. Pero él ya era un escritor famoso y yo no tengo idea.

–¿Cómo van las clases?

–Bien, muy bien. Presenté el trabajo que nos pidió el profesor, aquél con el que tú me ayudaste, y me felicitó. También he leído el libro que me dejaste el otro día, *La sonrisa etrusca*, y me encantó. –Mario hablaba apasionadamente–. Ése es el tipo de literatura que me gusta. Tus anotaciones me han servido para analizar y profundizar en lo que quiere contar el escritor y cómo lo engalana para que llegue al lector.

–Me pirra que te hayas fijado. Estoy contento de que te apasiones con la lectura y que ahondes en el entresijo de la escritura. Será la manera para que sorprendas al lector. Siempre le tienes que plantear expectativas, dejarlo en ascuas, para que quiera saber lo que ocurrirá, para que quiera saber más, ¿sabes? Tienes que mantenerlo en vilo, hacer que siempre pase algo, sorprenderlo.

Koldo sentía que cada vez estaba más cerca de su hijo. Le había explicado pormenores de su vida que no había contado a nadie, había compartido con él la muerte de su padre y de su madre, y ahora Mario no sólo estaba interesado en la lectura y en Machado, sino que quería ser escritor.

–Koldo, tendrías que ser profesor. ¿No te gustaría?

–Me encantaría. –Koldo puso cara de agobio, sopló y continuó hablando–: Pero el negocio me abruma y no me deja desarrollarme y realizarme en mi vocación.

–Mándalo todo a paseo y disfruta de la vida.

–No me aprietes ni me tientes, Mario, que te quedas sin negocio. Siempre he pensado en ti, y más ahora.

–Olvídate de mí. Vive tu vida y se tú mismo –casi le ordenó Mario, y cambiando de tema añadió rápidamente–: Y ahora coge el hilo de la conversación que dejamos el otro día y explícame lo que ocurrió.

Koldo suspiró, bebió un trago de vino que le había servido Gaizka, cerró los ojos y empezó a hablar:

–Cuando salí del ayuntamiento, tenía una fuerza desconocida. Volvería a construir la casa y la dejaría como antes. Encontré a Patxi y se lo dije. Le pareció estupendo. Fuimos a casa de Leopoldo y la idea les pareció a todos fantástica. Estaban tan entusiasmados como yo. Allí vi renacer sonrisas, ¿sabes? Para aquellos hombres fue algo providencial. Es curioso el ser humano... Cómo es capaz de resurgir de una desgracia y transformarla en algo que te vuelve fuerte. Al cabo de poco rato, se agolpaban a mi alrededor personajes que no conocía y que me llevaban fotos de la casa. En todas ellas se encontraba Aitor con ellos, con su familia, posando para dejar un bonito recuerdo. En muchas fotografías lucía la americana y gorra de marino, aquella americana y gorra que encandilaron a mi madre. Vino con los planos el nieto del contratista que había edificado la casa. Había encontrado los planos en los archivos. Y todos me decían lo mismo: «Tu padre estaría orgulloso de ti: aún no está enterrado y ya piensas en construir la casa y dejarla como antes». Para ellos fue un honor y yo me sentí muy reconfortado.

–Una maravillosa idea, Koldo. Extraordinaria. Me siento orgulloso de ti.

–Gracias, hijo. Me fui al hotel porque no quería molestar a Patxi ya que Soledad se disponía a venir el día siguiente, pero no me dejó solo ni un momento. Tenía miedo de que me afligiera, por lo que pasé casi todo el tiempo en la taberna bebiendo y ellos explicaban trifulcas de mi padre y reíamos y nos emborrachábamos. Patxi vino con un álbum de fotos que le había dado mi padre unos días antes. Allí estaban fotografiados todos los veleros y barcos que había construido, con las datas del inicio de la construcción y las de la botadura. En muchas de ellas se veía a Aitor con los propietarios. La más importante era una en la que estaba junto a mi madre en el velero que construyó para su padre y que se hundió posteriormente en una tormenta cuando estaba fondeado en la bahía de un pueblo pesquero que no tenía puerto. Quise ver si estaba el *Machado* y, efectivamente, lo encontré; allí estaba yo, a su lado, con una sonrisa abierta y satisfecha. Aitor me miraba orgulloso y emocionado; Patxi sonreía a la cámara y levantaba el pulgar. También pude ver aquel chico que marcó mi destino, con aquella mirada de petulancia, y a su padre, que lo agarraba con fuerza para darle solidez. Patxi me entregó el álbum, emocionado, y me dijo que yo era la persona más adecuada para que lo guardara. Vi que le costaba mucho desprenderse de él. Así que lo abracé muy fuerte y se lo agradecí.

–Me gustaría verlo.

–Te lo traeré un día. El auténtico se lo di a Patxi hace un par de años, cuando se estaba muriendo. Yo me hice una copia por ordenador, pero no se lo dije para que no sintiera que su álbum tenía menos valor.

Koldo se detuvo para beber un poco de agua. Pero Mario no parecía dispuesto a perder ni un segundo. No le había dado tiempo a su padre para que dejara el vaso en la mesa cuando ya le apremiaba:

–Sigue, Koldo, por favor.

–Voy, hombre, voy. A ver, vino Soledad y me ayudó mucho. Me consoló como una madre, como una esposa y como una amiga. –Koldo miró a Mario con ternura, consciente de que esas palabras de cariño y reconocimiento dedicadas a Soledad significaban mucho para su hijo. Mario se lo agradeció con un leve asentimiento de cabeza–.

Todo el pueblo pasó por el ayuntamiento a rendirle homenaje. Había una chapela, que no era la suya, encima del ataúd. A mí me hubiera gustado que estuviera su famosa gorra de marino, pero me lo imaginé y sonreí. Soledad me apretaba fuertemente, mientras el pueblo iba desfilando ante el féretro. Al día siguiente lo enterramos. Habían comprado una tumba lejos de donde estaba la de Iziar, al otro lado del cementerio, pero tuvimos que pasar ante el nicho de mi madre y yo lo miré con pena. El resto de la gente lo miraban unos con rabia y otros con desdén, ¿sabes? Una vez que se hubo bajado el féretro, me adelanté y saqué la carta, sin abrir, que mi padre me había dado a través de Patxi, la rompí y tiré los trozos al foso. La gente aplaudió el gesto y no sé por qué motivo miré a mí alrededor y pude comprobar que más de uno suspiró aliviado. Aquel día no quise profundizar ni en quiénes eran los que suspiraban ni en lo que significaban aquellos gestos. Más adelante ya me encargaría de hacerlo. Entonces... Bueno, se cerró la lápida. Habían esculpido en ella un velero igual que el *Machado*. Después, el alcalde hizo un discurso muy sentido y la gente volvió a aplaudir. Luego se cantaron canciones marineras y los obreros de los astilleros corearon las voces que acostumbraban a cantar en la botadura, cuando la hacían a mano. A mí me pareció que era un sueño, que vivía momentos de irrealidad, como en los libros. Y me vino, de repente, una poema de Machado que recité en voz baja para que sólo lo oyera mi padre y que sirvió para tranquilizarme, ¿sabes? Incluso sonreí.

Tierra le dieron una tarde horrible
del mes de julio, bajo el sol de fuego.

A un paso de la abierta sepultura,
había rosas de podridos pétalos,

entre geranios de áspera fragancia
y roja flor. El cielo
puro y azul. Corría
un aire fuerte y seco.

De los gruesos cordeles suspendido,
pesadamente, descender hicieron
el ataúd al fondo de la fosa
los dos sepultureros...

Y al reposar sonó con recio golpe,
solemne, en el silencio.

Un golpe de ataúd en tierra es algo
perfectamente serio.

Sobre la negra caja se rompían
los pesados terrones polvorientos...

El aire se llevaba
de la honda fosa el blanquecino aliento.

–Y tú, sin sombra ya, duerme y reposa,
larga paz a tus huesos...

Definitivamente,
duerme un sueño tranquilo y verdadero.

–Al final –continuó Koldo–, todo el mundo se marchó en silencio. Soledad y yo nos marchamos al puerto, cogimos el *Machado* y navegamos en aquel barco que construyó mi padre. Llorábamos, sin decirnos nada, con los corazones oprimidos. De vez en cuando, Soledad me besaba y yo le correspondía. Hacía tiempo que no estábamos tan unidos.

Gaizka se acercó llevando el primer plato con una sonrisa franca de oreja a oreja. Koldo se secaba las lágrimas que le caían por las mejillas y Mario sollozaba como un niño.

–Basta de charlas y de lloriqueos –dijo Gaizka–. Ha llegado la comida y, esta vez, me gustaría que le hicierais los honores.

–Prometido, Gaizka. Vamos a comer como auténticos leones, por eso somos vascos.

–Estoy de acuerdo con Koldo. Hoy me siento tan vasco como vosotros –añadió Mario–. Adelante.

Y sin pensárselo dos veces empezaron a degustar y sorber con fruición las ostras al txacolí. Gaizka los miraba muy satisfecho y ellos exageraban, a propósito, los ademanes de satisfacción.

–¡Fantásticas!

–¡Colosales!

–¡Excepcionales!

–Bien, muchachos. –Gaizka sonreía satisfecho–. Se lo voy a decir a Txaro. Seguro que se pondrá contenta.

–Trae el siguiente plato antes de que vengan los clientes –dijo eufórico Koldo.

–No, prefiero los aleluyas cuando estén ellos. Me hacéis publicidad gratis –comentó Gaizka, y se fue a la cocina caminando tranquilamente.

–¿Habías probado las ostras, Mario?

–Nunca, es la primera vez –respondió Mario con una ostra en cada mano–. Son viscosas pero el gusto es muy sabroso. Tengo que reconocer que están muy ricas.

–Me gusta oírte decir eso. Me tenías preocupado con tanta pasta y carpaccio.

–Ahora estoy experimentando sensaciones en el paladar desconocidas para mí y que me hacen abrir los ojos.

–¡Bien, ése es mi chico! Acabarás siendo un buen vasco.

–Creo que me estás conquistando. No sé lo que va a decir mi madre.

–Estará contenta, a ella le gusta la capital, pero siempre ha disfrutado con la cocina vasca.

–¿Y por qué no cocina platos vascos?

–No se lo digas, pero la razón es bien simple: no sabe.

Los dos se rieron con ganas y Txaro, que les sirvió las pencas de acelgas rellenas, los miró con cariño.

–¡Mis muchachos! Sé que a Koldo le pirran, pero no sé si a Mario le gustarán. Déjalas, chico, si no te placen.

–Las probaré –replicó Mario, mirando con curiosidad el plato de pencas–; aunque, después de las historias que me está contando mi padre, me tienen que gustar. Tengo que hacer honor a Aitor, mi abuelo.

–Precisamente, a él no le gustaban –puntualizó Koldo.

–Empezamos bien –repuso Txaro.

–Son un poco amargas, pero son deliciosas –aclaró Mario, con la boca llena de pencas.

–Gracias, muchacho. Eres un buen chico –dijo Txaro, y se encaminó, alegre, a la cocina.

–Bravo, Mario, se ha ido muy contenta.

–No lo he dicho para quedar bien. Me hace pensar en una endibia roja italiana que se llama radiccio y que es muy amarga, pero que, cuando te acostumbras, la encuentras buena.

–Ya me ha salido el italiano –se rió Koldo.

–Es que... verás –Mario se limpiaba los labios con la servilleta–, tuve una novia italiana.

–Bien, ahora me lo explico –dijo Koldo, sorprendido, y añadió–: ¿Por qué no me lo has dicho hasta hoy?

–Porque es una historia triste. Me dejó y se fue con mi mejor amigo.

–Explícate. Te hará bien; soy tu padre.

–Es muy complicado. Al final, no hubo más remedio y tuve que claudicar por Miguel.

–Cuenta, por favor.

Habían cambiado los papeles. Ahora era Koldo quien quería saber de la vida de Mario. Éste cogió aire y comenzó a hablar.

–Estuvimos muy enamorados. De hecho, yo aún la quiero y cada vez que la veo se me nubla la vista, pero Miguel es mejor que yo: más guapo, más atlético, más simpático y es una admirable persona.

–Te honra decir eso de alguien que te ha robado la novia.

–No pasó eso... –Mario hablaba como un niño que está a punto de confesar una travesura–. No pasó eso, exactamente.

–¿Entonces? –preguntó Koldo, que ya estaba algo escamado de tantos misterios.

–Bueno, se la robé yo.

–¿Qué dices? –exclamó Koldo.

–Eran novios, pero destinaron al padre de Miguel a Argentina y se fueron a vivir allí. Primero, se escribieron; luego, se fue enfriando la relación, y un buen día salimos Cristina y yo. No sé lo que pasó, pero nos liamos y acabamos haciendo el amor. Yo le escribí a Miguel y le dije lo que había ocurrido. Él lo comprendió y me agradeció mi sinceridad, pero le supo mal porque la quería mucho. Me conminó a que fuera ella la que decidiera con quién quería mantener relaciones. Ella fue explícita: decidió que quería ser mi novia. Mantuvimos ese noviazgo durante un año, pero cuando Miguel regresó por la situación insostenible en Argentina y tuvo el accidente de moto, que por poco le cuesta la vida, ella decidió volver con él y yo se lo aplaudí.

–Por lo que veo, ella no es muy fiel.

—Ella es magnífica, porque en un principio el diagnóstico fue terrible: tuvo un traumatismo craneal y se quedó con parálisis en el lado izquierdo. Apenas hablaba y el brazo y la pierna izquierdos no los movía en absoluto.

—¡Dios! ¡Qué horror!

—Posteriormente recobró el habla y un cincuenta por ciento de la movilidad del brazo. Podía mover la pierna ligeramente, pero no aguantaba su cuerpo. Los médicos aconsejaron que hiciera una recuperación exhaustiva porque tenían miedo de que perdiera la movilidad de la pierna para siempre. Él estaba con una depresión de caballo, por lo que Cristina decidió volver con él. Yo estuve de acuerdo y cuando Miguel nos preguntó qué pasaba con nuestra relación, le mentimos y le dijimos que preferíamos mantener una amistad sincera, pero nada más.

—Bonito gesto por parte de los dos.

—Sí, fue un sacrificio por mi parte, pero no me arrepiento. Se quieren mucho y yo salgo con ellos. Miguel siempre hace bromas con respecto a nuestro noviazgo. Dice que gracias al accidente ha vuelto a recuperar a Cristina.

—¿Y es cierto?

Mario dudó unos segundos.

—En parte sí y en parte no.

—Aquí entras tú, ¿verdad?

—Sí. Cuando Miguel vino, yo me sentía mal. No sé, me sentía culpable. Con la excusa de los estudios, la llamaba poco y salíamos de vez en cuando. El día que Miguel tuvo el accidente y vi que se iba, que se estaba muriendo, decidí que le diría a Cristina que no podía mantener la relación aunque la quisiera más que nunca. Me acuerdo, como si fuera ahora, del momento exacto que fuimos al hospital y nos comunicaron que se quedaría sin andar.

—Debió de ser un momento terrible.

—Lo fue. No le dije nada a Cristina, no hizo falta. Las

palabras del doctor fueron suficientes, nos miramos a los ojos y ella me besó y me dijo que lo sentía mucho, pero que tenía que volver a su lado.

–¿Y?

–Pasé unos meses angustiosos y cada vez que los veía juntos, con las manos cogidas y besándose, me sentía desfallecer. Ahora, ya lo he superado.

–¿Y cómo está él?

–Ha recuperado totalmente el brazo y anda bastante bien. Eso sí, con una cojera que, según dicen, tendrá mientras viva. Cristina le ha ayudado muchísimo, sin ella se hubiera quedado inválido.

–Tu historia me ha gustado. La verdadera protagonista es la amistad que os profesáis. Vosotros sois meras piezas, comparsas de una pequeña tragedia.

–Tienes razón. Nosotros hemos ido y venido, hemos jugado con los sentimientos de cada uno, pero la amistad ha permanecido inalterable.

–¿Hablaste con ella después de que volviera con él?

–Sí.

–¿Y?

–Me dijo algo que me martillea en la cabeza y que me hace pensar que en la vida no se puede tener todo, que no se puede jugar a dos bandas. Tienes que escoger siempre.

–Creo adivinar lo que te propuso. ¿Qué te dijo?

–Que nos quería a los dos y que sería la mujer más dichosa si fuera posible vivir los tres juntos.

–Me lo imaginaba, pero sabes que no funcionaría.

–Lo sé, Koldo. Lo sé, pero podría ser bonito, ¿verdad?

–Muy arriesgado y, en la práctica, yo diría que imposible; en el mundo occidental hay demasiados prejuicios. Algunos lo han probado y no conozco a nadie que le haya funcionado. Somos muy primitivos y nuestra educación está muy lejos de la de otros países y de otras culturas que aprueban costumbres similares. No creo que aprobaran que una mujer compartiera el amor con dos hombres, porque la religión de esta sociedad es más bien machista.

–Ya.

–¿Salís con mucha frecuencia?

–Cada semana nos vemos. Ellos viven en un piso que les ha comprado el padre de Miguel y piensan casarse por lo civil dentro de unos meses. Ella está embarazada y él está loco de contento. Será niño.

–¿Y tú?

–Tengo envidia sana, pero nada más. Aunque cuando le puse la mano en la barriga y el niño se movió, me turbé, me puse rojo y ellos se rieron.

–Tendrás que buscarte una novia –dijo Koldo, sonriendo–. Lo sabes, ¿verdad?

–Cierto. La estoy buscando y tengo dos chicas que me gustan, pero las comparo con Cristina y no acaban de hacerme tilín.

–Mario, cuidado, las comparaciones son odiosas. Yo aún estoy comparándolas con Soledad y estoy más solo que la una.

–Hablando de mi madre. Explícame por qué os separasteis.

Koldo aún no quería volver a su papel de confesor y buscó la coartada de Gaizka.

–Después de comer los jibiones, te lo contaré. Ahora viene Gaizka con los platos –dijo, mirando hacia la puerta de la cocina.

–Perdona, Koldo, ¿qué son los jibiones? –preguntó Mario una vez que Gaizka se fue tras dejar los platos–. No he querido preguntarlo por miedo a que se ofendieran.

–Una clase de calamar –respondió Koldo, señalando el plato de Mario–, sencillamente.

–Menos mal, pensaba en las gibas de los camellos.

Koldo, al oír lo que acababa de decir Mario tan inocentemente, se echó a reír a carcajadas.

–¿De qué te ríes? –preguntó Gaizka, que acababa de tomar nota en la mesa de al lado.

–De que Mario se creía que los jibiones eran las jorobas de los camellos.

–¡Qué gracia! Se lo diré a Txaro y se partirá de risa.

–Vale, ¿nos os da vergüenza reírse de un pobre ignorante que vive en la capital? –dijo Mario, poniendo cara de mártir.

–Es muy bueno. ¡Ja, ja! –se carcajeaban tanto Koldo como Gaizka.

Los calamares estaban exquisitos. Mario untaba y untaba pan y se chupaba los dedos. Koldo lo miraba con satisfacción y comía pausadamente, más concentrado en saborear el momento compartido con su hijo que en disfrutar de los calamares. Mario llenaba las copas de vino cuando éstas estaban a punto de quedar vacías. Koldo paladeaba con verdadero deleite el vino que le servía su hijo y se sentía pletórico.

–No sé si tengo ganas de afrontar la parte más negativa de mi historia, Mario.

–Lo siento, Koldo. –Mario interrumpió su apasionada ingesta de calamares–. No puedes dejarme con esta incertidumbre. Sé que te da pereza, pero no hay más remedio. El ágape suculento de Txaro será un bálsamo.

–Bien, no quiero alargar por más tiempo lo que creo que hice mal.

–En la vida, los errores también cuentan.

–Vale. Vamos a ver. El día siguiente de enterrar a mi padre, Soledad regresó a Madrid porque tú habías recaído y no te encontrabas bien. A ella le supo mal dejarme, pero yo tenía la obligación de averiguar qué clase de seguro tenía la casa, hablar con los vecinos para tranquilizarlos y comprobar el estado de la cuenta bancaria de Aitor. Todo fue una sorpresa. Por un lado, me percaté de que el seguro no estaba muy bien hecho: pagarían los desperfectos causados a las casas adyacentes, pero la estimación del valor de la casa estaba muy por debajo de lo que valía hacerla nueva. En cambio, me sorprendí al darme cuenta de que Aitor había sido una hormiga. En el banco había mucho dinero. Hablé con los vecinos de las casas que habían quedado afectadas por el incendio y les dije que el seguro se haría cargo de los daños sufridos. Además, les redacté una carta certificada por un notario en la que me comprometía a pagar cualquier deterioro que pudiera surgir a causa del incendio y que no se viera a primera vista. Fue triste cuando entró la excavadora y acabó de derribar lo poco que quedaba en pie, ¿sabes? Me dijeron que tenían trabajo para dos semanas, en vista de lo cual les dije que volvería y regresé a Madrid.

—Aquí es donde te hundiste de verdad, ¿cierto? —sondeó Mario con toda la delicadeza que pudo.

—Absolutamente cierto. Me encerré en mi biblioteca y no quise saber nada. No me explico lo que me ocurrió, pero fue así. Soledad insistía para que saliera a distraerme, pero todo fue inútil. Estuve a punto de dejar la fábrica, de abandonar los negocios, pero me di cuenta de que era la única válvula de escape que tenía. Sólo tenía una obsesión: construir otra vez la casa, y a eso me dediqué. Pedí un traslado temporal a la fábrica de Bilbao y me lo concedieron. Así que cogí un par de maletas y volví a Lekeitio. Soledad no me dijo nada, no sé si comprendió mi postura, pero no se lo pregunté.

—¿Por qué?

Mario estaba extrañado del comportamiento de sus padres. Dos personas adultas que, a pesar de que se querían, o que por lo menos pensaban y decían que se querían, habían sido incapaces de hablar, simplemente hablar.

–En aquellos momentos la culpaba a ella de todo lo que me había ocurrido. La culpaba de haber dejado Bilbao, de no haberme acompañado a Lekeitio últimamente, de no querer navegar en el *Machado*, de que no me entendiera cuando me encerraba a leer, de que me obligara a salir con sus amigos que yo odiaba profundamente, de haberme hecho venir el día en que mi padre me necesitaba más que nunca...

–Vale, vale –dijo Mario, cortando la confesión de reproches hacia su madre–. Entiendo. Pero no tenías razón. Lo sabes, ¿no?

–Sí, claro que sí. Lo vi el día que me dejó.

–¿Cuánto tiempo pasó?

–Aguantó dos años. Dos años de infierno para ella, de ingratitud, de desprecios continuos, de intolerancia, de lloros, de desesperos.

–Horrible.

–Sí, Mario. Yo me salí con la mía. Construí la casa tal como estaba antes. La gente me ayudó muchísimo. Tardé sólo un año en edificarla y luego me ocupó tres años acabarla. Ahora creo que lo alargaba a propósito, ¿sabes? Un día llevaba una lámpara, otro día las sillas, y así, poco a poco, la iba decorando. Nada me parecía perfecto, lo anterior era mejor. Me pasé un año tratando de encontrar el diván en el que mi madre me leía sus libros. Estuve en cientos de casas de muebles de diferentes ciudades tratando de encontrar aquel sofá. Pero nada. No lo encontré. En Barcelona, le di la foto de mi estimado diván a un decorador y me confeccionó uno lo más parecido posible. Cuando lo instalé, me di cuenta de que no era el mismo. Era más bajo, no era tan blando y la textura de la tela no tenía aquella suavidad que yo recordaba. Estaba muy obsesionado, pero no advertí que, en realidad, estaba enfermo.

–¿Y Soledad?

—Se alejaba cada día más. Hasta que un día comprendió que era inútil cualquier cosa que hiciera y me dejó. Me acuerdo de ese momento. Era de noche; discutimos. Fue muy triste, la verdad. Hice las maletas, te di dos besos porque estabas durmiendo y la reté con la mirada. No sé, en aquel momento sentía que el que tenía que estar ofendido era yo, no ella, y me enfadé y le grité.

—Absurdo.

—Muy absurdo, Mario, ya lo sé, ya. Cuando reaccioné de mi error, era demasiado tarde. Se había roto todo. Le pedí perdón y me dijo que estaba perdonado, pero que ella quería rehacer su vida. Lo que dice mi Antonio:

En el mar de la mujer
pocos naufragan de noche;
muchos, al amanecer.

—¡Cuánta verdad! ¿Y qué pasó?

—Nada. Me encerré en el negocio y en la biblioteca. Los fines de semana iba a Lekeitio a llevar algún mueble y a navegar. Salía con Patxi a pescar y, algunas veces, nos acompañaba Txema, el alcalde. Me emborrachaba en la taberna de Leopoldo. La gente me estimaba, pero se daba cuenta de que no era feliz.

—¿Y entonces?

—Cuando tuve la casa terminada, invité a mucha gente e hice una gran fiesta, incluso vino Soledad con un amigo suyo. Cuando vi los faroles encendidos y la tarima para la orquesta, me acordé de aquella fiesta que preparamos con mi padre para la botadura del *Machado*. Fue muy bonito, inolvidable. Yo estaba pletórico y satisfecho de los comentarios que hacía la gente: «Está igual, como si no hubiera pasado nada». «Aitor estaría muy contento y se emborracharía al ver otra vez su casa tal como estaba antes.» Soledad me felicitó porque decía que había hecho un buen trabajo y porque mis padres estarían orgullosos.

–No conozco la casa, pero si cierro los ojos me parece que la estoy viendo –comentó Mario.

–Será tuya algún día. Así, podrás revivir todo lo que te estoy contando y saldrás con el hijo de Patxi, porque él se murió hace dos años de un cáncer, y te acompañará a pescar con otro alcalde. Lo bonito de la vida es que continúa aunque uno se quede en el camino.

–Por eso le entregaste a Patxi el libro de los barcos que construyó tu padre.

–Sí. Él me envió una carta preciosa. Cuando la recibí me emocioné porque no mencionaba que se estaba muriendo. Era tan sutil que me quedé extrañado. ¿Cómo podía tener tanta sensibilidad alguien que apenas había estudiado? Creo, sinceramente, que el mar, que era su vida, se la había dado. Patxi sabía que me gustaban las poesías y que disfrutaba de la literatura, por eso me envió un escrito de Jorge Luis Borges. Te lo he traído para que lo leas y te percates de la delicadeza y amor que tenía Patxi. No sé de dónde lo sacó o si se lo dio alguien, no se lo pregunté, pero me figuro que Txema se lo había dado. Por favor, léelo en voz alta. Me gusta recordarlo.

Koldo sacó de la cartera un sobre y lo puso encima de la mesa. Mario lo cogió y sacó un papel medio arrugado con muchos tachones de tinta. Le pareció que olía a mar. Junto al papel, había una fotografía en la que se veía el *Machado*; delante, sonriendo, estaban Koldo y Patxi mostrando con orgullo un pez muy grande. Mario empezó a leerla con la voz entrecortada:

Instantes

Si pudiera vivir nuevamente mi vida, en la próxima trataría de cometer más errores. No intentaría ser tan perfecto, me relajaría más. Sería más tonto de lo que he sido; de hecho, tomaría muy pocas cosas con seriedad. Sería menos higiénico. Correría más riesgos, haría más viajes, contemplaría más atardeceres, subiría más montañas, nadaría más ríos. Iría a más lugares a donde nunca he ido, comería más helados y menos habas, tendría más problemas reales y menos imaginarios.

Yo fui una de esas personas que vivió sensata y prolíficamente cada minuto de su vida; claro que tuve momentos de alegría; pero, si pudiera volver atrás, trataría de tener solamente buenos momentos. Por si no lo saben, de eso está hecha la vida, sólo de momentos; no te pierdas el ahora. Yo era uno de esos que no iban a ninguna parte sin un termómetro, una bolsa de agua caliente, un paraguas y un paracaídas.

Si pudiera volver a vivir, viajaría más liviano. Si pudiera volver a vivir, comenzaría a andar descalzo a principio de la primavera y seguiría así hasta concluir el otoño.

Daría más vueltas en calesita, contemplaría más amaneceres y jugaría con más niños, si tuviera otra vez la vida por delante.

Pero ya ven, tengo 85 años y sé que me estoy muriendo.
Jorge Luis Borges

Mario se enjugó las lágrimas que le caían por el rostro y mojaban el papel y suspiró. Koldo estaba como ausente, con los ojos cerrados y las manos una sobre la otra, sobre la mesa. Gaizka y Txaro habían escuchado el poema detrás de Mario, abrazados y con los ojos llorosos. En el restaurante reinaba un silencio abrumador. Todos los clientes habían dejado de comer y escuchaban aquellas palabras que, como un rosario, iba desgranando Mario.

–No sé... no sé qué decir –dijo Mario, emocionado.

–No hay nada que decir –dijo Koldo, abriendo los ojos–. Se entiende todo. Por eso cogí el avión y lo fui a ver. Llegué a su casa y me dijo su esposa que estaba muy mal, que se había levantado de la cama y que se había ido al puerto: «No quiero morirme en la cama, no sería propio de un buen marino». Lo encontré subido en la barca del alcalde, muy demacrado; apenas se sostenía en pie. Hablaba pausadamente y casi no se le entendía. Subí a la barca y me senté a su lado; tuve que hacer esfuerzos para comprender lo que decía. Se alegró de que le llevara el álbum de los barcos de Aitor. Lo abrazó fuertemente y dijo:

»–Koldo, ya ves, ha llegado mi hora. Tú que eres tan leído, ¿sabes si en el cielo hay mar?

»–Yo diría que sí. Los marinos necesitan el mar, sería una injusticia que no lo hubiera.

»–Bien. Así construiremos barcos con Aitor.

»–Le gustará mucho. Construidme un *Machado* para cuando vaya yo. No es nada liviano llevarlo al cielo.

»–No pases cuidado, eso está hecho. Lo construiremos igual que la casa que tú erigiste, como si fueran mellizos. Por cierto, no quiero que me entierren en el cementerio. Te he hecho venir para que cojas el *Machado*, surques el mar como tú bien sabes y, bien adentro, esparzas las cenizas en nuestro mar para que los peces sepan apreciar a qué sabe un buen marino. Me hubiese gustado que tiraran mi cuerpo al mar, pero Txema me ha dicho que no está permitido. Pobres piratas y pobres marineros.

»–Hablas como si fueras a morirte ya.

»–Exactamente. No me moveré de la barca hasta que la muerte me lleve. ¿Sabes si la muerte entiende de barcos?

»–Supongo que está acostumbrada a hablar con todo el mundo. Está enterada de lo que le gusta a la gente. No ha hecho otra cosa durante siglos y siglos.

»–¿Es tan leída como tú?

»–Mucho más leída.

»–Bien, me has sacado de muchas dudas. El alcalde no me supo responder; tanto papeleo y no le sirve para nada. Koldo, la hombría, a unos, les resbala; no saben coger el papel que les corresponde y se olvidan de cumplir como hombres: papel mojado. ¿Me has entendido?

»–Sí, Patxi, te he entendido muy bien, no te preocupes por lo que pasó. Aitor e Iziar están descansando en paz y vuelven a discutir y son otra vez amigos. Anda, ven, tu mujer está preocupada; sería mejor que fueras a casa.

»–Vete a buscarla. Yo ya no me puedo mover.

Koldo intentaba controlar la emoción, pero sabía que era imposible. Siempre que recordaba a Patxi, su gran amigo, en la cubierta de la barca del alcalde y hablándole de que estaba a punto de morirse, acababa llorando. Ahora trataba de contenerse para poder acabar el relato.

–Al ver que no podía levantarse y que apenas podía respirar fui corriendo a buscar a su mujer. Y, bueno, cuando llegamos a la barca ya estaba muerto. Había abierto el álbum por la página en que se encontraba el *Machado* y en que estábamos los tres sonriendo. Reparé en que tenía levantado el pulgar como en la foto y me puse a llorar.

–Koldo, siempre acabo llorando.

–Lo siento, Mario. Trataré de explicarte historias divertidas, pero hay pocas. Mi vida se ha desenvuelto en un mundo lleno de sentimientos y la mayor parte de ellos son tristes.

–Me gustan, Koldo. Me siento muy feliz cuando me las explicas. ¿Fuiste a tirar las cenizas de Patxi al mar?

–Sí. ¿Sabes?, estaba lloviendo y le recité varias poesías de Machado:

¿Qué es la gota en el viento
que grita al mar: soy el mar?

¿Sonríe el sol de oro
de la tierra de un sueño no encontrada;
y ve su nave hender el mar sonoro,
de viento y luz la blanca vela hinchada?

–Me gustas cuando recitas y relatas.

–A mí también me ha gustado la que me has contado. ¿Le contaste a tu madre lo de Cristina?

–Sí, y me ayudó mucho. A ella le gustaba Cristina y le supo mal que se acabara nuestra relación.

–Encontrarás pronto a alguien con quien compartir tus alegrías y penas. Yo no te puedo ayudar: estoy fuera del circuito.

–No pases cuidado.

–Sí, ahora tengo el sentimiento de sufrir. ¿Será que me estoy volviendo un verdadero padre?

–Perdona, pero hablando de padres verdaderos, ¿te puedo hacer una pregunta? Es muy indiscreta.

–Todas las que quieras, Mario.

–¿No has querido saber quién es tu padre biológico?

–Lo sé, Mario. Sé quién es.

–¿Lo sabes?

–Sí. Es Txema, el alcalde.

–¿Cómo lo sabes? –exclamó Mario–. ¿Te lo ha dicho alguien?

–Directamente no; pero su forma de hablarme tan paternalista cuando se murió mi padre me lo dejó claro. Además, él tenía miedo de que se descubriera y que hubiera un escándalo. Era su último mandato y eso le preocupaba.

–Hizo la comedia.

–Sí. ¿Te acuerdas de que te dije que cuando destruí la carta, a mí alrededor hubo personas que suspiraron tranquilas?

–Perfectamente.

–Pues una de ellas era Txema y la otra Patxi.

−¿Patxi lo sabía?

−Sí. Cuando se estaba muriendo en la barca del alcalde, sus palabras fueron claras. De una forma velada, tachó al alcalde de falto de hombría y de haber perdido los papeles. «Papel mojado», dijo.

−¿No son figuraciones?

−No, Mario. Cuando hice la fiesta para celebrar la apertura de la nueva casa, me encontré a Txema llorando en lo que era antes el despacho de mi madre y tuvimos unas palabras.

−¿Lo confesó?

−No, no tuvo valor, pero me dijo que podía contar con él como si fuera un padre.

−¿Y tú que le dijiste?

−Lo obvié. Vi que si tiraba del hilo lo confesaría, pero preferí no hacerlo.

−¿Por qué?

−No me aportaba nada y creo que era demasiado tarde para hacer una revelación.

−Tienes razón.

−Él siempre tuvo miedo al escándalo. Piensa que llevaba veinte años ocupando el sillón de alcalde. En cada elección lo reelegían porque, todo se ha de decir, su cometido lo hacía a la perfección.

−¿Y qué sensación te dio saberlo?

−Nada −respondió Koldo, encogiendo los hombros−. Para mí, mi verdadero padre fue Aitor, y Txema es un mero comparsa.

−Pero era más joven que tu madre, ¿no?

−Sí, cinco años. Mi madre siempre estaba rodeada de hombres jóvenes con ganas de independencia que luchaban siempre para que se hablara solamente el euskera.

−¿Eran etarras?

−No, siempre fueron pacíficos.

−Así que lo sabes seguro.

–La letra del sobre que mi padre me hizo llegar a las manos es la misma letra de Txema.

–¡Dios! –Mario intentaba asimilar que la vida de su padre estuviera repleta de tantas sorpresas y desgracias. Cuando se encontró con él, por primera vez, en el restaurante, pensó que estaba ante un hombre gris, anodino. No imaginó que la historia de su vida le fuera a sorprender tanto–. ¿Cuándo te diste cuenta?

–El día que lo encontré llorando en casa. Ese día me dio una carta en la que me ensalzaba por haber construido la casa de nuevo. Cuando vi la letra, me dio un vuelco el corazón. Hasta Soledad se dio cuenta de que estaba turbado y me preguntó qué es lo que me pasaba. Y yo le dije que eran los fantasmas del pasado que, al pisar otra vez la casa, volvían a querer ser protagonistas. Soledad me preguntó si eran los fantasmas que quiso destruir mi padre en el incendio, ¿sabes? Yo le dije que sí, pero que esos fantasmas ya no podían hacer más daño, que eran como almas en pena.

–¿Y ahora qué piensas?

–Lo mismo: Txema ya no es alcalde y nunca fue mi padre. Sólo tú sabes el secreto y espero que no se lo digas a nadie.

–No lo diré, te lo juro.

–Gracias, Mario. Ya ves, ésta es mi historia. Ya te la he contado y puedes valorar lo que ha pasado.

–No tengo el derecho de valorar lo que has hecho. Me enorgullece cómo eres y estoy muy contento de ser tu hijo.

–Gracias, Mario. Ha sido un gozo poder explicarte mis cuitas. Por cierto, me ha telefoneado Soledad para decirme que os vais de vacaciones. ¿Y?

–No sabía cómo decírtelo, porque romperemos nuestra tradición durante tres meses. A mí me fastidia.

–Por eso me ha llamado, porque te ha visto apurado. Tranquilo, Mario. Por cierto, te enviaré a casa un montón de libros. No me gustaría que perdieras el contacto.

—Tranquilo, que no será así. El profesor de narrativa nos ha dado una lista. Mira a ver si los tienes, me harías un favor.

—Dámela.

—Aquí la tienes.

—Mario —dijo Koldo, tras revisar la lista—, los tengo todos y me parecen acertados. Te los haré llegar a casa.

—¿Y qué harás tú durante estos meses?

—Me iré un par de semanas a Lekeitio a navegar en el *Machado*. El resto del tiempo lo pasaré aquí. Me gustaría recibir alguna carta tuya. Estaría bien que las escribieras los jueves para continuar con nuestro rollo.

—No te prometo que te escriba cada jueves; pero cumpliré, te lo aseguro.

—Te extrañaré, de verdad, Mario.

—Yo también te echaré de menos. Por cierto, ¿a qué dirección te las envío?

—Aquí. Los jueves que esté en Madrid vendré a comer con Txaro y Gaizka. Seguro que se alegrarán y leeré tus nuevas. Buenas vacaciones, Mario. Cuídate.

—Tú también. Te quiero, Koldo. Y gracias por explicarme tu vida. Lo he pasado muy bien.

—A mí me ha hecho bien contártela, aunque hemos llorado mucho.

—Eso es verdad, me he hartado de llorar —dijo Mario sonriendo.

Los dos se estrecharon fuertemente y salieron del restaurante. En la puerta, Gaizka y Txaro los abrazaron. Ella hacía pucheros y él se reía. Mario aceleró el paso y en la esquina se volvió, levantó la mano y desapareció. Koldo estuvo durante un buen rato mirando el lugar por donde Mario había desaparecido. Suspiró. Triste y con pasos cansinos se perdió por las callejuelas.

Gustavo y Henriette

Koldo se hallaba en el restaurante, en la mesa de costumbre. En la silla en que se sentaba Mario, se encontraba Gaizka y, a su lado, Txaro, que los miraba con cariño. Era muy pronto, las doce, la hora en que acostumbraban a comer Gaizka y Txaro, antes de que vinieran los clientes.

–Para ti es muy pronto –dijo Gaizka, mientras masticaba.

–No importa. No he desayunado, para poder comer con vosotros –dijo Koldo, aunque no tenía mucho apetito.

–Gracias, eres un sol –le sonrió Txaro.

–¿Qué dice Mario en la carta que te ha mandado? ¿Se lo pasa bien? –preguntó Gaizka.

–Os la leeré. Es escueta, pero muy sentida.

–Somos todo oídos. Es nuestro chico, también. Gaizka nunca ha querido adoptar a ningún muchacho.

Txaro miraba a Gaizka de reojo con un poco de resentimiento resignado.

–No empecemos, Txaro.

–Sé que queréis a Mario –corroboró Koldo, agradecido.

–Es verdad, se hace querer –añadió Txaro.

–Pues escuchadme:

Querido Koldo:

Te veo sentado en nuestra mesa en compañía de Gaizka y Txaro y me gustaría estar con vosotros charlando y

145

*comiendo los platos suculentos que siempre prepara Txaro
y que Gaizka sirve con alegría.*

*Koldo, ¿sabes qué hora es? Son las dos en el reloj que me
regalaste y que no paro de mirar cuando pienso en ti. Y
además es un jueves, nuestro día entrañable en que los sentimientos se juntan con los secretos y nos sentimos unidos
por ellos. No paro de pensar en tus historias y las revivo
siempre que puedo. Aquí lo paso bien, pero me falta llorar
un poco, como tú bien sabes provocar contando tus relatos.*

*He conocido a una chica italiana (lo siento) que me
gusta mucho y me río cada vez que como pasta y carpaccio.
Pienso en ti con tu cara de asco y despotricando por esa
clase de comida.*

*Creo, sinceramente, y así te lo dije, que se puede escribir
un libro explicando la vida de la familia Iturriaga. Hay personajes que pueden dar mucho de sí. Tú, Iziar, Aitor, Patxi
e incluso el mismo Txema. ¿Por qué no lo piensas otra vez
y te decides a escribirlo?*

*Desde la ventana de mi habitación de este pequeño hotel
en la Costa Brava, veo el mar, y, de vez en cuando, pasa un
velero. Me imagino que es el Machado y que tú lo gobier-
nas. Yo estoy a tu lado, cogido al timón, y el viento nos
azota la cara y el sol nos curte la piel. Nos sentimos bien y
nuestras miradas van en la misma dirección: al horizonte, a
nuestro futuro.*

*Dales recuerdos y besos a Txaro y Gaizka. Soledad me
dice que te desea buenos paseos en el Machado, que no seas
temerario y que no salgas cuando haga mala mar, como es
tu costumbre.*

Muchos besos.

Mario

—Es un amor ese chico —dijo Txaro, mientras, emocionada, se sonaba sonoramente con un pañuelo.

–Es un sentimental, como su padre –puntualizó Gaizka, poniendo la mano sobre el hombro de Koldo.

–Me ha gustado. La he leído, por lo menos, cinco veces –dijo Koldo, mientras doblaba la carta con cuidado y la introducía en el bolsillo de la americana.

–Y la leerás muchas más veces. Ya te conozco –añadió Txaro.

–Seguramente. Mario me ha traumatizado. De no contar con mi hijo, he pasado a depender de él.

–Vuestra historia es bonita. O, por lo menos, la habéis hecho bonita –dijo Gaizka.

–Es verdad, entre los dos hemos construido una relación especial y muy interesante. ¿Sabéis lo que quiere?

–No –respondieron los dos a la vez.

–Que me eche una novia. Que busque a una mujer parecida a mí, a la que le guste leer o que escriba. Dice que con Soledad no nos fue bien porque éramos demasiado diferentes. Ahora tiene que ser todo lo contrario, tengo que buscarme a alguien que sea afín a mí. Que sea escritora o lectora, que le guste la cocina vasca, que le guste el mar y navegar, que sea simpática –dijo Koldo, y añadió sonriendo con picardía– y, a ser posible, rolliza. ¿Qué opináis?

–Que tiene razón. Con esta hembra cualquiera sería feliz, pero tú más –profirió Gaizka, haciendo ver que se prevenía de una posible bofetada de Txaro.

–Pero ¿dónde encuentro esa perla? –preguntó Koldo, alzando los brazos.

–Las hay, Koldo. Ahora mismo deben de haber cuatro o cinco chicas que están pensando en el hombre de su vida, que se corresponde con tu persona –apuntó Txaro.

–Presentádmelas, por favor –replicó Koldo con tono de súplica–. Tanta es la insistencia de Mario que estoy abierto a cualquier experiencia.

–Tendrías que ir... –dijo Txaro pensativamente–. A ver, sí,

claro. Tendrías que ir a la biblioteca pública, a librerías, a centros de escritura, a universidades... Y abrir mucho los ojos.

–¿Vosotros me veis tratando de ligar como si fuera un jovencito? ¿Sabéis que edad tengo? Tengo cincuenta y cinco años.

–No los aparentas. Los hombres a esta edad siempre están atractivos y las jovencitas se pirran por ellos –dijo Txaro con aire picaresco.

–Txaro, tú me miras con buenos ojos, eso es lo que pasa, pero yo soy bastante aburrido, lo que llaman hoy en día «un muermo».

–Koldo, tú estás para chuparse los dedos. Si no fuera por Gaizka, te haría proposiciones. Soy vasca, me gusta leer, soy mujer de mar, me gustan los veleros, estoy rolliza y sé cocinar. Soy tu mujer ideal.

–Lo único que has acertado es que estás rolliza y sabes cocinar; el resto, no sé, no sé –dijo Gaizka, riendo y guiñándole un ojo a Koldo.

–Gaizka, lo siento, Txaro me ha convencido; creo que te has quedado sin mujer.

Koldo se levantó con la intención de darle un beso a Txaro y Gaizka se interpuso en su camino, con los brazos cruzados y riendo con ganas.

–Tendrás que pasar por encima de mi cadáver –dijo.

–No podría, con esa barriga tropezaría y se metería un mamporro –profirió Txaro.

Los tres se pusieron a reír como locos y Koldo empezó a perseguir a Gaizka, que corría sosteniendo su gran panza por todo el restaurante. Txaro iba animando a Koldo para que le asestara un buen puñetazo. De pronto, se abrió la puerta y apareció una pareja de viejos que, al ver el espectáculo, cerraron la puerta y se marcharon.

–Gaizka, sal a buscarlos. –Txaro se había levantado como si tuviera un resorte–. No se pueden desperdiciar los clientes. ¡Dios mío, qué pensarán!

Gaizka salió corriendo a buscarlos y, al cabo de un rato, apareció con ellos, que entraban con cara de estar poco convencidos.

–Aquí les presento a los actores: Txaro y Koldo. Son muy buenos, actúan siempre en el teatro parroquial y los niños se lo pasan muy bien. Yo, a veces, también actúo –dijo Gaizka, que tenía a la pareja de clientes a su lado y señalaba a Koldo y Txaro, que los miraban tan serios como podían.

–Lo hacen muy bien. Por un momento, creíamos que estaban en plena reyerta. Estábamos asustados. ¿Eh, que sí, Henriette? –dijo el vejete, sonriendo y cogiendo del brazo a la mujer que lo acompañaba.

–Yo sólo lo había visto en las películas –exclamó la abuela–. ¿Dónde ha dicho que actúan? Porque los iremos a ver.

–Siéntense y dejen que les invite a una copita de oporto –propuso Gaizka.

–No podemos beber, por la tensión; pero un día es un día. ¿Qué te parece, Gustavo?

–Vengan esas copichuelas –dijo Gustavo animadamente.

Txaro y Koldo se metieron en la cocina para no desternillarse de risa delante de los vejetes. Gaizka se unió a ellos y cuando se miraron no pudieron contenerse por más tiempo y estuvieron un buen rato carcajeándose.

–Yo no les puedo servir –dijo Gaizka.

–Lo haré yo –señaló Koldo.

Y sin pensarlo dos veces, cogió la botella que tenía Gaizka en la mano y dos copas y se fue a servir a los dos vejetes, que estaban sonrientes.

–Es nuestro aniversario de boda, las bodas de oro. Por eso hemos venido aquí, nos han dicho que se come bien. ¿Hemos venido muy pronto? –dijo el viejo, que tenía unas manos huesudas y llenas de venas y unos ojos hundidos por los años pero que conservaban cierto orgullo.

–No, señores. Ya que celebran las bodas de oro, les rogaría que acepten mi invitación. No les costará nada la comida: palabra de vasco.

–Gracias, es usted muy amable. Siéntese con nosotros. Aquí, al lado de mi señora. Muy bien. Aparte de ser actor, ¿qué hace usted en la vida?

–Es muy difícil responder a esa pregunta. Mi nombre es Koldo Iturriaga. Trato de pasar lo más desapercibido posible andando de puntillas para no molestar a la gente. Soy el gerente de una fábrica de ordenadores, me gusta leer, navegar con mi velero y, últimamente, desde hace unos meses, me encuentro con mi hijo en este restaurante para charlar, conocernos. Le estoy contando mi vida, ¿saben? Ahora, él está de vacaciones y he venido a recoger el correo de los jueves. Quién sabe, a lo mejor, algún día, él escribe mis avatares y gana el premio Pulitzer. Todo podría ser. Yo estoy rodeado de libros llenos de fantasía, vivo en un mundo un tanto ficticio, un mundo muy particular, donde todo tiene cabida.

–¿Es feliz? –dijo la viejecita, con voz temblorosa. Había sido muy guapa, aunque en los pequeños ojos azules, que no dejaban de moverse cuando hablaba, podía intuirse algún lejano sufrimiento. Ahora lo que más destacaba de su cara eran las muchas arrugas, que testimoniaban el paso del tiempo.

–Yo creía que sí. Según mi padre, los personajes de los libros que leo son fantasmas que me atrapan y que no me dejan tener mi propia personalidad; según mi ex mujer, soy un lunático sumergido en un mundo de locura; y mi hijo me convence para que busque una compañía que sienta como yo para que vivamos en este mundo que he creado porque, según él, tengo miedo de afrontar el que me ha tocado vivir.

–Es muy interesante lo que dice usted. Con su permiso le voy a contar una historia que puede ayudarle en esta disyuntiva que tiene, que le promueve unas dudas razonables y que no le permite disfrutar de la vida.

–Lo necesito, estoy nadando en un mar de incertidumbres –replicó Koldo, mirando al abuelo con curiosidad.

–Mi mujer, Henriette, y yo somos felices y no deseamos nada más. Esperamos, simplemente, una vejez serena y que la muerte nos lleve, a ser posible, al mismo tiempo o con el intervalo justo para poder valuar los buenos recuerdos vividos juntos.

–Bonito, muy bonito.

–Sí, pero no todo han sido rosas. Ha habido espinas que, por poco, hieren de muerte esta paz que bien nos hemos merecido.

–Le escucho –le animó Koldo, ya completamente intrigado por la historia de Gustavo.

–Yo era pintor y, la verdad, no lo hacía mal. Tuve buenos maestros y me trasladé a París para triunfar. Vivía en una buhardilla de Montmartre y me sentía el rey del barrio. Comía cuando podía y me hartaba en los mejores restaurantes cuando vendía un cuadro. Pintaba sólo a mujeres desnudas, disfrutaba con ello, y me permitía conquistarlas y hacerles el amor. Yo pensaba que no existía nada más, me sentía como pez en el agua, pero un día apareció una mujer que me hizo perder el mundo de vista; era muy bella y muy celosa. Cantaba en el Moulin Rouge y llevaba a los hombres de cabeza. Me enamoré perdidamente y Henriette, así se llamaba, me dijo que se vendría a vivir conmigo si sólo la pintaba a ella. Yo accedí y, a partir de ese momento, me dediqué a ella por completo. Mi pintura cambió y los cuadros que pintaba no eran los mismos; su mirada me intimidaba y no podía sacar provecho de su hermosura. Le dije que no podía pintarla y ella se rió y me advirtió de que la quería demasiado y que no lograría retratarla tal como era. Se opuso a que otras mujeres posaran para mí, e incluso a que me las imaginara, y empecé a pintar bodegones. Nadie quería comprar mis cuadros y el ritmo de vida de Henriette era muy alto: champán, vestidos, caprichos... Tuve que ponerme a trabajar de camarero y ella me dejó. Pasaron unos cuantos años y yo continuaba en el mismo sitio, sirviendo mesas. Siempre que intentaba coger un pincel, me temblaba la mano y no podía dar ni una sola pincelada. Un día, en la *brasserie* donde trabajaba, fui a servir una mesa y me encontré con Henriette, que ya no se parecía en nada a la mujer que había amado. Había desaparecido la belleza de su rostro, aparentaba ser más vieja de la edad que yo sabía que tenía, estaba más delgada, demacrada, y tenía una inmensa tristeza en los ojos. Forzó una sonrisa y me preguntó cómo estaba. Yo casi no podía balbucear una palabra, no sabía qué decirle. Esperó a que acabara de trabajar y la acompañé al tugurio donde actuaba. Paseando me contó que había perdido la voz y que le empezó a dar a la bebida, que se sentía muy infeliz y que había pensado mucho en mí. Vi con vergüenza el espectáculo con el que se ganaba la vida: se bajaba las bragas y enseñaba el sexo. Luego nos fuimos, sin que hiciera falta decirnos nada, a mi apartamento. Cuando llegamos allí, ella explotó y se puso a llorar, yo la fui calmando y serenando. Hicimos el amor y Henriette se quedó dormida, desnuda y acurrucada a mi lado. Se le marcaban las costillas de tan delgada que estaba. Yo no pude dormir, estuve pensando. De pronto, me puse en pie, fui a buscar el caballete y una tela y empecé a pintarla. Nunca había pintado un cuadro tan bello. Ya sabía lo que tenía que hacer. Al día siguiente, nos fuimos a una iglesia y nos casamos. Volví a pintar y a vender mis cuadros; su belleza había desaparecido, pero la serenidad de su cara era increíble y sus ojos eran transparentes, diáfanos, puros, sin orgullo. Nos amábamos con una pasión desenfrenada y éramos la pareja más feliz del mundo. Nos trasladamos a vivir a Madrid y continuamos nuestra vida amorosa. Yo he estado pintando treinta años hasta que el párkinson se ha apoderado de mis manos. Henriette ha dado clases de piano durante todos estos años, y aquí nos ve usted. Ella, la gran Henriette, cantante de *cabaret*, y Gustavo, el pintor de moda de los años treinta.

–No sé qué decirle, Gustavo, me ha dejado sin habla. –Koldo miraba a la pareja de ancianos que el destino le había enviado. Buscaba en sus ojos y en las arrugas de su cara los vestigios de la historia que Gustavo le acababa de explicar–. No sé. Su vida es bella y una lección a seguir.

–La moraleja es clara, Koldo. Lo superfluo no sirve para nada. Lo que sirve es la esencia de las cosas. Para ser feliz sólo manda el corazón y no trate de buscar encantamientos. Guarde sus fantasmas y viva tal como es, sin buscar oropeles, y encontrará la felicidad. Piense que, aunque sea corta, la vida, siempre, valdrá la pena vivirla. Y ahora vamos a comer. Por cierto, no has dicho nada, Henriette.

–No puedo decir nada, Gustavo. –La abuela miraba a Gustavo encantada–. Tú sabes desnudar a la gente, siempre lo has hecho bien.

Koldo empezó a aplaudir y salieron Gaizka y Txaro de la cocina para averiguar lo que pasaba.

–Gaizka, sírveles lo mejor a esta pareja encantadora. En sus bodas de oro no podemos quedar mal. Además, me han dado unos consejos tan valiosos que no sabré cómo pagarles.

–Hecho, se chuparán los dedos –dijo Gaizka, juntando los dedos y besándolos sonoramente. Luego cogió a Txaro de la cintura y se fueron a la cocina.

–Ha dicho que desde hace un año se encuentra con su hijo. ¿Y eso? –preguntó Henriette con voz dulce.

–Era un mal padre y hacía cerca de diez años que no lo veía. Un día, él me telefoneó y empezamos a salir. Cada jueves nos encontramos aquí, en este pequeño restaurante donde comemos de maravilla, charlamos, reímos y lloramos. Ahora sé lo que es tener un hijo y el amor que se puede tener hacia ellos. Son la salsa de la vida.

–¿Y la madre? –inquirió Gustavo.

–La perdí estúpidamente, como si usted no hubiese aprovechado el amor de Henriette en la segunda oportunidad que tuvo. Me encerré en mí mismo y en mi orgullo. Nada inteligente, sobre todo para una persona que lee constantemente y que, por lo tanto, tendría que tener más tablas.

–Siempre hay tiempo –repuso Gustavo, intentado contagiar su optimismo a Koldo–. Se lo he dicho con esas simples y veraces palabras. ¡Ande, pruebe!

–No, la puerta está cerrada. –Koldo bajó la cabeza. Durante unos segundos parecía que se iba a echar a llorar; entonces, dio un golpe en la mesa con el puño y añadió con voz rotunda–: Pero, dada su sugerencia, probaré otra vez. A lo mejor tiene usted razón. ¿Quién sabe?

–Ahora que ustedes se conocen los defectos, ¿por qué no buscan sus cualidades? –dijo Henriette.

–Bien, le prometo que, cuando vuelvan de vacaciones, me sentaré con ella. Si es así, les invitaremos a una comida para celebrarlo.

–No, en ese caso, nosotros les invitaremos. Aquí tiene nuestro teléfono, será un placer.

Koldo cogió la tarjeta que le alargó Gustavo y se la quedó mirando con cara de sorpresa.

Gustavo Méndez y Vidal
Henriette Duré
Artistas y afortunados esposos

–¿Le ha gustado? –preguntó Henriette, estrechando la mano de su marido.

–Mucho.

–Hoy en día –empezó a decir Gustavo–, cuando todo el mundo se divorcia, nuestra tarjeta de visita causa impacto. Fue Henriette la que tuvo la idea y no paro de agradecérselo. Sabiéndolo, cada vez que miro esta simple cartulina, sonrío.

–Con Gustavo he aprendido a querer –dijo Henriette–. Según él es como aprender a leer. Sus clases son magníficas. Yo tenía un admirador que nunca conocí y que me enviaba cada día una rosa. Siempre me la encontraba en el camerino antes de actuar. La miraba y me daba fuerzas para salir al escenario. Nunca supe quién era y mantuvo esa costumbre durante años. Cuando dejé el teatro y Gustavo me sacó de aquel infierno, un día le expliqué el caso y le pareció que era algo extraordinario. Desde aquel día, cuando me despierto por las mañanas, en mi mesita de noche siempre hay una rosa. Así, de esta manera, los días siempre son hermosos y mi risa es contagiosa. Una vez, al despertarme, me volví y no estaba; primeramente, me puse triste, pero cuando me fijé bien vi que había un pequeño cuadro con una rosa pintada y sonreí. Al levantarme y mirar por la ventana observé que había un metro de nieve en la calle y que por eso mi Gustavo no había podido ir a comprarla. ¿No le parece hermoso?

–Es maravilloso. ¿Y cómo las consigue?

–Me levanto muy pronto, a las seis de la mañana. Me gusta ir a pasear y ver cómo sale el sol. Compro cruasanes, pan caliente, el periódico y la rosa, que siempre me guarda la florista del mercado, que abre a las ocho en punto. A las ocho y media ya estoy en casa, preparo el desayuno y me siento a esperar que Henriette se despierte. A las diez en punto noto el ruido de su cuerpo al frotarse con las sábanas y sé que es el momento de abrir un poco las cortinas y desayunar.

—¡Y está una hora mirando cómo duermo! Yo le pregunté un día si no se cansaba de verme dormida; Gustavo me respondió que no, que uno no se cansa nunca de mirar las puestas del sol, el mar y a la persona amada —explicó Henriette.

—Bien. Creo que tendremos que comer varios días juntos. Sus historias me enternecen y me hacen soñar. Ahora les dejo con la comida vasca. Verán cómo cocina Txaro; que aproveche.

Koldo fue a la cocina y se despidió de Txaro y Gaizka. Cogió una rosa de un ramo que tenía Txaro y se la fue a entregar a Henriette. Ella le dio tres besos, como buena francesa, y Gustavo un abrazo muy fuerte.

—Les llamaré un día, me gustará que conozcan a mi hijo, Mario, y que él se sorprenda como yo de lo maravillosos que son. Adiós, afortunados esposos.

—Adiós, Koldo, que la suerte te acompañe.

Koldo se fue del restaurante henchido de gozo. Llamaría a Soledad y le propondría vivir otra vez juntos. Una segunda oportunidad, como le había sugerido Gustavo. ¿Por qué no? Ya se conocían los defectos, irían a buscar las cualidades.

En el restaurante, Henriette y Gustavo estaban comiendo angulas a la vizcaína y rodaballo a la donostiarra. No había nadie más, por lo que Gaizka y Txaro se habían sentado junto a ellos y bebían una botella de Rioja a la salud de Koldo Iturriaga. Y pensó en uno de los tantos proverbios de Antonio que llenaban su vida y que, en aquellos momentos, era muy adecuado:

Despacito y buena letra:
el hacer las cosas bien
importa más que el hacerlas.

156

La entrevista con Soledad

Koldo miraba por la ventana a través de los visillos nuevos que Txaro había puesto durante el mes de vacaciones. Eran unos visillos blancos, llenos de bordados, que, según ella, pertenecían a su abuela materna, que se los había regalado el día de su boda y que Txaro siempre había guardado como si fueran un tesoro. Mucho le había costado ponerlos, pero Gaizka le había convencido al decirle que si no los usaba se volverían amarillentos con el tiempo. No se vislumbraba la calle con tanta claridad como antes, pero había una intimidad en el restaurante que se agradecía. Gaizka había pintado las paredes en un tono azul que le recordaba el azulete que utilizaba Iziar para que la ropa fuera más blanca. Le gustaron los cambios que se habían producido. Y eso que él era de las personas que preferían que todo siguiera igual, que nada cambiara.

Tenía muchas ganas de ver a su hijo –llevaban más de tres meses, todas las vacaciones, sin verse– y le decepcionó que Soledad le dijera por teléfono que Mario había acompañado a la chica italiana a Roma y que se quedaría una semana en el apartamento de ella. Soledad le había dicho que la relación iba en serio y que pensaban formalizar el noviazgo. Hubiese preferido que Mario se lo hubiera contado en persona, pero suspiró y aprovechó que tenía a Soledad al teléfono para decirle que deseaba verla. Le extrañó que ella le dijera que le gustaría mantener una conversación de amigos y que estaría bien que se encontraran. Habían quedado en el restaurante y ya estaría a punto de llegar. Eso no era normal. La conocía y sabía que algo se traía entre manos. No podía ser que todo fuera tan sencillo, que Soledad también tuviera ganas de reemprender la vida juntos. Pero ¿quién sabe? A lo mejor, los encuentros entre padre e hijo habían abierto la puerta a la esperanza. Soledad era muy receptiva a estas cosas.

El restaurante estaba lleno hasta los topes. Gaizka y Txaro estaban muy atareados y apenas le hicieron caso. Tuvo que ir él a la cocina para darle un beso a una Txaro rodeada de pucheros y sartenes. Koldo fue al frigorífico y escogió una botella del txacolí que sabía que le gustaba a Soledad. Se fijó en los clientes y no le extrañó comprobar que se encontraban los de siempre, los habituales. Esta vez se quedarían con la boca abierta cuando vieran que comería –en lugar de con su hijo– con una señora de buen ver que parecía diez años más joven que él. Hubiese tenido que telefonear a Gustavo y Henriette para que vinieran y conocieran a Soledad, pero después pensó que era su primera conversación y que él tenía que ser muy astuto para convencer a una desengañada Soledad.

Se sirvió un vaso de vino y lo degustó poco a poco, saboreándolo. Era el mismo vino que le regaló Leopoldo, dos cajas que se encontró en la casa de Lekeitio: «A mi amigo Koldo, para que brinde por todos los amigos que nos han dejado, pero que siempre estarán presentes». Las vacaciones le habían ido de perlas. Se sentía feliz. Estaba curtido por el sol y las salidas en el *Machado* habían sido prodigiosas. Había leído mucho, y buena literatura, en el ventanal, viendo el puerto, sobre un montón de cojines de plumas. Una gozada. Había bautizado la casa con el nombre de «Aitor e Iziar» escrito en un letrero clavado en la puerta. La gente se paraba a verlo y asentía con satisfacción. El hijo de Patxi le dio el álbum y un sobre que ponía su nombre: «Mi padre escribió esta carta para ti, Koldo, unos días antes de morirse, a raíz de una discusión que tuvo con el alcalde. Mi padre quería morir en el mar o, al menos, que su cuerpo se lo comieran los peces para que los pescadores disfrutaran de la pesca con los peces más gordos». Koldo le pidió permiso al hijo de Patxi para llevársela y leerla en el *Machado*, con tranquilidad, saboreando las palabras y mirando el mar, como a Patxi le hubiera gustado. Su hijo accedió encantado, pero le dijo que le gustaría saber lo que decía. «Tranquilo, te haré una copia para que podáis leerla tú y tu madre», le había dicho Koldo.

Cuando estaba en plena mar, Koldo se sentó en la proa, abrió el sobre con una pequeña navaja, que siempre llevaba consigo, para no herir la envoltura y sacó una carta escrita con mano temblorosa y que le costó mucho descifrar. «Patxi, leeré tu carta en voz alta, para que el mar se haga eco de tus palabras y los peces te oigan», le dijo al mar, y empezó a leer:

Querido Koldo:

Mi hijo te entregará esta carta que he escrito con el corazón. Me la ha dictado Txema cuando le he dicho lo que quería expresar, por eso está bien redactada. Sé que me voy a morir, lo presiento. Sólo el mar es eterno, nosotros pasamos ante él, como un suspiro, y no comprendemos su inmensidad y nos sentimos poderosos, orgullosos, pero comparándonos con el mar nosotros somos una mierda. Cuando algunos marineros iban a pescar y no volvían, primero me sentía triste; luego, pensándolo bien, les tenía envidia. El mar los había querido más que a mí y se los había llevado a sus profundidades.

Iziar era toda una mujer. Era inteligente, educada, muy leída y apasionada, pero Aitor era mucho mejor, no lo olvi-

des. El mar se lo agradecerá. Él construyó cantidad de barcos que surcan esas aguas y otras más allá. No creas que el mar se enfada porque nos paseemos por sus aguas, no. A él le gusta, se distrae y nos ofrece como agradecimiento la pesca para que nos alimentemos. De vez en cuando, se cobra alguna vida. ¡Qué menos podemos hacer por él! ¡Los elegidos pueden estar contentos! A mí me hubiera gustado morir así, pero he estado en cien tormentas y el mar no me eligió, no era bastante para él. Yo soy un simple marino que no he sabido amarlo suficientemente. Mi sueño no se ha cumplido, pero en otra vida, si merezco vivirla, me gustaría coger una barca y perderme en ese mar que tanto quiero.
    Patxi.

La leyó otra vez, ahora para sí mismo, y la guardó en la cartera. ¿Cuántas veces la había leído? No lo sabía, pero se enternecía cada vez que lo hacía. Había hecho varias copias, una se la entregó al hijo de Patxi, que lloró al leerla; la otra se la entregaría a Mario para que llorara también un poco, como era su deseo, y la tercera se la daría a Soledad. Ella apreciaba a Patxi y él siempre le gastaba bromas.

—Koldo, perdona, ¿quieres algo? —le dijo Gaizka, sudoroso de tanto ir de mesa en mesa.

—No te preocupes, estoy esperando a Soledad.

—¿A Soledad? —Gaizka estaba limpiando la mesa de al lado con un ritmo frenético y al oír el nombre de la ex mujer de Koldo se detuvo súbitamente.

—Sí. Mario está en Roma festejando a una italiana que ha conocido y comiendo pasta, como a él le gusta. Soledad me quiere decir algo. Ya ves, estoy como si fuera un colegial a punto de examinarme.

—Ya veo que te has puesto tu mejor traje —comentó Gaizka, mirándolo de arriba a abajo—. ¿Habrá reconciliación?

–Me gustaría, Gaizka, me gustaría mucho. Por Mario, porque sería un regalo para él; y por mí, porque de tanto hablar de ella me he dado cuenta de que la quiero más que nunca.

–Cuidado, Koldo. Han pasado muchos años y ni siquiera hay un rescoldo que avivar.

–Tienes razón. Supongo que es una utopía pensar que podamos vivir otra vez juntos, pero lo intentaré. Palabra de vasco. Sobre el rescoldo, mira lo que decía...

–Tu Machado –dijo Gaizka, fingiendo resignación–. Venga. Suéltalo.

> *Creí mi hogar apagado,*
> *y revolví la ceniza...*
> *Me quemé la mano.*

–Bien, Koldo, que tengas la suerte del poeta. Ya vendré a saludarla y a tomar el pedido.

–Tranquilo, Gaizka. Hoy tienes clientela, atiéndela.

–Si te aburres, ve a la cocina a charlar con Txaro.

–Ya la he visto. Está rodeada de sartenes y pucheros, pero canta.

–¿Has visto al nuevo ayudante?

–Sí, un chico rubio, muy fino.

–Ha salido del armario, como dicen ahora, y Txaro se enfurece cuando le digo que es un mariposón de cuidado. Te dejo, compadre.

Koldo sonrió al oír las palabras de Gaizka, levantó el visillo y volvió a mirar a la calle para comprobar si veía a Soledad. «La esperaba, pero no era ella la que buscaba», como decía Machado. Igualito al poema que le hacía recordar su Lekeitio, con sus casas de colores y sus famosas vidrieras:

Está la plaza sombría;
muere el día.
Suenan lejos las campanas.

De balcones y ventanas
se iluminan las vidrieras,
con reflejos mortecinos,
como huesos blanquecinos
y borrosas calaveras.

En toda la tarde brilla
una luz de pesadilla.
Está el sol en el ocaso.
Suena el eco de mi paso.

—¿Eres tú? Ya te esperaba...
—No eras tú a quien esperaba.

Y de repente la vio. Allí estaba Soledad, tan guapa como siempre. Se la veía preocupada y eso no le gustó. Entró en el restaurante como si fuera un vendaval. Así era ella: carácter fuerte y segura de sí misma. Estaba muy elegante y se notaba que había ido a la peluquería, señal de que quería causarle un buen efecto. «Esto pinta bien», pensó Koldo.

Al verlo, Soledad sonrió. Koldo se puso de pie y se dejó besar. Estaba nervioso y ella lo notó cuando sus mejillas se rozaron. Tras los saludos de rigor, se sentaron y él llenó las copas de vino como si con ello recuperara el dominio de la situación.

—Por los buenos tiempos —propuso Koldo, ceremoniosamente.

—Por ellos y por los que tienen que venir —señaló Soledad.

—¿Cómo ha ido el verano? —preguntó Koldo, por hablar de algo que no fuera muy comprometedor e íntimo.

–Bien. Aunque todo estaba lleno de turistas y tenías que pedir permiso para entrar en el mar. Suerte que encontramos a unos amigos que tenían un yate y hemos salido la mitad de los días a navegar. ¿Y tú?

–Bien, muy bien. He navegado todos los días en el *Machado* y ha sido una delicia. He leído mucho y he tomado cerveza y más cerveza en la taberna de Leopoldo. Por cierto, me ha dado muchos recuerdos para ti.

–¿Qué tal la familia de Patxi? ¿Cómo lo llevan?

–Bien, ella está muy afectada, pero con el dinero que le ha dejado le ha comprado una barca a su hijo Yuli. La saca a pasear y ella le habla al mar como si fuera Patxi. Te he hecho una copia de la carta que me escribió días antes de morir. Léela y dime tu opinión.

Soledad desplegó la carta y la estuvo leyendo con interés. Al acabar, se secó las lágrimas que le rodaban por las mejillas y dijo:

–Patxi era un hombre lleno de sensibilidad y de un humor desbordante. Siempre dispuesto a ayudar a los demás y buen camarada. Ojalá que existieran muchas personas como él. El mundo iría mejor.

–Sí, así era Patxi.

–¿Viste a Txema?

–Sí, desde que no es alcalde va con la mirada baja, rehuyendo a la gente.

–En el entierro de tu padre tuviste un presentimiento, ¿qué ha ocurrido después?

–Descubrí que Txema era mi padre biológico. Por eso me esquiva y cuando me ve le da apuro y suele escabullirse por otra calle. Le da vergüenza enfrentarse a la verdad y aún teme el escándalo. Primero fue por la alcaldía: temía perderla. Más tarde tuvo miedo de lo que diría la gente y ahora le remuerde la conciencia la poca valentía que tuvo.

–¿Y tú qué piensas?

–Me sabe mal por él. Para mí, sabes que mi único padre fue Aitor, aunque estaría bien que Txema se sacara el peso de su conciencia y se sincerara conmigo y confesara lo que todo el pueblo considera un crimen.

–¿Tú lo consideras un crimen?

–En absoluto. Yo, aunque te cueste creerlo, respeto lo que mi madre hizo. Ya estuviera bien hecho o mal hecho, lo respeto. Aunque claro que me dolió y me destrozó la vida. Por culpa de este amor secreto, mi padre murió de forma violenta. Pero no he dejado de respetar a mi madre. Por eso él se calla. Porque el drama fue demasiado grande. Pero yo no le guardo rencor. De veras.

–Me gusta oírlo. Demuestra que eres una buena persona.

–Trato de serlo aunque a veces no lo consigo en demasía.

–Volviendo al presente, Koldo. ¿Querías verme?

–Sí, bueno. Quería hablarte de nosotros.

–Se me hace raro que quieras hablar de nosotros después de diez años separados.

–Ya lo sé, pero Mario me ha acercado a ti.

–No mezcles a Mario en nuestros asuntos. Claro, le has contado tu vida y han salido a relucir nuestros años pasados juntos, ¿no es así?

–Exactamente.

–¿Y qué quieres?

–No sé cómo decirlo. Me faltan palabras. No sé, quizá es que tengo miedo a pronunciarlas.

–Tú eres un hombre leído, Koldo; por tanto, las palabras te sobran. Aunque puedo comprender que te dé miedo hablarme con claridad.

–Sí, debe de ser eso.

Koldo jugaba a contemporizar. No quería plantearle directamente, de golpe, a Soledad que fantaseaba con la idea de volver juntos, que quería recuperar el tiempo perdido. Pero Soledad no quería seguir el guión que le imponía Koldo.

164

–Pero vamos a ver –dijo Soledad, con voz exigente–, ¿qué quieres? ¿Pretendes que nos liemos otra vez? ¿Es eso?

–Me gustaría que me dieras otra oportunidad –contestó Koldo.

–¿Estás loco? ¿Tú sabes lo que sufrí con tu silencio y tus desprecios continuos durante dos años? Me sentí como una mierda y perdí la confianza que tenía en mí misma. Me rompiste el corazón y no tuve más remedio que dejarte. Me ha costado muchos años rehacer mi vida y volver a ser la misma de antes. Y ahora, cuando lo he conseguido, vienes tú a proponerme que volvamos a vivir juntos, a decirme que no ha pasado nada, que os habéis hecho muy amigos tú y Mario. Es increíble. Y que conste que yo estoy muy contenta de que Mario te vea, pero, preciso, que hacía diez años que no lo veías y que no te importó un comino durante este tiempo. No, Koldo. Te respeto como persona, eres mi amigo y deseo que encuentres a alguien con quien soportar esta vida ermitaña que llevas, que, pasado todo este tiempo, me hace sonreír. Vive en tu fantasía, rodeado de estos fantasmas literarios, como les llamaba tu padre, pero no cuentes conmigo, por favor.

–...

–No dices nada. Di algo. ¿Tengo razón o soy tan loca como tú?

–Tienes razón, Soledad –aceptó Koldo, sin atreverse a mirarla–. Es verdad que contando mi vida a Mario he revivido instantes hermosos pasados contigo y me he dado cuenta de mis errores. No he negado nunca que he sido el único culpable de nuestra separación. Fui egoísta y te he faltado al respeto. Me arrepiento y te pido perdón, pero yo aún te quiero.

–Me quieres como a los libros que tienes en la biblioteca. Eso mismo, estoy en una de las tantas estanterías que tienes y, ahora, me has descubierto y quieres leerme otra vez. ¿Es eso?

—No —se defendió Koldo.

—¿Dejarías los libros por mí?

—Sí.

—¿Los quemarías como tu padre hizo una vez? Perdona, no tenía que decirte eso. Olvídalo, no quiero hacerte daño.

—Puedes hacerlo. No me importa que me castigues, con tal de estar contigo.

—Koldo, piensa, no vivas en un mundo de quimeras. Vive en la realidad. Somos demasiado diferentes. Volveríamos a hacernos daño. Yo estoy lejos de tu mundo y tú estás a mil kilómetros del mío.

—Eso es verdad.

—Pues seamos amigos y nada más. Yo no sólo no me arrepiento de nada de lo que hemos hecho juntos, sino que lo recuerdo con cariño. Muchas veces sueño que estamos a bordo del *Machado* navegando por aquellos mares que quiero tanto como tú y me encanta. Lloro sólo de pensarlo y miro aquellas fotos en las que tu padre nos retrató y sonrío de felicidad. Contemplo miles de veces la fotografía que tiene Mario en su mesita de noche y se me cae la baba. Y la que tengo encima de la chimenea: tu mano apoyada en mi barriga, el cabello al viento y nuestras miradas enamoradas. Muy bonito, de verdad, hermoso, pero tú sabes que nuestras vidas difieren demasiado y que somos totalmente opuestos. Tengo razón. Lo sabes. ¡Y no me mires con esos ojos de cordero degollado!

Koldo no pudo contestar, porque se acercaron Gaizka y Txaro a saludar a Soledad.

—Los años en ti pasan de largo, Soledad —comentó Gaizka.

—A una mujer nunca se le tiene que hablar de años, ni siquiera como cumplido —apuntó Txaro.

—Da igual. A mí no me estorban los años, me complace cada vez que celebro un cumpleaños. ¿Cómo estáis? Según me dice Mario lo tratáis de maravilla y le cocináis unos platos inigualables. La verdad es que yo soy una mala cocinera. Koldo os lo puede decir, ¿cierto?

–No eres muy buena, pero tienes una sana intención –dijo Koldo.

–Lo veis, por eso no me soportó.

Koldo carraspeó y tosió varias veces. Gaizka se dio cuenta y cortó la conversación.

–¿Qué queréis para comer? Tenemos unas vieiras muy buenas, centollo, bacalao al pil pil o chuletón. ¿Qué preferís?

–Las vieiras y el bacalao –respondió Soledad.

–Yo también me apunto –contestó Koldo.

–Txaro, oído cocina.

–Marchando.

Txaro y Gaizka se fueron cogidos de la mano. Se produjo un silencio prolongado, sólo roto por los ruidos que hacían Koldo y Soledad al desdoblar las servilletas, colocar las copas de pie y servirse un poco de agua. Cuando ya no hubo nada más que hacer, Koldo se quedó mirando al exterior; y Soledad, a las mesas vecinas.

–Hay mucha gente –Soledad rompió el silencio–. Antes no estaba tan lleno.

–Vienen a oírnos a Mario y a mí y, a veces, aplauden. ¿Ves aquella pareja que nos mira, la de tu derecha? Pues no se pierden ni ripio de las conversaciones que mantenemos Mario y yo.

–Por eso Gaizka y Txaro os tratan tan bien.

–Y porque somos buenos actores. Lloramos y reímos al mismo tiempo. Nos abrazamos y nos chupamos los dedos cada vez que nos traen un plato de la cocina. Es divertido.

–Me gustaría veros.

–Es fácil, un día acompañas a Mario.

–No quiero entrometerme en vuestro buen rollo.

—Soledad, ¿qué me querías decir?

—Ahora no puedo decírtelo.

—¿Por qué?

—Porque no es el momento. Después de tu declaración, no sería prudente.

—Me tienes intrigado. Me lo tienes que decir, te lo ruego.

—No me obligues. —Soledad se sentía muy incómoda. Repiqueteaba con los dedos sobre la mesa—. Te sabrá mal.

—Lo soportaré. He cambiado mucho. Ni tengo orgullo ni soy egoísta. Sólo me importa la felicidad de los demás.

—No sé.

—Por favor.

—Bien. Quería decirte que...

—Has conocido a alguien, te gusta y quieres casarte con él. ¿Cierto? —dijo Koldo, de sopetón.

Soledad dejó los dedos quietos y se quedó mirando a Koldo.

—Me has sorprendido. Es eso exactamente. —Soledad se sentía aliviada y sorprendida a la vez. Aliviada porque Koldo le había echado una mano y le había evitado que tuviera que decírselo ella. Y sorprendida por la perspicacia de su ex marido—. ¿Cómo lo has sabido?

—Porque eso ocurre en el noventa por ciento de las novelas que leo. Ya sea literatura clásica o moderna, no importa.

—Lo siento, te he dicho que no era el día adecuado para comunicártelo.

—No sufras. Me lo temía, pero quise engañarme y desestimé la idea de que podías comunicarme tus próximas nupcias. ¿Cómo es él, aparte de maravilloso y de ser un perfecto amante?

Koldo bromeaba haciéndose el mártir para ocultar que, en realidad, la noticia le había sentado como una patada. Soledad ya conocía su cinismo y su ironía y no estaba dispuesta a entrar en su juego.

–No te burles –contestó Soledad con voz seria–. Tengo miedo de que salga mal, por eso quería que me aconsejaras.

–¿Por qué yo? ¿No hay otra persona que te pueda aconsejar?

–No, tú sabes ahondar bien adentro. Eres una magnífica persona y quieres que sea feliz.

–Eso es verdad; me has convencido. Adelante, cuéntame la historia.

–¿No te importa, de verdad?

Soledad no acababa de creer que Koldo quisiera que le explicara la historia. Temía otra de sus salidas de tono.

–Me importa, pero pienso cumplir con mi papel de ser un buen tío.

–A ver –empezó a hablar Soledad, que quería encontrar un equilibrio entre lo que podía y no podía explicarle a Koldo. Necesitaba su consejo pero no quería hacerle daño–. Nos conocimos hace dos años y nuestra relación ha sido muy buena; excelente, diría. Tiene la misma edad que yo y es una buena persona. No es nada del otro mundo, pero me gusta; es electrizante.

Koldo abrió la boca para hablar y Soledad reaccionó rápido.

–No me interrumpas, por favor. Electrizante quiere decir que siento descargas eléctricas cada vez que estamos juntos. Le gusta la juerga, como a mí, y nos lo pasamos bien. Había estado casado, pero se divorció por incompatibilidad con su pareja. ¿Me vas entendiendo?

–¿Puedo hablar?

–Sí.

–Creo que la respuesta de amigo es la siguiente: yo no me lo pensaría dos veces y tiraría adelante. Nunca sabrás si te volverá a suceder lo de la incompatibilidad o no. A medida que nos vamos haciendo mayores no somos tan exigentes. Punto.

–Espera, eso no es todo. –Ahora Soledad hablaba como si lo que decía le hiciera más daño a ella que a Koldo–. Tengo que irme a vivir con él. En estos momentos trabaja en el Zaire. Es médico y le han hecho un contrato por cinco años. Se encarga de dirigir un hospital, pero no está en la capital. Está en plena selva.

–¡Uy! Malo, muy malo –dijo Koldo, agitando la mano derecha en el aire.

–Me lo temía –la voz de Soledad sonaba angustiada–. Dime, ¿por qué?

–Te lo diré muy claro. Primero, tú no eres la madre Teresa de Calcuta y no lo soportarás; segundo, si no toleraste la vida en Bilbao, porque la encontrabas aburrida, ¿quieres irte a vivir en plena selva? No lo aguantarás, aunque el mozo sea eléctrico y te dé descargas de trescientos ochenta vatios.

–Muy gracioso.

–Aparte, ¿qué harás con Mario?

–Tiene veintidós años. ¿No crees que es mayorcito? Lo he hablado con él, lo ha comprendido y me ha dicho que haga mi vida. Le dejo el piso y una cuenta en el banco para sus gastos durante los cinco años que esté fuera.

–No funcionará, Soledad. –Koldo negaba con la cabeza.

–Sabía que me dirías eso –replicó Soledad.

–Si él te quiere, ¿por qué no ejerce su carrera aquí, en vez de llevarte al quinto coño?

–Ya. Más o menos es lo que le he dicho.

–¿Y?

–Es un proyecto que ha creado él. Trata de curar la malaria. Se ha creado una vacuna, pero no se sabe su efectividad. Tiene que vacunar a los nativos. Es algo muy importante. Hay muchos pigmeos que tienen malaria y tiene que averiguar si la vacuna va bien o no. Por eso han escogido una selva donde hay muchos mosquitos; Ituri, para ser exactos. Está a unos doscientos kilómetros de Kisangani, la segunda ciudad del Zaire.

–Cuando ves bichos, te pones mala.

–Sí, no puedo aguantarlos.

–El calor sofocante te asfixia. No puedes respirar bien, te falta aliento.

–Lo sé.

–Allí no habrá tapeo, ni copas, ni restaurantes, ni discotecas, ni cines, ni teatros: nada de nada.

–No habrá nada, lo sé también. Por eso estoy en un dilema.

–No eres racista, pero los negros te han dado siempre miedo y los pigmeos acostumbran a ser peligrosos con sus flechas envenenadas.

–Es verdad.

–Y después de decirte todo eso –Koldo hizo una pausa y miró a Soledad–, ¿aún persistes?

–Sí, me gusta. –Soledad no dudó ni un segundo–. Le quiero. Cuando no está conmigo, me pongo mala. Es inevitable.

–Pues, entonces, haz las maletas y acompáñale si es preciso hasta al mismo infierno. Sé feliz; y si te cansas de esa vida samaritana, vuelves. Pero lo que habrás vivido no te lo quitará nadie. La dicha, aunque sea corta, buena es. Y, además, las penurias ayudan a querer. ¿Has preguntado si hay electricidad? No lo preguntes, con lo que tiene tu hombre hay suficiente. Os electrocutaréis juntos. ¡Qué bonito!

Soledad vio, entonces, a un nuevo Koldo. No era el padre que se había largado años atrás ni era el marido introvertido y solitario que tuvo que soportar durante años. Tampoco era el ex marido que coqueteaba con ella y que le hacía sentir culpable por no querer volver con él.

–Eres una buena persona, Koldo, y agradezco tus palabras. Es verdad, has cambiado. Si no funciona, volveré contigo. Está decidido.

—Aquí estaré, encerrado en mi biblioteca y jugando a ser el intérprete de cada novela que leo. A no ser que encuentre mi media naranja. Mario insiste en que la busque.

—La encontrarás. Una literata como tú, para que leáis los mismos libros, os embobéis en cualquier texto, discutáis una frase cualquiera y reviváis los personajes juntos. Ésa es tu chica.

—Buen consejo, aunque me falta la electricidad de tu chico.

—Eso vendrá después.

—Bien. Ya tenemos una pareja en África y el guión para emparejar al ermitaño. No está mal. Ahí viene Gaizka para saber si nos ha gustado la comida. Le diremos que estaba riquísimo, aunque no me he dado cuenta de lo que comíamos.

—Yo sí, estaba fantástico, pero no tanto como tú.

—Cuidado, Soledad, yo no soy tu chico, mi voltaje es otro. Yo aún estoy con los ciento veinticinco vatios.

—¿Qué tal, pareja? —saludó Gaizka, algo temeroso porque no sabía si los iba a encontrar discutiendo o no.

—Muy bueno. Como siempre, sois los mejores, auténticos artistas. Nosotros somos meros comparsas que degustamos la exquisitez de los manjares —pronunció Koldo con solemnidad, levantándose y haciendo una reverencia.

—Hablas bien, pero como un loro que dice pamplinas —se burló Gaizka.

—Estaba muy rico, Gaizka. Ya sabes cómo es Koldo: le gusta hacer el paripé. —Soledad miraba, divertida, a Koldo.

—Lo hace bien, el puñetero. ¿Y vuestros asuntos? —Gaizka se atrevió a preguntar porque veía que el ambiente estaba muy relajado.

—Perfectos. Soledad se casa con un médico eléctrico y se va a vivir a donde Dios perdió la sandalia, en plena selva de África, ¿sabes?, allí, en el Zaire. Él hará de Tarzán y ella de

Jane. Y un servidor tiene que buscarse, con urgencia, una compañera tan aburrida como yo para poder echar un quiqui de vez en cuando. ¿Qué te parece?

–No le hagas caso, Gaizka; juega a ser cínico, pero en el fondo no lo es.

–¡Vaya rollo que os traéis! –exclamó Gaizka–. Me voy con mi Txaro, que es normal y no me arma follones.

–Adiós, Soledad. –Gaizka dio un par de besos a Soledad.

–Adiós, Gaizka.

Soledad esperó a que Gaizka se marchara. Quería un último momento de intimidad para despedirse de su nuevo Koldo.

–Koldo, muchas gracias por escucharme y por tus consejos. Pensaré en ti. Deséame suerte.

–Te la deseo de todo corazón. Si los pigmeos te raptan y te ponen en una olla, grita e iré en el acto a salvarte. En serio, ya sabes dónde estoy. La fábrica, la biblioteca, el fin de semana navegando en el *Machado* y los jueves aquí, comiendo con Mario. Por cierto, despreocúpate, yo me encargaré de él. No le faltará de nada.

–Lo sé, me he dado cuenta de que le quieres mucho.

–Mucho no, muchísimo. No sé cómo he podido perder tanto el tiempo.

–Koldo, has recuperado el tiempo y, lo más importante, lo has recuperado a él.

–¿Cuándo te vas?

–El próximo mes. Las vacaciones han servido para hablar con Mario, para sincerarnos y para estar juntos los tres meses.

–¡Sopla! Sí que te vas pronto.

–Sí. Casi es mejor; no quiero tener tiempo para pensármelo.

–¿Os casaréis?

–No. Los dos ya hemos estado casados.

–Bien hecho. Aún tengo una oportunidad sin papeles de por medio.

Se abrazaron, se besaron y soltaron alguna lagrimita. La gente aplaudió y ellos saludaron como si hubiese acabado la función. Lo que no sabían, en aquel momento, es que sería la última vez que se verían.

Mario

Mario dejó las maletas en el recibidor de casa y se encontró con una nota de su madre que le decía que estaba formalizando papeles en la Embajada del Congo. Fue directamente al teléfono y llamó a Koldo. Lo primero que pensó al escuchar su voz, apagada y cansina, fue que era jueves y hacía un montón de meses que no lo veía.

–Hola, Koldo. Tengo ganas de verte. Ya sé que no te he avisado y que a lo mejor tienes un compromiso, pero me gustaría charlar contigo.

–No tengo ningún compromiso y, si lo tuviera, lo cancelaría por ti. Lo que pasa es que hoy no es mi día. Tengo un humor de perros. Cuando me he mirado en el espejo no he conocido al que tenía delante y no había nadie que me lo presentara, por lo que ahora tengo doble personalidad o, lo que es peor, no sé quién coño soy.

–Si nos encontramos, te lo diré yo. –Mario quería animar a su padre–. Incluso puedo hacer de cicerone. Venga, hombre, hace meses que no hablamos.

> No extrañéis, dulces amigos,
> que esté mi frente arrugada:
> yo vivo en paz con los hombres
> y en guerra con mis entrañas.

–Ya estoy más tranquilo si recitas poesías de Machado. Koldo, ¿no tienes ganas de verme?

–Claro que sí, pero me gustaría mostrar otra cara. El portero de la fábrica no me ha conocido y le he tenido que enseñar la documentación. Estoy sin afeitar y no he dormido en toda la noche. He leído un libro horrible, triste, gris, en el que las personas se odian y no existe ni una pizca de piedad ni de comprensión. Si se hubieran matado entre ellos, aún lo comprendería, pero sólo se insultaban y se despreciaban. Un horror, créeme.

–¿Quién te manda leer esas barbaridades?

–Le han dado un premio y piqué como un merluzo. Ha vendido miles y miles de ejemplares. No me extraña que la gente ande con la mirada extraviada por la calle, se insulten cuando conducen y se pongan delante de la caja boba. Cualquier cosa, ¿me entiendes?

–Te entiendo y por eso creo que nos tenemos que ver.

–Vale, adelante. Nos encontraremos en el Ernani a la hora de siempre. Para que me conozcas, llevaré una flor en el ojal, un clavel que compraré a la gitana de la Plaza Mayor. No le diré que me diga la buenaventura: hoy sería funesta.

–Ánimo, Koldo, no es el fin del mundo.

–Para mí sí.

–Nos vemos.

–Vale, como tú quieras. Te he avisado, lo que ocurra será tu culpa.

–Bien, lo aceptaré con resignación.

–Más te vale.

Mario deshizo las maletas y, cuando estaba a punto de irse, entró Soledad hecha una furia.

–¡Santo Dios! Son auténticos retrasados mentales. Llevo toda la mañana rellenando el maldito impreso y esperando la firma del omnipotente embajador. Empezamos bien.

–Paciencia, madre. –Mario se dio cuenta de que no había saludado a su madre–. Por cierto, hola. No te había dicho nada.

–No te preocupes. Hola, cariño. Estaba en la embajada, intentado rellenar los malditos papeles.

–No te agobies. Es otro país, otro ritmo de vida. Tienes que comprenderlo y tomártelo con otro espíritu. Si no es así, te auguro que irás al fracaso absoluto.

–Hablas como tu padre. Me dijo que, dado mi carácter, no lo soportaría.

–¿Has hablado con Koldo?

Mario empezaba a comprender por qué su padre estaba con la moral por los suelos.

–Sí.

–¿Y?

–Se lo conté todo y le pedí consejo.

–¿Cómo se lo tomó?

–Al principio, mal. Se me declaró y me propuso ir a vivir con él. Luego le expliqué lo que quería hacer y me dijo que no lo aguantaría. Como insistí, al final se portó como un hombre y me empujó para que aceptase la vida que me proponía Richard. «La felicidad, aunque corta, se tiene que vivir. Aprovéchala», me dijo.

–Ahora lo entiendo todo, por eso está hecho polvo. Te dije que se lo diría yo, con delicadeza. Seguro que entraste a matar, con el estoque reluciente, mirándolo a los ojos y retándolo.

–No tanto, pero creo que le hice daño.

–¿Sabes que aún está enamorado de ti?

–Lo sé.

–¿Que cuando me contó lo vuestro, se culpó y a ti te puso en los altares?

–Supongo. Me lo dijo.

–¿Te pidió perdón?

–Sí, un par de veces.

–Muy bien. Y tú le sueltas el rollo de África y te quedas la mar de tranquila.

–Sí. Se lo previne, pero él insistió. De verdad, no quería decírselo, sobre todo porque me había propuesto una reconciliación, pero se lo solté. Lo siento, no me mires así, como si fuera una bruja.

–Quedamos en que...

–Mario, a lo hecho, pecho. Ya está, se lo dije y fue bien. Nos despedimos como amigos, no discutimos.

–Me hubiera gustado estar presente. Te conozco y seguro que lo dejaste totalmente K.O.

–No puedes cambiarme.

–Al menos lo calmaste, le diste ánimos.

–Le dije que se buscara una literata como él.

–Vale, muy ejemplar. Lo ideal para dejarlo en la picota.

–Me dijo que tú también se lo habías aconsejado.

–Pero a mí no me había propuesto ir a vivir con él. Ponte en su lugar.

–Tienes razón, es horrible.

–Menos mal, algo he conseguido. Voy a verle y trataré de consolarlo.

–¿Vas ahora?

–Sí, le he llamado y lo he encontrado en las últimas.

–No es para tanto, Mario. No me hagas sentir mal. Koldo ha sido un egoísta toda la vida, aunque puede que ahora haya cambiado, pero no olvides que nos ha dejado durante diez años olvidados de la mano de Dios y que una se ha espabilado para sacarlo todo adelante. Sé que no me ha faltado su dinero, pero eso no lo es todo.

–En eso tienes razón. Lo admito.

–Menos mal, aunque yo también me doy cuenta de que la he cagado.

–Sí, yo diría que no has sido condescendiente.

–Soy una bruta, lo reconozco. Bésame y ve a charlar con tu padre. Dile que lo aprecio mucho.

–Lo haré.

Mario caminaba hacia el restaurante con las manos en los bolsillos y mirando al suelo. Meditaba las palabras que pudieran dulcificar la entrevista que había tenido Soledad con su padre. ¿Qué pensaría Koldo? Le extrañaba que no se hubiera afeitado; él que era tan presumido y tan cuidadoso. Entró en el Ernani y vio que Koldo estaba sentado en el lugar de siempre, absorto y limpiando sus gafas con el faldón de la camisa. No lo había visto entrar, por lo que tuvo tiempo de cerciorarse de que iba vestido como un adán, barbudo, demacrado y con un talante serio. Se persignó, saludó de lejos a Gaizka y le hizo un guiño que éste entendió inmediatamente. Txaro se abstuvo de saludarle al comprender que se fraguaba una tempestad.

–Koldo, tenía ganas de verte. Un abrazo.

–Hola, Mario. Ve con cuidado. Mancho y contagio.

–Lo tendré en cuenta. Suerte que tengo todas las vacunas en regla.

–Seguro que te hará falta la vacuna de la mala leche.

–Llevo cuatro meses de vacaciones y mi humor es excelente. No he cogido ningún libro de texto, sólo las novelas que me diste y me las he leído todas.

–Bien, eso me alegra. ¿Y qué te parecen?

–Muy buenas. He disfrutado mucho y he aprendido. Sé discernir entre los diferentes autores.

–¿Cuál prefieres?

–Me gusta Manuel Vázquez Montalbán por su narrativa, Mario Vargas Llosa por los diálogos fluidos y Juan Marsé porque te crees ese mundo suyo contado desde la calle. De Marsé me diste dos: *Últimas tardes con Teresa* y *El amante bilingüe*. Con éste me lo pasé de coña. Ahora bien, disfruté con *Seda*, de Alessandro Baricco, por su sencillez y su poesía. No falta nada y tiene una sensibilidad muy aguda. Lloré con *La tregua*, de Benedetti, porque hice como tú y me metí en el papel del protagonista, y el *Cuaderno de*

Noah me puso la piel de gallina. ¿Cómo se puede querer tanto? La enfermedad de ella es sobrecogedora y el comportamiento de él, admirable.

–Bien, muy bien. Me han gustado tus puntos de vista. Has aprendido; tienes razón.

–Tengo dos profesores, no me puedo quejar. Uno teórico y otro práctico.

–Uno de los profesores te tiene que pegar una bronca. Supongo que te figuras el motivo.

Mario ensayó una expresión de niño travieso que se arrepiente de sus gamberradas.

–Sí, que sólo te he escrito una carta. ¿Es eso?

–Sí, exactamente.

–Lo siento, he ido de culo.

–No es cierto.

–Verás, en vacaciones llevas un ritmo que se te hace difícil romper y...

–No es eso. –Koldo atajaba secamente los intentos de justificación de Mario.

–Pues dime –Mario claudicó y preguntó–: ¿por qué no te he escrito?

–Porque no sabías qué decirme.

–Sí sabía, pero...

–Tenías miedo de repetirte y tú sabes que a mí no me gusta.

–Y además prefería explicarte las cosas de tú a tú, como ahora.

–Esta explicación la encuentro más razonable.

–Menos mal, estaba apurado, me habías dejado contra las cuerdas.

–De vez en cuando, me divierte. Así aprendes a defenderte.

–¡Gong! –Mario había golpeado la base del plato con la cuchara–. Ha sonado la campana.

–Te veo guapo, incluso un poco más lleno de cara. Se ve que la pasta italiana ha hecho mella en ti. Así que estás moreno y, según me explicó Soledad, con una novia de por medio.

–Sí, Ángela. –Mario exhibía una sonrisa algo bobalicona, de recién enamorado que habla de su novia–. Vendrá durante las vacaciones de Pascua, cuando me gradúe, espero.

–¿Ya habrás terminado?

–Sí, voy a estudiar como un jabato y me presentaré dentro de seis meses. Tengo ganas de acabar y ponerme a trabajar.

–Tengo un cliente que busca a alguien que haya acabado la carrera. Le gusta la gente joven, supongo que para poder dominarla. Es fatuo de cojones y un cretino, pero el mundo está lleno de ellos. Al menos paga bastante bien. Si quieres puedo darte sus coordenadas.

–Te lo agradecería. Me animaría saber que me está esperando un trabajo cuando termine los estudios.

–Te lo he avisado; él es insoportable, no admite que nadie le tosa.

–Tendré paciencia. Prefiero la mala uva que nada.

–Por cierto, no te he comentado que te quedan muy bien las gafas. Te dan un aire intelectual.

–Gracias –dijo Mario, subiéndose las gafas con el dedo, y añadió guiñándole un ojo–: El oculista te pasará una factura desorbitada: las monturas valen un potosí.

–Bien, vale la pena. No sufras, estoy acomodado.

–¿Fuiste a Lekeitio?

–Sí. Y estuve navegando cada día. El proverbio de Machado me acompañaba siempre:

> *Todo hombre tiene dos*
> *batallas que pelear:*
> *en sueños lucha con Dios;*
> *y despierto, con el mar.*

–Bien. Veo que te sentiste en el cielo.

–Me encontré a las mil maravillas en el mar y en la nueva casa.

–¡Si ya la habías estrenado!

–Sí, pero no durante tanto tiempo. Me he acostumbrado a la dureza del sofá, aunque tuvo que venir un carpintero para ponerle unas patas más altas. Me compré muchos almohadones de plumas para envolverme en ellos. Una delicia. Te he traído una carta de Patxi, que me escribió poco antes de morir. Le di una copia a Soledad. ¿Sabes?, ella lo apreciaba mucho y la carta le encantó. Me gustaría saber tu opinión.

Entonces, Mario vio que su padre había dejado una carta encima de la mesa, al lado de su servilleta. Cogió la carta y la leyó. Primero, con avidez; y luego, lentamente, como si no quisiera perderse ni una palabra, ni una sílaba. Al acabar, suspiró y dijo:

–No me extraña que a mi madre le encantara. Patxi era un fuera de serie y quería al mar. Pura poesía. Es de aquellas cartas que apetece leerla un montón de veces. ¿Puedo guardármela?

–Es para ti. Llevo el original en la cartera y la releo constantemente.

–He abierto una carpeta en el ordenador y voy guardando cantidad de cosas.

–Pues guarda lo que te he traído. –Koldo buscó en su cartera y extrajo una libreta. Antes de dársela a Mario, le pasó la mano por encima, como si le sacara el polvo, en un acto que tenía más de sagrado que de higiénico–. Aquí tienes, te servirá para cuando quieras escribir la historia de los Iturriaga. Es el resumen que un día te expliqué cronológicamente.

–Esto sí es un tesoro. –Mario alargó las dos manos para coger la libreta, como si tuviera miedo de que con sólo una pudiera caérsele–. Me hace mucha ilusión.

–Gracias.

–Cuenta, ¿a quién más viste? –preguntó Mario.

–A Leopoldo, en la tasca, y a Txema rehuyéndome por las calles.

–¿De veras?

–Sí, no tuvo el coraje de hablarme, pero, en cambio, se presentó en mi casa el otro día, justo el día que había hablado con Soledad. No fue un buen día, la verdad.

–Me lo figuro. ¿Y qué te dijo?

–Vino con la cabeza gacha. Apenas tocó el timbre, un simple ring que oí porque me encontraba en el pasillo, camino de la cocina. Creo que esperaba no encontrarme. Le hice pasar y haciéndome el longuis, aposta, le pregunté a qué había venido. Se puso rojo, carraspeó, tosió, me pidió un vaso de agua y yo, viéndolo de esa guisa, reía por dentro. Pensé que era lo menos que podía hacer para que mi padre, si lo estaba viendo, se pusiera contento. Lloró y yo le miré de frente, sin ninguna clase de pena ni compasión, sin pestañear. Se confesó. Apenas podía hablar, por lo que balbuceó que él era mi padre.

–¡Dios! Y tú ¿qué hiciste?

–Me puse a reír como un loco. Él me decía que era la verdad, que lo creyera.

–Yo le dije que era imposible que mi madre se hubiera acostado con él. Eso le puso a cien y perdió su dignidad y echó sobre la mesa las cartas que Iziar le había escrito. Me dijo que fue un amor de juventud, que estaban ciegos, que él respetaba a Aitor y que apreciaba cómo era yo. Profirió una letanía de explicaciones y lamentos. Luego pasó a las disculpas. Pidió perdón por el mal que había hecho, por su cobardía al ocultar su pecado, por su infidelidad. Y achacó el silencio que lo había mantenido callado al miedo a perderlo todo: su carrera política, el amor de su mujer y sus hijos, y la estimación del pueblo.

—¿Y cuál fue tu reacción?

—Mi mirada burlona y socarrona lo dijo todo. Él lo comprendió y me pidió que le dijera algo, que le insultara, pero que no le despreciara. En aquel momento me dio pena y le espeté, con una voz clara y fuerte: «Ni te odio ni te desprecio, me da igual. Creo que te ha ido bien descargar tu conciencia, pero con ello no podrás paliar el remordimiento de ser el culpable de la muerte horrible que tuvo mi padre, que era tu amigo». Se lo dije así para que nunca más tuviera dudas de que mi único padre había sido Aitor y de que lo demás no era de mi incumbencia.

—¿Y qué contestó?

—«¿Me perdonas?», me dijo con un hilo de voz. Y yo le repuse: «Por descontado, estás perdonado». Recogió las cartas, bajó la cabeza, se volvió y levantó la mirada en el único momento que estuvo íntegro. «He confesado mi pecado a mi mujer y mis hijos, si tú quieres airearlo, libre eres.» Yo le contesté que no se preocupara, que eso quedaba entre nosotros. Le dije adiós y le aconsejé que mirara al cielo y que no anduviera cabizbajo, que fuera con la cabeza bien alta y orgulloso del amor que tuvo con Iziar. Se marchó como entró, pero creo que le fue bien.

—¡Bravo! ¿Cómo te sentiste después?

—Vacío, lleno de sufrimiento y con un dolor de tripas horroroso. No por el hecho en sí ni por su vergüenza; me sentí mal por lo que le ocurrió a Aitor. Suspiré y pensé que la vida seguía su curso, que, a la larga, cada cosa ocupa su lugar. Por la noche soñé con aquella buhardilla en la que tenía el despacho Iziar, donde, de cuando en cuando, se reunían clandestinamente. Soñé con aquellos amores secretos que condujeron a un desenlace horrible. También soñé con Aitor maldiciendo los fantasmas. Y también estaba yo, solo, sentado en el teatro, viendo la representación, sin poder aplaudir porque había mucho humo y me ahogaba y las llamas trataban de consumirme. Me desperté sudando y no pude dormir más en toda la noche. Fui al despacho para coger un libro y, al encender el flexo que estaba encima de la mesa, me pareció ver que en la foto en que estábamos los tres, Aitor, Patxi y yo, mi padre estaba más serio de lo que recordaba. No encontré nada que me distrajera, no podía pensar en otra cosa. Me senté, cogí la fotografía y me la quedé mirando fijamente.

Koldo se restregó los ojos, bebió un buen trago de vino y continuó:

–La luz de la mañana, que entraba por las ventanas, me sorprendió acurrucado en el sillón de lectura. Me había dormido con la foto en las manos. La miré otra vez para verificar por qué estaba serio mi padre, pero me alegré al comprobar que estaba riendo, como siempre. No había ocurrido nada; todo funcionaba perfectamente.

–Admirable, Koldo. Me gusta tu forma de ver las cosas. Es tan tuya. ¡Tengo tanto que aprender de ti!

–No me des coba y explícame tu amorío.

–Primero, comemos; luego te contaré.

–Come tú. Yo no tengo hambre.

–Prohibido. Tienes que comer, ¿has visto tu cara?

–¿Qué le pasa?

–Estás desmejorado.

–Llevo una semana un poco *heavy*.

–Por eso mismo tienes que alimentarte. ¿Desde cuándo no pruebas bocado?

–No lo sé. El tiempo pasa.

Koldo alargaba las palabras como si costara un esfuerzo terrible hablar; a él, que tanto le gustaba relatar.

–¿Y el trabajo?

–Llamé diciendo que estaba enfermo. No les importó mucho, los ordenadores se venden solos.

–¡Fíjate! Gaizka trae unos platos deliciosos

Mario intentaba por todos los medios levantar el ánimo de su padre y la comida era una de sus mejores bazas.

—Muchachos, algo para echar al buche. —Gaizka llegaba con los platos repartidos en ambos antebrazos–. Y tú, Koldo, anima esa cara. Parece que vengas de un entierro.

—Vale, no me atosiguéis.

—Y tú —dijo Gaizka, mirando a Mario— no seas rebelde.

Koldo comió con desgana, masticando largamente. Mario lo iba azuzando cada vez que se hacía el remolón. Cuando hubo acabado, Koldo lo miró fijamente y le dijo:

—¿Qué opinas de la aventura que quiere emprender tu madre?

—Deseo que le salga bien y que sea feliz.

—Es un disparate. Irse al Zaire o a la República del Congo. Vete a saber, cada año cambian de nombre. Y en plena selva. Vaya tontería. ¿Se llevará los trajes de Armani? ¿Te ha contado que le propuse ir a vivir juntos?

—Sí, antes de venir aquí me lo ha explicado.

—¿Y? Cuenta, Mario, por favor. ¿Cómo lo ves?

—Era complicado que aceptara. Ten en cuenta, y tú mismo lo has dicho, que no te comportaste bien. Por aquel entonces, tú no eras un dechado de virtudes. Eras, más bien, un ególatra y preferiste encerrarte entre las cuatro paredes de la biblioteca y olvidar tu presente. Después de diez años, es normal que ella haya rehecho su vida y piense en otro futuro. El tuyo lo malgastaste lastimosamente.

—Estoy de acuerdo contigo. Tu resumen de los hechos ha sido acertado, pero los hombres pecan siempre de orgullosos. Miserable de mí, creí que podía renacer la pasión, cuando, en realidad, estaba completamente extinguida.

—Ella te aprecia y sabe valorar tu persona. —Mario buscaba argumentos para que su padre no se hundiera todavía más–. Calibra tu forma de ser y admira esa sensibilidad que tienes y que nadie discute.

–Bonitas palabras y muy bien definidas. Gracias.

–Procuro aprender, Koldo. Vas forjando mi capacidad de expresión.

–¡Pero es que hubiese sido tan bonito!

–Sí, la verdad que sí. A mí me hubiera gustado. Los tres juntos... ¡Qué gozada!

–Perdona, Mario, aún no lo he asimilado.

–Me lo imagino. Yo quería decírtelo, y así había quedado con Soledad, pero a ella le gusta llevar la voz cantante. Ya la conoces.

–Yo lo preferí, ¿sabes? Hay momentos en que las palabras dulces se hacen pegajosas. De vez en cuando es deseable algún tiro directo, aunque haga sangrar.

–Bien, pues ya has tenido el tiro. ¿Y?

–Mal. ¡Date cuenta de lo que decía el poeta!:

> *Dices que nada se pierde*
> *y acaso dices verdad,*
> *pero todo lo perdemos*
> *y todo nos perderá.*

–¡Koldo, Koldo! –Mario hablaba con tono condescendiente, como se habla a un adolescente–. No cambiarás. Te volverás más persona, menos egoísta, pero en el fondo siempre existirá tu personalidad escondida.

–¿Y cuál es?

–Eres un sufridor y un valiente al mismo tiempo, aunque aparentes que todo te resbala.

–Me vas conociendo.

–Sí, y me preocupa porque eres capaz de cualquier cosa.

–Puedo dejar la fábrica e irme bien lejos.

–No lo harás si no hay un motivo, pero, si lo encontraras, lo enviarías todo a hacer puñetas.

–Bien. Muy bien. Éste es el punto. Falta encontrar el porqué.

–Te lo encontrarás de sopetón, sin pensarlo.

–Estoy preparado.

–Así me gusta. Ahora te voy a explicar mi amor con Ángela..

Koldo acercó su silla a la mesa y apartó las botellas de vino y agua, como si le impidieran escuchar las palabras de su hijo.

–Con detalles, por favor.

–Ella, como verás, es perfecta. Rubia, ojos verdes y mirada penetrante. Tiene un bonito cuerpo y es dulce como la miel.

–Buen comienzo, se me hace agua la boca.

–Te advierto que es a mí a quien se le tiene que caer la baba –dijo Mario, riendo.

–Continúa.

–Nos conocimos en la playa. Yo, cuando la vi, me dije: «Esta chica es escultural»; y ella se dijo: «Qué chico tan escuchimizado». O por lo menos es lo que me contó después.

–Mal comienzo.

–Sí, pero yo estaba leyendo *Seda*, cuyo autor es italiano. Y ella me dijo: «*Bene, e molto bello*». Se me cayó el libro de las manos y ella rió con ganas. Nos bañamos y se extrañó de que supiera hablar italiano. Ella habla el español perfectamente. Su abuela es de Salamanca, vivió en Cuba y le habla siempre en castellano. No paramos de hablar y comentar el libro.

–Por eso te ha gustado tanto. Ahora me lo explico.

–Me encantó, pero lo que más me gustó es que, gracias a ello, quedamos en vernos por la noche después de cenar, en la terraza de un hotel que da al mar. Y aquella noche fue extraordinaria. Ángela es una apasionada hablando de literatura y yo, gracias a ti, estoy haciendo mis pinitos. Ella quiere ser escritora y me dejó un cuento que encontré delicioso. Hablamos de ti. Yo le conté que eras un afamado lector y que te ponías en la piel de los personajes. Ángela decía que le pasaba lo mismo.

–Ya me la estás presentando. Ésta es la chica que me conviene y que tú insistes en que encuentre. Gracias, hijo, no esperaba tanto de tu parte.

Koldo se frotaba las manos y miraba a Mario arqueando repetidamente las cejas.

–Eres un malvado. ¿No ves que tiene veintiún años y que está enamorada de mí?

–Porque no me ha conocido.

–Eres un presuntuoso.

–No tengas miedo. No me gustan tan jóvenes.

–Le conté que nos encontrábamos cada jueves para comer y para explicarnos nuestras cosas, y lo encontró de película.

–No se rió.

–Todo lo contrario.

–Ángela me empieza a caer bien. Sigue.

–Nos besamos esa misma noche y nos sentimos en el cielo. Luego, acurrucados en la playa, al lado de una barca, le conté lo que me había ocurrido con Cristina y ella lloró. Me tragué sus lágrimas, que me supieron salobres; yo, pobre de mí, no lo sabía.

–¿Nunca habías probado tus lágrimas?

–No. Sólo he llorado contigo, de emoción, y jamás las probé. Después ocurrió lo que tenía que pasar y nos sentimos en la gloria.

–¡Qué rápido! En el mismo día. Eres un fuera serie.

–A ti y Soledad también os pasó lo mismo.

–Es verdad, no me acordaba.

–Estábamos tan bien juntos que nos pareció corto nuestro idilio. Por eso la acompañé a Roma.

–¿Y ahora qué?

–Tenemos que estudiar. Si acabo la carrera, ella vendrá aquí y la podrás conocer.

–¿Vuestra relación es seria?

–Sí, creo que sí, pero a ella le faltan dos años para acabar. Y después quiere viajar mucho. Lo hemos hablado y nunca nos casaríamos antes de cinco años.

–¿Habéis hablado de boda?

–Sí.

–Después de nuestra aciaga experiencia, ¿quieres casarte?

–Tengo derecho a tropezar en la misma piedra, ¿no?

–Es verdad, tienes derecho, pero podríais vivir juntos.

–Es menos romántico. De todas formas, aún hay tiempo.

–Por descontado.

–¿Qué te ha parecido?

–Te felicito. Enhorabuena, Mario.

–Gracias, Koldo, me ha hecho ilusión contártelo.

–Y a mí oírlo con esa pasión que te ha salido del corazón.

Se abrazaron y salieron del restaurante. A Koldo se le veía más animado. Su hijo había sido un buen remedio. Mario esperó a que su padre desapareciera por la esquina y suspiró. Luego se encaminó hacia la parada del autobús. Sabía que Soledad lo estaría esperando para averiguar cómo había transcurrido la entrevista. Mientras pagaba el billete se le ocurrió pensar en si eran tan complicadas las relaciones. Por lo visto sí.

La graduación

Koldo se sentía nervioso. Era la primera vez que se vería con su hijo fuera del restaurante. ¿Se rompería el encanto? Por lo menos en los cuentos así pasaba, y una vez roto el encanto, desaparecida la magia, ya nada era lo mismo. Mario le había llamado más de diez veces para asegurarse su presencia. No podía fallarle. Su madre no estaba y él tenía que ser un padrazo. ¿Quién lo hubiera dicho? Habían pasado ya varios meses desde aquel día en que Mario lo llamó por teléfono para verlo. Ahora, todo había cambiado. De mantenerse separados, y no saber nada el uno del otro, a lo que estaba sucediendo en esos momentos. Su asistencia era imprescindible. Mario era el acabose. ¡Cómo se rió Koldo cuando Mario le contó que él y tres de sus amigos habían ido a ver al director para convencerle de que el día de la graduación fuera un jueves! El director les miró fijamente y les preguntó el porqué de ese cambio. Mario se carcajeaba al explicarle a Koldo que ellos alegaron que lo bueno siempre ocurría en jueves, el día de Júpiter. «Bien. Yo nací un sábado y mi planeta favorito es Saturno, ¿tienen algún problema?», les había contestado el director. Así que no lograron convencerle. Mario estaba preocupado y Koldo lo tranquilizó: «No te preocupes, yo también nací el día de Saturno. Romperemos las normas, te graduarás y lo celebraremos juntos ese día. Gaizka y Txaro están avisados, al igual que la clientela que viene los jueves a vernos».

El sonido del teléfono perturbó sus pensamientos. Koldo cogió el auricular y tuvo que esforzarse para oír la casi inaudible voz de Soledad:

–Koldo, ¿me oyes?

–Apenas te oigo. ¡Habla más fuerte! –contestó Koldo, casi gritando.

–¡Es imposible, los leones se asustan de tanto que grito!

–¡Bien, dime!

–¿Vas a la graduación de Mario?

–¡Sí, claro!

–¡Gracias! ¡Yo he procurado ir, pero en este pueblo en la época de las lluvias te quedas encerrado! ¡Los caminos están impracticables! ¡Te estoy llamando desde el teléfono de la policía local, pero no creas que funciona muy bien!

–¡Ya me doy cuenta! ¿Qué dices de los caminos?

Koldo escuchaba de forma intermitente a Soledad y tenía que deducir de los silencios e interferencias buena parte de lo que su ex mujer decía.

–¡Que están llenos de barro y es imposible andar cien metros! –Soledad estaba a punto de desgañitarse.

–Vale, lo he comprendido. ¡Así se lo diré a Mario!

–¡He querido salir con un helicóptero, pero no pueden volar con las tormentas!

–No te preocupes. ¡Lo entenderá!

–¡Dale muchos besos y dile que estoy muy orgullosa!

–¡Bien! ¡Entendido! ¿Cómo estás?

–¿Has recibido mis cartas?

–¡No, aún no!

–¡El correo va fatal! ¡Hace dos meses que te escribí! ¡Ya me dirás qué es lo que piensas! ¡Aquí apenas pasan cosas, la vida es monótona y no ocurre nada de especial! ¡Cogí unas fiebres, pero él me las ha curado...!

–¡Oye! ¡Me oyes! ¡Soledad! ¡No te oigo! ¿Me oyes a mí? Nada, se ha cortado.

Koldo colgó y estuvo esperando durante un buen rato a que llamara otra vez; después, se puso su mejor traje, escogió una corbata a juego y se perfumó. Mientras se abrochaba los zapatos miró la hora y se dio cuenta de que era tardísimo. Salió a toda velocidad. ¡Dios! Llegaría tarde y la armaría.

Fue de los primeros en llegar y se sintió incómodo. Preguntó en conserjería dónde era la graduación y le enviaron a la sala de actos, una especie de teatro enorme en el que la gente se arremolinaba en torno de las mesas del *catering*. Vio a su hijo y supuso que estaba hablando con varios de sus amigos. No conocía a nadie, pero cuando Mario lo vio, fue corriendo hacia donde se encontraba.

–Gracias por venir, Koldo. Estoy muy nervioso.

–Me lo figuro, a mí me pasó lo mismo.

–Menos mal, me sentía tonto.

–Estás guapo, con ojeras, pero es normal.

–Llevo varios días durmiendo fatal.

–Ya.

–¿No se te hace extraño que nos veamos fuera del Ernani?

–Mucho, me siento raro, como si fuera uno de los animales del zoológico.

–Exageras.

–Sí, un poco.

–¿Te reirás?

–¿Por qué?

–Cuando tiremos los birretes al aire. Es una costumbre americana que es bonita, pero que no es nuestra.

–No puedo criticarlo, trabajo con ellos y sé que estamos todos americanizados. Las películas, las series de la televisión e incluso los telediarios nos llevan a su mundo.

—Es verdad. ¿Estás tranquilo?

—Lo estoy. Vete con tus amigos. Yo me perderé por ahí para ver si encuentro una mamá atractiva, separada de su marido y que quiera compañía. En días tan señalados es más fácil que anhelen la protección masculina. Si uno va solo, se encuentra desangelado. Por cierto, ha llamado Soledad y me ha dicho que le ha sido imposible venir a causa de la época de lluvias.

—Lo sé, me llamó hace dos días. Supongo que te ha telefoneado para asegurarse de que venías a mi graduación. ¿Ves aquella chica que viene hacia aquí y que lleva un traje blanco? —Mario señaló hacia una puerta lateral. Entraba una chica rubia que andaba con seguridad, como si estuviera acostumbrada a pasear su belleza sin ruborizarse por las miradas o los comentarios de la gente. Era muy alta, más alta que la mayoría de los chicos con los que se cruzaba. Algunos la miraban sin disimular.

—Sí, es un bombón. —Koldo tenía los ojos abiertos como platos—. Es la chica ideal para perder la cabeza.

—Pues es Ángela. ¿Qué te parece? —preguntó Mario, orgulloso.

—Fantástica. Te la voy a robar. Será la escritora más guapa que habré conocido.

—Tú mismo se lo puedes decir; se pondrá contenta.

Ángela se abrazó a Mario y le besó en las mejillas. Él le dio un beso en los morros, bajo la sonrisa y aprobación de su padre. Luego ella se dirigió a Koldo y le dijo:

—Usted debe de ser el gran Koldo. ¿Me equivoco?

—Soy Koldo, pero sobra lo de «gran».

Ángela hablaba con un ligero acento italiano. Apenas se le notaba y contribuía a darle un toque de distinción y encanto que multiplicaba su atractivo.

—Según su hijo, usted es el más grande.

—Tutéame, por favor, así me sentiré joven y podré atreverme a quitarle a Mario su esplendorosa novia.

–Peligroso. Mario, tendré que ir con cuidado con tu padre, es un adulador y conquistador al mismo tiempo.

–No es peligroso, porque si se atreviera a hacerlo, lo asesinaría con mis propias manos –comentó Mario, riendo.

–Ya está –dijo Koldo–. Ya tenemos el problema: surge la mujer y empiezan las desavenencias. Por cierto, me lo dijo Mario, pero no pensaba que hablaras tan bien el español.

–Llevo varios años viniendo a veranear aquí; mi abuela es española. Pero no puedo evitar el acento extranjero. Aún lo tengo muy marcado.

–Ese acento es sexy. ¡Bravo! Sangre española en las venas. ¿Has venido sola? –dijo Koldo.

–Sí.

–¿Quieres hacer compañía a un solitario?

–Con mucho gusto.

–¿No tenías cosas que hacer, Mario?

–Sí, os dejo solos.

–Uno a cero, Mario.

Mario le dio un beso y se marchó con sus amigos. Ángela se cogió del brazo de Koldo y estuvieron andando en medio de aquella multitud de padres. De vez en cuando se paraban en alguna mesa para coger una copa de vino o algún canapé.

–Mario te tiene admiración –dijo Ángela–. Habla maravillas de su padre.

–Es un buen chico y yo, tonto de mí, le tenía olvidado. He perdido muchos años y ahora, aunque un poco tarde, trato de recuperarlo.

–Lo has conseguido.

Ángela conocía al dedillo los encuentros que habían tenido Mario y Koldo.

–Creo que sí. Es hermoso lo que hemos forjado entre ambos. Se lo tengo que agradecer.

—El tiempo no es importante. A veces, en un sólo día, puede ocurrir la cosa más maravillosa.

—Tienes razón. —Koldo miró a Ángela sorprendido de que una chica tan joven pudiera formular una frase tan bonita y llena de verdad—. Eso es la vida. Vives, pululas y nada nuevo. Y cuando piensas que todo se ha acabado, que la monotonía te envuelve, surge algo que hace cambiar por completo tu visión pesimista. Es justo lo que me ha ocurrido con Mario.

—Sabes emplear bien las palabras y no me extraña que te llame profesor.

—Soy un lector que me compenetro y disfruto leyendo.

—Yo también disfruto. Con Mario da gusto hablar. Sabe mucho.

—Se fija. Lee atentamente, intentando aprender, como yo. Y es listo. Os auguro un amor perpetuo.

—Gracias, eres una buena persona.

Koldo vio que la gente había empezado a sentarse. Un grupo de profesores había subido al entarimado y uno de ellos estaba haciendo pruebas de megafonía.

—Trato de serlo. Es fácil cuando te rodeas de gente que estimas, con las que el respeto es la primera norma. Y ahora vamos allá, se está preparando el cotarro.

La ceremonia fue emocionante y todos se sintieron bien; de vez en cuando, Mario buscaba con la mirada la aprobación de Koldo y le enviaba un guiño. Éste le saludaba con la mano. A su lado, Ángela lo miraba de reojo y le enviaba besos a Mario. Cuando citaron el apellido Iturriaga y Mario fue a recoger el diploma, a Koldo se le escaparon algunas lágrimas y Ángela, atenta, le pasó un pañuelo.

—Un Iturriaga no llora —le dijo Ángela, sonriendo.

—Todo lo contrario, los Iturriaga no paran de llorar, somos muy blandos, prestos a que los sentimientos afloren —dijo Koldo, mientras se frotaba los ojos con el pañuelo.

196

Tiraron los birretes al aire y se escucharon las risas perti-
nentes. Efectivamente, pensó Koldo, el mundo estaba ame-
ricanizado, no se podía hacer nada. Se acordó de Aitor e
Iziar; hubieran estado contentos de ver a su nieto en aquellas circunstancias. Los graduados recogieron los birretes y
empezaron a buscar a sus padres para besarse y felicitarse.
Koldo vio a Mario, que hacía esfuerzos titánicos para abrirse paso; cuando lo logró, sopló y los abrazó.

–Te felicito, muchacho, lo has conseguido.

–Y con una buena nota.

–Bueno, vamos a celebrarlo. El Ernani debe de bullir de
gente hambrienta y Txaro habrá preparado una buena comilona.

–Claro, padre. Vamos allá. No te preocupes, Ángela, la
comida es muy rara, pero muy gustosa. Eso sí, olvida los
fetuchini y los panzeroti: los dueños son vascos.

–Me gusta la comida española, aunque desconozco la
vasca.

–Pues será una buena experiencia. Por cierto, Koldo, ¿qué
tal lo llevas?

–¿El qué?

–El peregrinaje. Hoy hemos salido del lugar de costumbre y es sábado.

–Mario, es malo clamar a las desgracias; no hay necesidad de llamarlas, vienen por sí solas.

–Koldo tiene miedo de que se esfume el buen rollo que se
ha creado en torno nuestro y, como es muy supersticioso, le
da pavor encontrarnos en otro sitio y en otro día que no sea
jueves –dijo Mario, dirigiéndose a Ángela–. Hoy se ha roto
el hábito y el maleficio nos acecha.

–Ángela, no le hagas caso. Mario es muy exagerado y no
ha comprendido mi visión de la jugada. El Ernani es un
lugar encantador e íntimo, que se ha prestado para que
nuestros encuentros se hayan desarrollado en un ambiente

propicio para conocernos de verdad, para explicar nuestras vidas y aventurarnos en la búsqueda de un futuro más halagador.

–Estoy de acuerdo con Koldo –afirmó Ángela–. La literatura es eso. Si no hay atmósfera, ni clima, ni descripción de los personajes, no se puede aguantar una escena.

–Mario, aquí va un proverbio de nuestro querido Machado para ahondar en el tema:

Canto y cuento es la poesía.
Se canta una viva historia,
contando su melodía.

–¡Bravo, Koldo! –exclamó Ángela, alborozada.

–Os habéis confabulado –se quejó Mario–. Estoy perdido. Dos contra uno. De todas formas, Koldo tiene miedo de que se rompa el hechizo. Aún cree en los cuentos.

–Confieso que es cierto –aseveró Koldo, mirando alternativamente a Mario y Ángela..

–Los cuentos son parte de la vida, Mario; no lo olvides –profetizó Ángela.

Llegaron al restaurante, cogidos los tres, con Koldo en medio y riendo sin parar. Koldo fue el primero en pasar y se detuvo en el umbral para observar cómo había cambiado el escenario habitual del Ernani: habían dispuesto un bufé y la gente les estaba esperando de pie y con las copas en la mano. Cuando les vieron entrar entonaron varios hurras.

–Perdona, Koldo, que hayamos preparado un bufé –Gaizka y Txaro se les acercaron porque se habían quedado tan sorprendidos que no acertaban a dar un paso–, pero Txaro se ha negado a estar en la cocina; quería estar al lado de Mario y agasajarlo.

–Está perfecto y todo tiene muy buena pinta –dijo Koldo, abrazando primero a Txaro y luego a Gaizka.

–Has visto, han venido Gustavo y Henriette. –Txaro señaló hacia la parte opuesta del restaurante. Gustavo y Henriette les saludaron levantando sus copas y sonriendo–. Querían conocer a tu hijo.

–Fantástico. Tengo una sorpresa para ellos.

–¿Y qué es? –preguntó Txaro.

–Si te lo digo, no habrá sorpresa.

–Muy gracioso.

–¿Has visto a la novia de mi hijo?

Koldo se apartó para que Ángela quedara en un primer plano.

–Sí, es fetén –comentó Gaizka.

–Será escritora. Está estudiando para ello –dijo Koldo–. Al final, tendremos una literata en la familia. Aunque creo que se le adelantará Mario.

–Es posible –replicó Mario.

–¿Mario? –preguntó Gaizka.

–Sí –contestó Koldo, acariciando la cabeza de su hijo, y añadió–: Ven, Mario, quiero presentarte a Gustavo y Henriette.

–¿Quiénes son? –inquirió Mario, mientras caminaba junto a su padre. Dejaron a Ángela en compañía de Gaizka y Txaro.

–Son aquellos vejetes encantadores. Quieren conocerte y asistirás a un estreno mundial. No me mires así, ya verás.

–Henriette, Gustavo, aquí os presento a mi hijo, Mario; es mi futuro.

–Encantado, me gustaría saber quiénes son, pero no lo sé –apuntó Mario.

–Lo sabrás, no te preocupes –dijo Koldo.

–Tu padre está loco por ti –dijo Henriette, sonriente.

–Y el hijo también; ¿no te das cuenta de cómo lo mira, Henriette, mi amor? –apuntó Gustavo.

—Henriette, Gustavo, os he traído un regalo —dijo Koldo—. Espero que os guste.

—Nos tienes en vilo. ¿Qué hemos hecho para merecer un regalo?

A Henriette, de la emoción, le temblaban todas las arrugas de la cara.

—Por ser encantadores y por amaros con esa pasión desbordante, aquí tenéis un cuento que he escrito para vosotros. Es vuestra vida. Lo que me contasteis aquel día me llegó al alma. Es el primer cuento que escribo. —Koldo les entregó un librito, ante la cara sorprendida de ambos.

A Henriette se le cayeron unas lágrimas y Gustavo abrazó a Koldo.

—Nos hace mucha ilusión. De verdad —dijo Gustavo.

—A ti, Mario, te he hecho una copia para que veas que el amor es capaz de todo. Me he adelantado, hijo. Te he hecho caso y lo he escrito.

—Te felicito, Koldo —dijo Mario, que miraba orgulloso a su padre—. Debe de ser una historia preciosa si te has atrevido a escribirla.

—Lo es. Me gustaría que la leas junto con Ángela, al mismo tiempo, y que luego tratéis de emularlos.

—Lo haré. Gracias, padre.

—Me siento orgulloso de ti, Mario.

Mario se abrazó a su padre. Gustavo ciñó de la cintura a Henriette. Gaizka y Txaro, que los miraban desde la otra punta del restaurante, también se abrazaron.. Y por contagio todos se abrazaban y se besaban. Al final, Koldo alzó la copa y propuso un brindis:

—Brindemos para que Mario sea feliz. Hoy es un día especial para él, un día en el que se le abre un futuro prometedor, y lo sé porque soy su padre. Aquí, en este local, hemos pasado momentos maravillosos. Cada jueves nos hemos encontrado y hemos abierto nuestros corazones; los que estáis presentes habéis sido testigos de ello. Los actores hemos sido todos, y los abrazos, los lloros, las risas, los aplausos y la buena comida han ayudado a crear una excelente atmósfera. Me siento orgulloso de ello. Para mí es un día importante, le doy la alternativa a Mario y tengo la confianza de que sabrá obrar bien, de que será una buena persona, y le deseo una vida llena de felicidad. Alcemos las copas y que Dios sea testigo de este acto y nos acompañe en lo que nos resta de vida.

Todos aplaudieron a rabiar y corearon el nombre de Koldo. Mario lo miró extasiado, pero, al mismo tiempo, extrañado. ¿Por qué le daba la alternativa, cuando aún tenía que aprender tanto de él? Parecía una despedida, un adiós. Ahuyentó aquellos pensamientos que lo entristecían. Pensó que era la forma de hablar que utilizaba siempre Koldo, tan próximo al melodrama. Hoy era un día que no olvidaría nunca. La gente sonreía, comía, bebía; y él, Mario Iturriaga, se sentía en el cielo.

Detrás de Machado

Koldo regresó a casa muy satisfecho de la fiesta que Gaizka y Txaro le habían organizado a su hijo. Había visto que Mario estaba preocupado por él, atento a sus reacciones y pendiente de lo que hacía y decía. Eso le había gustado. Pero cuando le dijo que se ausentaría un par de meses para irse con Ángela a Roma a descansar de los exámenes agotadores, sintió una tristeza enorme. Lo sabía, se había roto el encanto, pero la vida era así. Su hijo tenía que volar lo más alto que pudiese y él tenía que estar vigilando que todo fuera bien, pero nada más. No podía forzar las situaciones y tenía que despabilarse con su vida monótona que, por otro lado, él mismo había escogido. Soledad había huido a África para no depender de él y rehacer su existencia. Le parecía lógico; y si estaba enamorada, mucho más. Se sentó en su sillón y cogió al azar un libro de los que no había leído y que guardaba en un mueble aparte. En eso era muy puntilloso y ordenado, por algo era virgo. Sonó el timbre de la puerta y, por un momento, pensó que quizá Txema venía a decirle que todo había sido un sueño, que no se había acostado con su madre y que había venido a Madrid por asuntos de la alcaldía y que Aitor y Patxi le echaban de menos y querían que fuese a pescar con ellos en el *Machado*. ¡Qué bonito sería tener una goma de borrar y suprimir las cosas tristes que habían pasado, para que en su lugar sólo quedaran recuerdos bonitos, para que todo apareciera maravilloso, como antes de que se torcieran las cosas, para que los recuerdos bonitos aparecieran como si fueran los brotes nuevos de las plantas! Se encaminó hacia la puerta con parsimonia y se encontró con la portera, que se disponía a llamar al timbre y que le traía varias cartas y un paquete.

–Buenas tardes, señor Koldo, aquí le traigo el correo; se lo he subido para felicitarle de paso por la graduación de su hijo. Ya le he visto esta mañana, pero no le he dicho nada porque ha salido corriendo. Iba muy elegante. ¿Qué tal ha ido?

–Muy bien, gracias. Estoy muy contento. Él es un buen chico y espero que todo le vaya bien.

–Seguro que sí. A ver si un día lo conozco, usted lo tiene muy escondido.

–Hoy nos han hecho fotos y cuando me las den ya se las enseñaré.

–Muy amable. ¿Quiere que venga mi hija a hacerle compañía?

–Julita ya hace bastante. Hoy prefiero estar solo.

–Bien, como quiera.

–Adiós, Flora.

–Adiós, señor Koldo, no dude en pedirme algo si le hace falta.

–Lo haré.

Le gustaba hablar con Flora. Muchas veces ella había sido su único bálsamo para su soledad, pero no tenía ganas de alargar la conversación, porque estaba deseoso de ver el correo. Cerró la puerta y volvió a sentarse en su querido sillón. Bien, allí estaban las cartas de Soledad. Habían llegado las dos juntas a pesar de que las había escrito con un mes de diferencia. Su letra cuidadosa siempre le había gustado. No se perdía ninguna palabra. Le agradaba leer sus cartas. Además ponía detrás de la hoja un rayado para no torcer las líneas. Eso le pirraba.

Querido Koldo:

Me será difícil amoldarme a este país, pero tengo la sana intención de lograrlo. En efecto, el calor es asfixiante, y me hace pensar en los mediodías del mes de agosto en Madrid, pero con el hándicap de que aquí hay más humedad. La gente es maravillosa y no me da miedo como en las ciudades cuando te los encuentras en el metro o en un parking. Al principio, cuando tuvimos que vivir en una de las alas del hospital, fue horrible; por la noche oía los lamentos de los enfermos y no podía dormir, pero ahora es diferente. Han acabado nuestra casa y es hermosa, rodeada de porches por las cuatro caras y con unas vistas magníficas; por un lado, se ven los árboles altos, tan altos que te duele el cuello cuando lo alargas para ver sus copas, y por el otro lado, ves el manso del río Ituri, de aguas cristalinas y lleno de peces que saltan. No me canso de mirarlo. Las puestas de sol, rojas, que quedan reflejadas en mi imaginación, me dejan con la boca abierta. A ti te gustaría estar estirado en las hamacas, leyendo, y levantar de vez en cuando la vista para contemplar esta maravilla.

Los pigmeos, al contrario de lo que pensaba, son muy agradables y ríen siempre; es verdad que les gusta hacer su vida y viven en la selva, pero cuando se acercan para curiosear son como niños.

Los mosquitos son terribles y al lado del río, más; por lo tanto, me unto de repelente y por las noches duermo con dos mosquiteras: una no era suficiente. Hay muchos animales, pero han colocado unas empalizadas para evitar que entren y Moboto inspecciona cada noche la casa para averiguar si alguna serpiente se ha infiltrado. Él y su mujer, Kima, son lo mejor que he encontrado en Zaire. No me dejan ni un solo momento y me miman en demasía. No tenemos electricidad en todo el día; por la noche, gracias a

204

un grupo electrógeno, podemos disponer de tres horas de luz, nada más; luego funcionamos con los quinqués de petróleo. Ríete de las películas que hemos visto juntos; por ejemplo, Mogambo o Las minas del rey Salomón. Esto es peor. Pero cuando Richard vuelve del hospital, cenamos y charlamos de lo que ha ocurrido durante el día. Es fantástico; te olvidas del calor, de los mosquitos y suspiras por tener esta paz, aunque sea siempre la misma. ¿Habré cambiado? Te juro que no añoro el tapeo y las copichuelas. Puede que te entienda ahora, cuando tú, años atrás, me decías que las salidas que hacía eran banalidades. Aquí estimo cualquier cosa nueva, por nimia que sea. Disfruto con los niños que me vienen a ver, me señalan con el dedo y se ríen de mí, de mis vestidos, de lo que digo, o cuando corro para cogerlos y ellos fingen que se asustan.

Fuimos de excursión al lago Albert y me sentí en el cielo. Era algo indescriptible, una belleza sin igual. Pescamos cantidad de peces y vi muchos cocodrilos en las orillas.

Richard es un amor y me cuida como si fuera la única flor que existe. Somos felices y me olvido de lo malo para dedicarme en cuerpo y alma a él. Siento decírtelo, porque sé que te puedo hacer daño. La última vez que nos vimos me causaste una impresión que no recordaba desde que nos conocimos, el día de la botadura del Machado, cuando nos juramos amor eterno. Estabas igual, como antes, y tuve muchas dudas, créeme. Si no fuera por Richard y por estos años pasados, en los que cada cual ha querido tener la razón, hubiera sucumbido a tu proposición; al menos lo hubiéramos probado. Creo que Mario ha influido positivamente en tu cambio de actitud y me alegro muchísimo. Espero que encuentres la felicidad; como yo, que la estoy disfrutando. Tú has leído mucho sobre África, pero no te imaginas cómo te engancha. Los olores se impregnan en ti y deseas no perderlos jamás y la gente te enamora porque son *de verdad, sin resentimientos ni odios; no tienen nada y son felices.*

Te envío muchos besos.

Soledad

Koldo terminó de leer la carta y se sintió bien. No le supo mal saber que ella fuera feliz, todo lo contrario. Cerró los ojos para imaginarse cómo sería aquello y suspiró. Abrió la segunda carta y vio que, dentro de un sobre, se encontraban varias fotos. Las miró con detenimiento y se dio cuenta de que su imaginación no había errado demasiado. La casa era preciosa y el lugar, magnífico; Soledad y el tal Richard estaban cogidos de la cintura y reían a la cámara. Él era alto, rubio, ojos azules, espigado y de sonrisa abierta. Parecía una buena persona; de lo cual se alegraba. Ella estaba radiante y se la veía dichosa. En la otra fotografía, a su lado, se encontraban quienes debían de ser Moboto y Kima, más negros que el betún y enseñando unos dientes blanquísimos. Miraban a Soledad como si fuera la Virgen de Fátima. ¡Qué curioso! ¡Cómo puede cambiar la vida! ¡Y él que no supo convivir con Soledad! La convivencia era harto difícil. ¿Quién podía pensar que ella, tan mundana, una chica de capital, llegaría a cuajar en un sitio como ése, en plena selva? Impensable, de verdad. Se arremolinó en el sillón y se prestó a leer la segunda carta:

Querido Koldo:

Me gusta esta vida y me siento útil. Por la mañana, voy a la escuela y doy clases de gramática francesa. Ya ves, me han servido los años en que estudié francés y tú me decías que tenía que aprender inglés; según dicen, lo explico bien y los niños aprenden. Por la tarde pinto cuadros con las diferentes semillas que me encuentran los chavales y los pig-

meos que buscan hierbas medicinales en el bosque. Mezclo los colores y hago dibujos. Cuando acompañé a Richard a la ciudad, Kisangani, nos paramos en una tienda de souvenirs para turistas y a los dueños de la tienda les gustaron los cuadros. Les dejé unos cuantos y el otro día me hicieron un pedido de cincuenta; por lo visto se venden bien. El dinero que se consiga servirá para comprar libros y libretas para la escuela.

Los días pasan deprisa y los mosquitos cada vez me molestan menos. Moboto me hace beber una infusión de hierbas y eso los ahuyenta. Estaba cansada de oler a repelente, por lo que considero que es un milagro. Richard y yo nos hemos quedado con una niña de dos años y pensamos hacer los papeles para adoptarla. Unos desconocidos asesinaron a sus padres a navajazos en Kisangani. La niña fue herida y Richard la cogió y la llevó al hospital del poblado. Se recupera bien. Hay un gran vandalismo en la ciudad, por eso vamos cuando no hay más remedio ya que hay que ir a buscar las medicinas que faltan y las vacunas que le envían de Suiza.

La investigación de Richard va lenta y le faltan recursos. Tardará años en averiguar si la vacuna es efectiva. Ha vacunado a cientos de pigmeos, pero tiene una gran dificultad porque le tienen pavor a las inyecciones. No quieren saber nada de jeringuillas porque piensan que son cosa de brujería. Yo le ayudo siempre que puedo, porque, según Richard, tranquilizo a la gente y doy confianza.

Cuando fuimos a Kisangani, aprovechamos la estancia para acercarnos a las cataratas Stanley y me sobrecogió comprobar el caudal que tiene el río Zaire. No son tan grandes como las cataratas del lago Victoria, pero son magníficas. Todo es grande y uno se siente muy pequeño.

Creo que tendré dificultades para ir a la graduación de Mario, coincidirá con la época de lluvias y los caminos, según me han dicho, se vuelven intransitables. Espero que tú cumplas con el papel de padre y vayas al acto: a él le gustará mucho. Mario me ha contado de tus supersticiones y reticencias a que os veáis en otro lugar y otro día que no sea jueves. Déjate de pamplinas y olvídate de si dará mala suerte o no. Pareces el brujo del poblado.

Muchos besos y abrazos de Soledad.

P.D. Envíame libros, los que tengas repetidos. Sé que tienes muchos por el rollo de las primeras ediciones. Y no gruñas, que te vuelves viejo.

Koldo sonrió y la leyó por segunda vez. ¿Cómo era posible que diera clases, realizara cuadros con semillas, ayudara a la vacunación y adoptara a una niña de dos años? Se hacía cruces. No era la Soledad que conocía. Le escribiría una carta y se lo diría: «Me has engañado. Eres un fraude, un bonito fraude». Se levantó y empezó a andar por la habitación como un león enjaulado. Pasados unos minutos, se fue a la cocina, se preparó un café bien cargado y volvió a su querido sillón. De repente tuvo conciencia de su inutilidad. Estaba sentado, sin hacer nada. Se sintió inútil, totalmente inútil. Llamaría a Mario y se lo contaría. Tenía que saberlo. Su madre se había transformado; era otra. Debían de ser las descargas eléctricas del tal Richard; los médicos son listos, muy listos. Tienen trucos. Él no sabía nada de electricidad. Cuando se fundía una bombilla, Julita tenía que cambiarla.

Llamó a Mario y no encontró a nadie. Le dejó un recado en el contestador y se prestó a abrir el paquete que le había dado Flora. Vio el remite y se percató de que se lo enviaba Félix, el librero. Él siempre le mandaba los libros que podían interesarle. Uno de ellos le causó un gran impacto. Era un libro dedicado a la obra de Machado: *La tumba de Machado en Colliure*, se titulaba. ¡Qué bien! La autora se llamaba Elisa Ponce. Buscó en su memoria y concluyó que no había leído nada de ella. Le gustó la portada. No se veía la tumba, sino el buzón que está al lado. Mucha gente aún le escribe y deposita las cartas en ese buzón. Él no había estado en ese pueblecito del sur de Francia, que acogía eternamente al poeta. Había pensado muchas veces en visitarlo. Sabía que estaba cerca de la frontera, al lado de Port Vendres. Había oído hablar mucho de él y le habían dicho que era un pueblo encantador. Allí fue donde Machado decidió huir a causa de la guerra española, junto a su madre, y donde los encontró la muerte. Leería el libro con mucha atención. Era justamente lo que prefería leer en aquellos momentos. Fue a la cocina y cogió la cafetera. La necesitaría porque pensaba dedicarle toda la noche. El día siguiente era domingo y podría descansar. Sonó el teléfono y se prestó a contestar. ¿Sería Mario? Sonrió al reconocer su voz. Por el tono, supuso que Ángela estaba a su lado y que se sentían bien.

–Koldo, ¿cómo estás?

–Bien, Mario.

–¿Te ocurre algo?

–Te he llamado porque al llegar a casa me he encontrado con la grata sorpresa de que, en el correo, se hallaban dos cartas de tu madre, que destacaban del resto. Me han hecho mucha ilusión y te las he mandado por fax. ¿Las has leído?

–No, acabo de llegar.

–Pues hazlo y me vuelves a telefonear. Me gustaría hablar sobre ello y saber qué piensas. Te adelanto lo que he pensado yo: me he quedado patidifuso y con cara de bobo.

–Después de lo que me dices, las voy a leer ahora mismo. Te llamo en un periquete.

–De acuerdo –dijo Koldo, y colgó el auricular.

Koldo no podía imaginarse a Soledad en esas situaciones. ¡Es imposible! Cogió el libro de Machado y vio en la solapa la fotografía de la escritora: era joven, rondaría los treinta, morena y muy guapa. Se fijó en sus ojos y le sorprendió la inquisitiva mirada; debía de ser dulce, pero fuerte al mismo tiempo, muy segura de sí misma. La reseña que se hacía de la autora decía que había nacido en Valladolid y que residía actualmente en Francia. Había cursado la carrera de Filosofía y Letras y la de Filología Francesa. *La tumba de Machado en Colliure* era su tercer libro y había recibido varios premios literarios, tanto en España como en Francia. Volvió a mirar la foto y confirmó que le gustaba. Estaba hojeando el libro cuando volvió a sonar el teléfono.

–Koldo.

–Dime, Mario, ¿qué opinas?

–Increíble. Ver para creer.

–O leer para creer. Bueno, bromas aparte. Te lo dije. Tu madre es otra. África la ha transformado.

–Es cierto. Me gustará ver las fotos originales. Las copias que me has mandado por fax dejan mucho que desear, pero se la ve feliz.

–Tengo que admitir que el tal Richard la sabe llevar bien.

–No tengas celos.

–No los tengo. Reconozco su valía y punto. Ha transformado a una mujer de capital, llena de prejuicios, y tiquismiquis, en un ejemplo de abnegación. ¡Bravo! Y encima se quieren. ¡La hostia! Perdón por el exabrupto, pero no encuentro una expresión que encaje mejor que ésta.

–Me gusta que sepas reconocerlo. Te honra.

–Mañana pienso escribirle una carta de admiración profunda.

–Yo también lo haré.

–Envíale las fotografías de la graduación. Estará contenta.

–Tranquilo, que ya lo había pensado.

–¿Cuándo os vais?

—Pasado mañana.

—Bien. Llámame, por favor.

—Lo haré, te lo prometo.

—Dale muchos besos a Ángela.

—Ella te corresponde. Por cierto, leímos el cuento de Gustavo y Henriette y nos encantó. La historia es conmovedora y tú la has escrito con una sensibilidad extrema. Ojalá Ángela y yo pudiéramos contar algo parecido. Puedes escribir. Supongo que te has dado cuenta.

—Sí, porque no me atañe.

—Yo creo que te haría bien que escribieras la historia de los Iturriaga. Alejarías muchos fantasmas que revolotean a tu alrededor y te sentirías libre. Créeme, hazlo y te encontrarás a ti mismo.

—No sé. Ya te dije un día que tú eres el más indicado para contarla. Ángela te podría ayudar; sería fácil con el guión cronológico que te di. A mí se me abren las carnes sólo de pensarlo.

—Si tú no te atreves, lo haré yo. Bien o mal, pero estará escrita.

—No lo dudo. Tengo una gran confianza en ti.

—Gracias, Koldo.

—Adiós, Mario.

—Adiós, Koldo.

Cuando hubo colgado el teléfono, tuvo la impresión de que se despedía de verdad. ¿Por qué? Desdeñó tales pensamientos negando con la cabeza y se enfrascó en el libro. Mañana contestaría a Soledad.

A medida que pasaba las páginas, más le gustaba el libro. Era toda una sorpresa. Estaba totalmente de acuerdo con la autora. Si él supiera escribir, hubiera coincidido con sus puntos de vista. Ella había encontrado las palabras para describir lo que él sentía, lo que pensaba de Machado, lo que le movían sus poesías. Por primera vez, encontraba a alguien como él. Además, cuando leyó el pasaje en el que la autora hablaba de cuál era su poema favorito, casi le da un vuelco el corazón. Tuvo que leerlo varias veces para cerciorarse de que su vista no le engañaba:

> *Dios a tu copla y a tu barco guarde*
> *seguro el ritmo, firmes las cuadernas*
> *y que del mar y del olvido triunfen,*
> *poeta y capitán, nave y poema.*

Sí, era el mismo poema que había marcado su vida. El poema que tanto le gustaba recitar a su madre, el poema que hablaba del mar, del navegar. ¿Cómo podía ser? Tenía que ser algo más que una casualidad. Tenía en sus manos el libro de una escritora que parecía una mujer con una sensibilidad muy acusada. Se pasó toda la noche leyendo y, al amanecer, dejó el libro sobre el escritorio y se fue a dormir. Le encantaría tener una conversación con ella; de todas, todas. Le había causado una gran impresión. Con estos pensamientos se quedó dormido y soñó que él, Koldo Iturriaga, depositaba todos los jueves una carta en el buzón de la tumba de Machado, en el cementerio de aquel pueblo pesquero de la Côte Vermeille.

Cuando se levantó fue a mirarse al espejo del cuarto de baño. ¿Qué quería comprobar?, ¿su edad? ¿Por qué se le había metido en la cabeza esa idea absurda? ¿Quería averiguar si aún era interesante, como le decía su secretaria? Muchas veces, había comprobado que lo miraba extasiada. Se afeitó, se duchó, se puso una camisa blanca, una corbata negra con topos blancos, una americana y volvió junto a sus libros. ¿Por qué se había acicalado y vestido tan peripuesto? No tenía que salir y tampoco tenía compromiso alguno. Era una tarde de domingo cualquiera y, a menos que tuviera un buen libro, sería un día aburrido y monótono. Pero tenía el libro de Machado. Volvió a mirar la solapa. Allí estaba ella, con aquella mirada tan especial. Era muy guapa, demasiado. No se fijaría en él, un hombre de cincuenta y cinco años casi en el ocaso. ¿Qué edad tendría? Veinticinco, veintiocho; no más. Era casi pederastia. Treinta años de diferencia. No le haría caso. Lo abrió y empezó a leerlo. ¿Por qué volvía a leerlo, si se acordaba de todo? Extrañamente, sentía ahora más emoción que la primera vez. ¿Quería cerciorarse de que no se había olvidado de nada, de que no se le había pasado por alto ningún detalle? Pensaba igual que ella: los mismos puntos de vista, los mismos gustos. Era fantástico. Tenía la impresión de que la autora le hablaba sólo a él, de que había escrito el libro para él.

Dos horas después se dio cuenta de que había tomado demasiado café y tenía la boca reseca. Se fue a la nevera y abrió una botella de txacolí, del mejor. ¿Qué hacía allí leyendo otra vez el libro, aseado, elegantemente vestido y tomando un buen vino? ¿Qué celebraba?

Cuando acabó de leer el libro lo cerró de golpe. Una idea le había rondado en su cabeza durante las últimas páginas y ahora centraba toda su atención. Tenía que ir a Colliure. Tenía que conocerla, felicitarle por el libro, hablar con ella, charlar... ¿Se estaba enamorando de ella? Qué tontería. Si no la conocía. Pero había algo que lo atraía fuertemente. Tenía la impresión de que ése era el primer libro que había leído en toda su vida. Él, que tantos libros había devorado. Pero éste había sido otra cosa. Era su libro. Era el libro que él hubiera escrito. No era un libro más.

«Tengo muchos pájaros en la cabeza», pensó. Todas estas paparruchas eran producto de las influencias de Mario, que llevaba más de un año machacándole para que se liara con una escritora. Además, seguro que también le influían la felicidad de Soledad, y el cambio que se había producido en ella, y el noviazgo de Mario con Ángela y su afición por la literatura.

Pero no. Sabía que había algo más. No era un capricho de letraherido que se cuelga de una escritora. Era algo sincero, profundo, nuevo. ¡Dios, qué lío! Estaba inmerso en un mundo que ya no era el suyo, que se le escapaba. Tenía que hacer algo para huir de aquella soledad. Leer ese libro le había hecho darse cuenta de que había en el mundo, al contrario de lo que pensaba, una persona como él. Y, de golpe, la conciencia de que esa persona existía hacía mucho más lacerante su soledad e intensificaba el tormento de su vida de clausura. A su alrededor todos estaban la mar de felices y él se sentía solo. Sentía que el sol le guiñaba un ojo y le decía que su casa no era el lugar más adecuado para estar endomingado. «¡Ay, Antonio!», dijo, y luego musitó:

En mi soledad
he visto cosas muy claras
que no son verdad.

No sabía si estaba enamorado o no. No le importaba. Sabía que quería conocerla; eso era lo importante. Ella le gustaba de verdad. Mañana llamaría a Félix e indagaría sobre la tal Elisa. Dejó el libro y cogió la pluma para escribirle a Soledad. Tenía que decirle que era fantástico el trabajo que estaba haciendo en aquellos mundos de Dios. Máxime cuando él había estado pulverizándola y diciéndole que lo pasaría muy mal y que no lo aguantaría: «Dadle al César lo que es del César; dadle a Dios lo que es de Dios». Tenía que escribirle. Una carta en aquellos páramos debía de ser una fiesta. Ya la estaba viendo, sentada en el porche, en aquellos sillones de mimbre, o estirada en la hamaca; de fondo, aquel paisaje paradisíaco, y ella luciendo la sonrisa que él recordaba con cariño. ¿Qué pensaría ella? ¡Vamos a ver lo que me dice el plasta de Koldo! «¡Dios, qué manera de desvalorarme! Vamos, basta de tonterías», pensó, y se puso manos a la obra.

Querida Soledad:

He recibido las dos cartas al mismo tiempo y lo he agradecido porque en un mes se ha producido un cambio muy importante en tu persona. Has tenido la voluntad de aguantar los sinsabores de un país nuevo para ti e inhóspito para cualquiera y has aprendido a disfrutar de él. Admirable, y por ello te felicito de veras. Me has sorprendido. Me he quedado anonadado, sin respiración. Además, por si fuera poco, cuentas tus cuitas como si fuera la cosa más normal del mundo, por lo que considero que aún tiene más valor.

Felicita de mi parte a Richard y dile que le doy mi más ferviente enhorabuena. Habéis logrado algo hermoso. Las fotos lo dicen todo: se os ve muy felices. Me alegro de que hayáis adoptado a esa niña y que viváis a tope cada momento de vuestra existencia.

Tengo una sana envidia, pero nada más. No te preocupes. Me rindo. Sólo os puedo desear que continúe esta dicha. ¡Bravo!

El lugar es idílico y me gustaría estar allí para leer aquellos libros que me han llegado al corazón. Otros serían un pecado. Creo que si me decidiera a escribir un libro, vuestro oasis sería el sitio más adecuado. Por cierto, te envío un cuento que he escrito, para que veas que comprendo el amor y lo valoro. Es la historia de una pareja que encontré en el Ernani y que me hizo recapacitar sobre la necesidad de querer a alguien.

Me gustaría que me enviases uno de los cuadros que realizas. Lo colgaría en mi biblioteca, delante del despacho, para ver cómo vas poniendo semilla tras semilla para que continúe creciendo ese amor renacido en ti.

Te adjunto diez libros que son para mí el abecé de la literatura. Ya verás, en ellos los sentimientos flotan y te envuelven. Piensa en mí cuando los leas y recuerda con amor aquellas vivencias que tuvimos a bordo del Machado, navegando por aquellos mares donde la neblina hizo de las suyas.

Te mando unas palabras de Machado que creo que están pensadas para gente como nosotros:

«¡Qué cosa tan extraña es ésta de nuestro pasado! Se define como aquello que no es o por lo menos como aquello que ya no actúa. Sin embargo, yo creo que nuestro pasado no sólo existe en nuestra memoria, sino que sigue actuando y viviendo fuera de nosotros. En una palabra, yo creo que nosotros seguimos yendo...» en el Machado. *(Esto último, naturalmente, es cosa mía).*

Koldo, el solitario de siempre.

Koldo había ido a Correos para enviar el paquete a Soledad. Los auspicios para que llegara con cierta urgencia fueron bastante lamentables. Se resignó a que le llegara cuando Dios lo creyese oportuno y se marchó de allí después de haber discutido con el empleado de turno. No pudo sonsacarle si el envío tardaría un mes, dos meses o un siglo. Fue inútil; su terquedad le puso furioso. Se fue a la fábrica y se las tuvo con el gerente, que se quejaba de que le dedicaba poco tiempo a los clientes. Confirmado: era el día de la tozudez absurda.

—Señor Estivill, dígame, por favor, ¿le puedo formular una pregunta de colegial?

—Claro, las que usted crea oportunas.

El señor Estivill hablaba con una voz nasal, molesta, que convertía en una impertinencia todo lo que decía. Cuando hablaba se pasaba la mano continuamente por la cabeza, como si echara de menos el pelo que le faltaba desde hacía años.

–Bien. ¿Podemos servir los pedidos que nos formulan?

–No, no damos abasto.

–Entonces ¿por qué se empeña en que vaya a ver a más clientes? ¿Para quedar mal con ellos? ¿Es eso lo que pretende?

–Ya lo sé, pero me angustia pensar que un día no podamos vender nuestros ordenadores.

–¿Ha llegado ese día?

–No, señor Iturriaga.

–Pues no me atormente.

–Es que hay cosas que resolver y usted no está aquí.

–Muy fácil. Cuando no esté por motivos equis, hágalo usted. Lo sabe hacer, ¿verdad que sí?

–Sí, señor.

–Pues adelante.

–Ya sabe cómo son los americanos. Unos niños que lo quieren saber todo.

–Bien, pues infórmeles de que las ventas van requetebién y ellos se pondrán contentos.

–Quieren saber más.

–Lo que tiene que hacer es pedirles más aparatos. Se enfada con ellos y les grita. Les dice que no tienen seriedad y que lo hacen fatal. Esto les mantendrá ocupados.

–Es que...

–Ataque, no se esté como un cordero al que van a degollar.

–Preguntan por usted.

La angustia del señor Estivill no tenía fondo. Veía problemas por todos sitios.

–Les dice que estoy en la China vendiendo ordenadores; cualquier cosa.

–Perdone. Yo sólo quiero actuar según las normas: comunicación y envío de los informes de reuniones.

–Se han acabado los informes. Hasta que ellos no nos sirvan el doble de aparatos, nos abstendremos de enviárselos. Ya está, redacte la carta y la firmaré. Procure no tardar mucho porque tengo cosas que hacer y me tengo que ir. No me mire con esa cara, ¡por Dios!

El señor Estivill ponía cara de no entender nada. Pero, aunque su capacidad de comprensión, o quizá por eso, se reducía a las normas que dictaba la empresa y los protocolos, mostraba una facultad para obedecer altamente meritoria. Por eso apenas tardó unos segundos en reaccionar ante lo que para él era una hecatombe incomprensible.

–Sí, señor. Tardo, máximo, veinte minutos.

–Bien, no corra tanto. Estaré una hora.

Koldo vio alejarse al señor Estivill y suspiró. Le atacaba los nervios. «Calma, Koldo. Calma; tranquilidad.» En efecto, se sentía nervioso porque no paraba de pensar en el plan que se había propuesto. Cogió el teléfono y marcó el número de Félix.

–¿Félix?

–El mismo.

–Soy Koldo.

–Hola, ¿ha recibido los libros?

A Koldo le gustaba hablar con Félix. Le transmitía una serenidad que él envidiaba. Quizá, pensaba, se ha leído todos los libros de su librería y por eso ya ha encontrado una forma de vivir con tranquilidad. Aunque sabía que era imposible. Había estado en su librería, en el centro de la ciudad, una tienda que era más grande de lo que daba a entender su humilde entrada, y por lo menos tenía 30.000 volúmenes.

–Por eso le llamaba –continuó Koldo.

–Dígame.

–Me gustaría tener la dirección de la autora que ha escrito el libro sobre Machado. ¿Se acuerda? El libro que usted me mandó.

–No se puede dar.

Koldo se temía esa respuesta. Aún así, no quería rendirse.

–¿Es imposible?

–No.

–Cuidado, Félix, que hoy me encuentro con reticencias disparatadas.

–Koldo, quiero decir que no se acostumbra a dar la dirección de los escritores; sería un caos: llamadas sin control, aluvión de cartas para felicitarlos o para increparlos... Se imagina: «Tu libro es una mierda».

–Bien, pues, en este caso concreto, me gustaría que hiciera una excepción y tratara de averiguar la dirección.

–Lo intentaré, pero los únicos que lo saben son los de la editorial.

–Vaya a por ellos, por favor. Es un asunto de vida o muerte. Si es preciso, les compraré cien ejemplares, pero deseo tener una conversación con la autora.

–De acuerdo, Koldo. Haré lo que esté en mis manos.

–Gracias, Félix.

Ya había dado el primer paso, ahora tocaba esperar. Confiaba en Félix. Siempre le había encontrado el libro que estaba agotado. No sabía por qué conducto, pero lo encontraba. Entró el señor Estivill con la carta, la firmó y se despidió de él, riendo. Le gustaba escandalizarlo. Si supiera cuál era su plan inmediato, seguro que pensaría que se había vuelto loco. Puede que fuese así, pero lo había ideado mientras se dirigía a la fábrica. Tenía que renovar su vestuario. Quería que fuera más informal, más moderno. Mario se reía de él porque iba demasiado clásico. Era importante escoger la tienda porque, en las tiendas de jóvenes, temía no encontrar su talla. Había engordado desde que frecuentaba el Ernani todos los jueves. En el espejo del cuarto de baño había descubierto unos michelines que no eran muy estéticos. Desdeñó ir a El Corte Inglés porque quería epatarla y allí no encontraría lo que estaba buscando. Hubiese tenido que telefonear a Mario para preguntárselo, pero no quiso que se riera de él. «Perdona, Mario, ¿me puedes informar de la dirección de una tienda donde vendan trajes para cincuentones que quieren ligarse a una escritora de veintitantos?» No, ni pensarlo. Podía anticipar las carcajadas. Llamaría al ligón de Iván al móvil; él sabría adónde tendría que ir. Siempre iba vestido elegante pero descuidado; eso era lo que necesitaba.

–¿Diga?

–¿Iván?

–Sí, ¿quién eres?

–Soy Koldo.

–Hombre, Koldo. ¿Qué quieres de bueno?

–Me gustaría que me dijeses dónde puedo encontrar un vestuario más acorde con la moda actual. He pensado que tú eras el tipo adecuado para darme la información.

–¿Qué edad tiene ella? ¿Y a qué se dedica? Dame su perfil en diez palabras.

–Tiene unos veintisiete años, aproximadamente, si la foto no miente.

–¿Te la has ligado por correo o por Internet?

–Por Internet –mintió Koldo–. Es escritora, guapa, mirada penetrante, carácter fuerte, inteligente, ha nacido en una ciudad de provincias, ha estudiado en París y ha vivido algunos años en Francia puesto que sus primeros libros los editó allí. Me gustaría aparentar cuarenta y cinco años, no más. Tener el aspecto de un intelectual, modernete, acomodado y desenfadado.

–Te costará una pasta.

–Todo sea por la literatura. Creo que estará bien empleado.

–¿Cuándo quieres que me ocupe de ti?

–Ya. Estoy presto.

–Yo estoy en el Café Gijón, con unas extranjeras, pero me estoy despidiendo. Ya puedes venir. Nos iremos por ahí, a una *tournée*.

–Ahora voy. En veinte minutos estoy allí.

Se sintió bien, había dado otro paso. ¿Estaba haciendo el ridículo? No le importaba. Todos con su pareja y él como una monja de clausura. Se había terminado, se pondría en manos de Iván y que Dios se apiadara de él.

Koldo llegó al Café Gijón y vio que Iván se despedía de unas mozas que estaban como un tren. Se le ocurrió que Iván desentonaba en el ambiente literario del Gijón. Koldo iba de vez en cuando ya que, como a todo buen letraherido, le fascinaban los lugares que olían a literatura: el Retiro los domingos por la mañana, las librerías de viejo, el Gijón... Iván, en cambio, prefería vivir en una eterna novela de amor antes que ponerse a leer cualquier libro. Tenía suerte, aunque su mérito era relativo; su modus vivendi era ése: ser un gigoló.

–Hola, Iván.

–Hola, Koldo. Tienes razón, vas de pena. Así no se puede ligar. Ese traje tiene, por lo menos, veinte años.

–Sí, más o menos.

–¿Y tu peinado?

–¿Qué le pasa?

–Pues la onda sobra. Vas demasiado peinado. Tienes que ir más despeinado; así les gusta. Como Richard Gere. Ése sí les chifla.

–Vale, me peinaré diferente.

—Te llevaré a un peluquero guay.

—De acuerdo.

—¿Sabes cuáles son mis honorarios?

—¿Cuáles? ¿No me cobrarás como si fueses a echarme un polvo?

—No, hago de director artístico en una productora. Me ocupo de vestir bien a los modelos. Pagan chachi. Te cobraré un día de honorarios.

—Yo pensaba que sólo te ocupabas del elenco femenino.

—Sí, pero uno se hace mayor y conviene prepararse el terreno. No quiero quedarme en el paro. Sabes que siempre he sido muy activo. En la calle Serrano hay algunas tiendas que te irán de perlas. Vamos allá.

Koldo llegó a casa cargado de paquetes. Procuró que no lo viera Flora, porque presentía que lo asaetearía a preguntas, pero no pudo evitar que Julita, la hija, que estaba planchando sus camisas, le increpara:

—¡Válgame Dios, parece que sea el Papá Noel!

—Sí, he comprado algunas cosas —dijo Koldo, luchando para que no se le cayeran los paquetes.

—¿Algunas cosas?

—A lo mejor me he pasado.

—¿Adónde va?

—De momento, a ningún sitio.

—Me huele a chamusquina. Hace años que no se compra nada. Los pantalones de los trajes están brillantes de tanto ponérselos, he tenido que ponerle coderas en las mangas de las americanas; y en las camisas, fíjese en el cuello y los puños. —Julita le mostraba la camisa que estaba planchando como si en ella se resumiera la vida monótona de Koldo—. ¿Ve?, están gastados. Ya era hora de que se comprara ropa nueva. ¿Pasa algo? ¿El señor se ha echado novia?

–No.

–A ver, venga aquí, no se esconda. Póngase a la luz.

–No me mires; me encuentro horrible.

Julita cogió los paquetes y los dejó en suelo. Koldo quedó al descubierto e intentaba taparse la cara con las manos, como si fuera un niño muy tímido que no quiere que le vean.

–¡Pero si se ha cambiado el peinado! –gritó Julita, dando una palmada.

–Sí, pero no me gusta.

–Le encuentro más joven, pero, perdone, está muy raro: demasiado moderno.

–Ya lo sé. Me voy a duchar y trataré de parecer más normal.

–¿Quién es ella? ¿La conozco?

–No es nadie. He querido rejuvenecer un poco, cambiar, pero creo que me siento ridículo.

–¿Puedo chafardear? Con buena intención; para darle algún consejo.

–Sí, haz lo que quieras.

Julita empezó a abrir los paquetes y a silbar cada vez que veía una prenda. Koldo se sentía incómodo y deseaba meterse en la ducha cuanto antes. Julita iba colocando las camisas, los trajes y los zapatos al lado de Koldo. Miraba la ropa y a Koldo y negaba con la cabeza.

–¿Quiere que le diga la verdad?

–Me gustaría –contestó Koldo, resignado.

–Las camisas tienen un pase, pero los trajes entallados no le pueden sentar bien y los zapatos de chúpate la punta, menos.

–Me lo temía.

–¿Quién le ha enredado?

–Un amigo que se dedica a la *dolce vita*. A él le sientan bien.

–Pero usted es un clásico, siempre lo será. Aquí es donde está su personalidad. Créame.

–No sabía que entendieras de ropa.

–Antes de venir a trabajar con usted, fui dependienta de una tienda de modas de hombre, pero el negocio se fue a pique y mi madre me dijo que usted era un primor. Y, ya ve, llevo cinco años con usted.

–¿Tanto tiempo?

–Sí, señor.

–¿Qué me aconsejas?

–Devuelva los trajes y los zapatos. La chupa de cuero, póngasela, por favor.

Koldo se la puso y Julita le hizo dar una vuelta completa.

–Bien, me gusta porque no brilla y, al estar gastada, parece usada. Se tiene que comprar unos zapatos anchos, ingleses. Me acuerdo de que vendían unos que valían un potosí, pero eran chulis. Se llamaban *Churs* o algo parecido.

–Trataré de encontrarlos.

–Ya se los compraré yo –se ofreció Julita.

–Bien –Koldo estaba asombrado de lo mucho que lo conocía Julita. Decidía sin titubeos qué le sentaba mejor, qué ropa era acorde con su forma de ser.

–Los pantalones le quedarían mejor con pinzas, le disimularían los...

–¡Julita!

–Perdone, señor, necesita una estilista sin tapujos.

–Pero no hace falta que marques los defectos. Sé cuáles son.

–Bien, en cuanto al pelo...

–En eso, no hay remedio. Ya crecerá.

–Al contrario, yo se lo cortaría más corto. No tanto como los marines, pero cortito. Sí, señor.

–¿Tú crees?

–Claro que sí. Dúchese y póngase el batín. Yo voy a buscar las tijeras de peluquera que están en casa de mi madre.

–Julita, ¿sabes cortar el pelo?

–Se lo corto a mi novio y a sus amigos, a mi madre y a la madre de mi novio.

–No sabía que tuvieras esos dones.

–¿Cómo quiere saberlo si siempre está metido entre sus libros?

–Es verdad. ¿Me he portado mal contigo?

–Nunca, usted es un amor; pero muy callado, en demasía.

–Perdona, soy un muermo.

–Una buena persona que vive en las nubes. Vale, vamos a conquistar a esa gata.

–¡Julita!

–A la ducha; ahora vengo.

Koldo se metió en la ducha y se enjabonó la cabeza tres veces para sacar la laca que le habían puesto. Se puso el batín y se fue a la cocina. Allí le esperaba Julita.

–Voy a trasquilarlo y le quitaré algunos años. –Koldo se había sentado de espaldas a Julita, que ya tenía en las manos un peine y unas tijeras–. Cuando se vea no se asuste, porque se verá muy extraño. Es cuestión de acostumbrarse.

–Tengo miedo.

–Yo también, no se crea –dijo Julita, que dio un primer tijeretazo a un mechón de pelo.

–¡Dejémoslo! –se sobresaltó Koldo.

–¿Es valiente?

–En algunas cosas sí, pero en lo referente a cambiar mi aspecto, me da la sensación de que soy un fracaso.

–¿Ella es joven?

–No pienso responder.

–Eso quiere decir que va en serio.

–...

–Bien, no le haré más preguntas. Es un secreto; lo he comprendido.

Julita le pasó la maquinilla y luego volvió a coger las tijeras. Koldo veía que iban cayendo grandes mechones de cabello al suelo y pensó que, en el fondo, era divertido. No importaba que cambiase de apariencia. Él sería el mismo de siempre: un aburrido. Un peinado no le trastocaría ni le volvería loco. Por el contrario, su físico se lo agradecería. Pensó en Soledad y sonrió. Si los viera no se la creería. Allí estaba Julita, cortándole el pelo para que pudiera ligar con una escritora joven.

Veinte minutos después, Julita dejó las tijeras en la mesa. Koldo no se atrevía a moverse.

–Mírese en el espejo, a mí me gusta. ¿Qué le parece?

Julita le puso delante un pequeño espejo. Koldo se buscó y se miró desde los dos perfiles.

–Mejor que antes, eso sí, pero siento que estoy a punto de entrar en el ejército –dijo, acariciándose la cabeza.

–¿No se encuentra más joven?

–Sí, eso sí. Gracias. Tardaré varios meses en acostumbrarme.

–Bien, le dejo, que me está esperando mi novio.

–Repito, gracias.

–No se merecen. Adiós.

–Adiós, Julita.

Después de tantos años siendo un cordero y diciendo amén a todo, aquel día, en que había decidido ser otro, se había cabreado con el empleado de Correos, había discutido con el gerente, se había enterado del empleo anterior de Julita y se había dejado cortar el pelo como si fuera un cadete de la academia militar. Ver para creer. Se fue a la cama y se extrañó al poner la cabeza en la almohada. Tuvo una idea y la puso en práctica enseguida: se sacó el pijama y se quedó desnudo. «Desde hoy dormiré como Dios me echó al mundo. ¿Qué diría mi madre, si me viera pelado y desnudo?» Lo encontró divertido y se rió con ganas. Al cabo de unos minutos estaba dormido. Generalmente, le costaba mucho conciliar el sueño.

El viaje

Koldo entró en el Ernani como si fuera un tornado. Gaizka y Txaro estaban sirviendo y, al verlo, se quedaron con la boca abierta. No se creían lo que estaban viendo. Era otro Koldo. Él les sonrió y aguantó, impertérrito, los aplausos de los clientes. Incluso se atrevió a levantar la mano para saludarlos.

—Pero, Koldo, ¿qué te ha ocurrido? —preguntó Gaizka, asombrado.

—Nada, que me propuse cambiar de aspecto. Y ya lo veis...

—Me gustas. Estás muy joven y esa pelliza de cuero te sienta de maravilla. Ya era hora de que te vistieras diferente —comentó Txaro.

—Gracias, Txaro.

—Y, por lo que veo, a la clientela le ha gustado —comentó Gaizka.

—Me siento bien.

—Si te viera Mario —dijo Txaro— estaría contento.

—Supongo que sí. Ésa es la idea.

—¿Te has echado una novia? Cuando uno cambia tanto, seguro que detrás de ello hay unas faldas —dijo Gaizka.

—No seas indiscreto y déjalo tranquilo. —Txaro pellizcó a su marido—. Los hombres no tenéis ni un ápice de sensibilidad. Si la tiene, ya nos lo dirá. ¿Eh, que sí?, Koldo.

—A mí me falta sensibilidad, pero tú eres una chafardera —aclaró Gaizka.

–No discutáis por mí. No hay novia que valga, sólo deseo ser un poco diferente, tener otro cariz.

–Lo has logrado. ¿Quién te ha ayudado? –preguntó Gaizka.

–Julita ha hecho de estilista y de peluquera.

–¿Julita no es la chica que va a arreglar tu casa?

–Sí, Txaro.

–¡Vaya suerte! –admitió Gaizka.

–Es un amor. Yo no sabía que tenía todas esas virtudes escondidas. Ha sido una sorpresa.

–Los hombres sois el acabose, después de no sé cuántos años, ahora descubres que es un primor –comentó Txaro.

–Sí, es así. Dadme un chuletón que no quepa en el plato. Tengo mucha hambre.

–¡Marchando cocina! –exclamó Gaizka.

Txaro y Gaizka se fueron a preparar la carne y Koldo se sentó en la mesa, se limpió las gafas con la servilleta, comprobó que estuviesen limpias y sacó con cuidado una carta de la cartera. Ya la había leído varias veces, pero no le importaba volver a leerla.

Apreciado Koldo:

Siento que se haya demorado su petición, pero no ha sido tan fácil. La editorial no ha querido dar la dirección de la escritora, que me solicitó con tanta insistencia, hasta que ella ha respondido que sí, que no le importaba. Pero quiso saber por qué quería verla. Cuando se le comunicó y se le recalcó, repetidamente, que usted era un apasionado de Antonio Machado y que había leído todos los libros relacionados con el poeta, quedó satisfecha y dijo que ella también estaba interesada en tener una charla con usted. En estos momentos reside en Francia, en el pueblo de Colliure, 14, rue Bellevue.

Espero que se sienta satisfecho y que pueda tener una entrevista interesante. No dude en llamarme si me necesita. Su colaborador.
Félix

¡Qué maravilla! Vivía en el pueblo en el que Machado estaba enterrado. ¿Habría escrito el libro allí? No lo sabía. ¡Tenía que preguntarle tantas cosas! Llevaba quince días esperando la dirección y cada día reprimía las ganas de llamar al librero para reclamarle lo que ansiaba con tanta esperanza. ¿Se sentía enamorado de alguien que no conocía? ¿Amaba a la persona que había escrito aquel libro y que le había llegado tan adentro? ¿Por qué? No lo sabía, pero se había vuelto una obsesión. Algo que no le dejaba pensar en otra cosa. Llevaba varios días zombi y apenas leía. Había empezado cuatro o cinco libros y los dejaba por la mitad. Les ponía un punto y los iba amontonando en la mesa del despacho. Era la primera vez que le pasaba; a él, que acababa todos los libros que empezaba. Evidentemente, daba signos de estar colgado, expresión que la decía Mario cuando quería demostrar que alguien estaba loco por una persona. Sacó de la cartera la foto de Elisa –la había escaneado en el despacho– y la miró con simpatía. Si supiera ella todo lo que estaba maquinando, que, incluso, había cambiado de apariencia, no le haría caso. Aunque, vete a saber, a lo mejor le hacía gracia. «¡Oh, Antonio! ¡Siempre estás con tus poemas y me abres los sentidos! ¿Por qué el amor que siento, me lo truncas y me haces pensar en la muerte?»

Yo meditaba absorto, devanando
los hilos del hastío y de la tristeza,
cuando llegó a mi oído,
por la ventana de mi estancia, abierta

a una caliente noche de verano,
el plañir de una copla soñolienta,
quebrada por los trémolos sombríos
de las músicas magas de mi tierra.

... Y era el Amor, como una roja llama...
—Nerviosa mano en la vibrante cuerda
ponía un largo suspirar de oro
que se trocaba en surtidor de estrellas—.

... Y era la Muerte, al hombro la cuchilla,
el paso largo, torva y esquelética.
—Tal cuando yo era niño la soñaba.—

Y en la guitarra, resonante y trémula,
la brusca mano, al golpear, fingía
el reposar de un ataúd en tierra.

Y era un plañido solitario el soplo
que el polvo barre y la ceniza avienta.

—No pienses tanto, Koldo, y come el churrasco que te ha cocinado Txaro. Tiene pinta de estar riquísimo.

Gaizka había dejado en la mesa el churrasco sin que Koldo se percatara de su llegada.

—Tienes razón, estaba absorto con un poema de Machado que me ha venido a la mente y que me ha dejado trastocado.

—Tú y tu Machado. Acabarás mal de tanto pensar en él.

—Vale, no me riñas. Con este churrasco, hoy me voy a poner las botas.

—¿Haces régimen también? —se cachondeó Gaizka.

—Un poco, sólo para que desaparezcan parte de los michelines —respondió Koldo, pellizcándose los michelines.

–Si lo sabe mi mujer, te pondrá una bandeja de patatas. Odia a la gente que quiere adelgazar. Dice que eso no es vivir, que es un martirio. Cuando se tiene hambre: a comer. Ése es su lema. Así estamos nosotros: rollizos como salchichones.

–Tiene razón. Mantenerse delgado y en forma es un sacrificio.

–¿Qué sabes de Mario?

–Feliz con su novia. Se les ve bien. Mucha mujer para la poca naturaleza de Mario, que es enclenque, esmirriado –bromeó Koldo.

–¡Ay! Si te oye Txaro, te cuelga. Al niño de sus ojos llamarlo esmirriado.

–Lo digo en el buen sentido. Él es fuerte, pero demasiado delgado. Y ella tiene de todo. Ya me entiendes.

–Te entiendo perfectamente. Ángela está como un tren. ¡Qué cuerpazo!

–Sí, la moza está escultural. Tráeme los postres.

–¿Tienes prisa?

–Un poco. Tengo que preparar las maletas. Me voy de viaje.

–¿Se puede saber adónde vas?

–Ahora, a la fábrica a hablar con el gerente. Le voy a decir que cojo vacaciones adelantadas. Se pondrá furioso.

–Pero ¿no eres el presidente?

–Sí, pero él me aprieta y yo estoy contento, porque si no lo hiciese el negocio no iría así de bien.

–Pero ¿quién manda?

–Yo.

–¿De quién es el negocio?

–De los americanos, pero yo soy socio, con un porcentaje bastante elevado.

–¿Entonces?

–Se pone a parir. –Koldo se encogió de hombros–. Él es así.

—¿Y por qué coges las vacaciones ahora?

—Porque las necesito y porque Mario no está y Soledad se encuentra en África y yo estoy más solo que la una. ¿Te parece poco?

—Ahora te escucho. Eso es. Vas a buscar compañía o ya la tienes y te vas con ella.

—Ni lo uno ni lo otro, pero no lo desdeño si sale.

—Bien, así me gusta. ¿Qué te traigo de postre?

—Tú mismo.

—Te traeré una cursilería que ha preparado el pimpollo. Profiteroles con nata y chocolate caliente por encima. Están buenos. Estuvo liado con un cocinero francés y se le va la mano.

—¡Cuidado, Gaizka! —le riñó Koldo.

—Si se pasa, con el cuchillo más grande se lo rebano de un sólo tajo.

—¡No seas bruto! —Gaizka era incorregible. Koldo y Txaro siempre le estaban recriminando que fuera tan despectivo con el nuevo cocinero, aunque él decía que sólo bromeaba—. Y tráeme los profiteroles, que, por cierto, los conoce todo Dios.

Gaizka se fue protestando y al pasar cerca de Koldo, éste le pellizcó el culo. Gaizka dio un salto y gritó:

—¡Koldo, te juro que te dejaré como un eunuco!

—Te gusta, Gaizka, no me mientas.

Koldo le sonreía con picardía; sabía que esas bromas sacaban de quicio a su amigo.

—El mundo está lleno de mariposones —sentenció Gaizka.

Koldo se rió y los parroquianos que tenía al lado hicieron lo mismo. Estaba impaciente y se sentía nervioso. Le esperaba una de las tardes más movidas de su vida. La entrevista con el gerente sería de órdago. Después tenía que llamar a Mario y decirle que se iba. ¿Qué le diría?, ¿la verdad? Temía hacerlo, francamente. Prefería decírselo más tarde. Le mentiría por primera vez y le diría que se iba por negocios a Bilbao y que luego pasaría por Lekeitio para navegar en el *Machado*, que aprovechaba porque él no estaba aquí; eso sí, tenía que ir con cuidado en la manera de decírselo, para que no se sintiera culpable de haberlo dejado solo. Se comió rápidamente el postre que le trajo Gaizka y pagó. Luego se dirigió a la cocina para despedirse.

–Adiós, Txaro. Estaré casi un mes fuera. Dame un abrazo.

–Te echaremos de menos. Cuidado con romper corazones. Estás muy moderno y muy joven.

–Gaizka, un abrazo.

–Parece que te vayas a otro continente. –Gaizka hacía pucheros, como un niño pequeño–. No me gustan las despedidas tan emotivas: me hacen llorar.

–Adiós, Txaro. Abur, Gaizka. Os quiero.

–Hasta la vista, Koldo. Cuando vuelvas trae compañía –dijo Txaro, muy guasona.

Koldo se fue sin poder evitar que le invadiera una tristeza a la que no le encontraba un motivo. Subió al coche y emprendió el camino rutinario hacia la fábrica. La cabeza le daba vueltas y durante el trayecto trató de encontrarse a sí mismo, de serenarse, pero no lo logró.

Al llegar, saludó con un golpe de cabeza a algunos operarios que se cruzaron con él y fue directamente al despacho de su secretaria. Le dijo que llamara al señor Estivill. Se acordaba de cuando fue a Bilbao para ocuparse de construir la casa de Lekeitio y tuvo una discusión fuerte, muy fuerte, con él. Y cuando le soltó que se tomaba quince días más de vacaciones, le puso la cara de vinagre que acostumbraba a poner cuando algo no le gustaba y se marchó con la cabeza baja, sin decirle nada. Ahora, allí estaba, asomando su cara por la puerta, con precaución y mirándolo con curiosidad.

—¿Quiere un café? —dijo Koldo, a modo de saludo.

—Si me tiene que dar una mala noticia, lo prefiero —respondió sinceramente el señor Estivill, que ya se pasaba la mano compulsivamente por la coronilla.

Koldo apretó el botón del intercomunicador y dijo:

—Marta, ¿puede traernos dos cafés? El mío doble y bien cargado.

—Lo mismo digo, señorita Marta —dijo el señor Estivill.

—Señor Estivill, me sorprende.

—Prefiero estar preparado. Lo conozco y sé que nada bueno me dirá. ¿He hecho algo mal?

—Al contrario, usted es perfecto.

—Gracias, es mi obligación —replicó, aliviado, el señor Estivill.

—Bien. Creo que los americanos nos enviarán más ordenadores. ¿No es así?

—Sí, señor Iturriaga.

—Necesitará a alguien que venda, porque yo ya no lo haré nunca más.

—Me lo temía, pero no se preocupe, ya me he agenciado un par de vendedores. El trabajo de selección ha sido arduo, pero después de muchas entrevistas he llegado a la conclusión de que era mejor robárselos a la competencia.

—Fantástico, porque me saca un peso de encima. Voy a tomarme un mes o dos de vacaciones, no lo sé exactamente.

—¿Algún problema de salud?

—No. Quiero divertirme, no pensar en nada.

—¿Y la fábrica?

—Está usted, que ocupará mi sitio con toda garantía. Cuando me fui durante dos meses, todo transcurrió como la seda, sin problemas.

—Es mucha responsabilidad.

—No se preocupe, será recompensado.

—¿Se encuentra bien, señor Iturriaga?

—Perfectamente.

—¿Puedo hablarle con claridad, sin que se ofenda? —tanteó, temeroso, el señor Estivill.

—Se lo agradecería. Ánimo, hombre, sé lo que me va a decir.

El señor Estivill se pasó la mano por enésima vez por la cabeza y cogió aire.

—En dos semanas ha cambiado: un vestuario que extraña a la gente, los empleados murmuran a su espalda cada vez que le ven, lleva un peinado poco adecuado, va afeitado como si fuera un militar, sus modales se han vuelto un tanto bruscos y habla de una forma que no estamos acostumbrados. A los clientes les gustaba su forma de expresarse, les daba confianza, no querían que nadie más les fuera a visitar. Ahora me temo que no sería lo mismo. Perdone, señor Iturriaga, pero se lo tenía que decir.

—Tiene toda la razón. Ni yo mismo sé quién soy ni quién quiero ser. Por esa causa prefiero tomarme unas vacaciones. Han pasado muchas cosas últimamente que han hecho que me replantee mi vida. Puede ser que esté loco. ¿No es eso lo que comentó con mi secretaria? Marta, con su buena fe, me lo dijo.

—No pronuncié la palabra «loco», dije «enajenado».

—¿No es lo mismo?

—Sí, lo siento.

—No lo sienta, señor Estivill. Por primera vez ha sido franco y le doy las gracias. Voy a hablar con mis socios y les diré que me den algún tiempo para reflexionar. Y hablaremos de usted, no se preocupe. Trataré de que le den una participación en los beneficios.

—Gracias, señor Iturriaga. No era eso lo que pretendía.

—Lo sé, Estivill. Usted es una buena persona y sólo le preocupa el bien de la empresa. Creo que ha llegado el momento de recibir algo por esa actitud tan noble que ha tenido. ¿Cuántos años hace que está con nosotros?

–Veinte años. Y estoy muy orgulloso de trabajar con usted. Perdone por el comentario que formulé. Tuve un arrebato de ira.

El señor Estivill estaba muy atorado. En cambio, Koldo estaba encantado de haber hablado, por primera vez en veinte años, de algo que no fuera trabajo, de algo que tenía que ver con ellos como personas, no como trabajadores de la misma empresa.

–Llámame Koldo. Basta de formalidades innecesarias. Y tutéame.

–A veces, te he llamado por tu nombre.

–Sí, es verdad, pero olvídese del señor.

–Sí, señor. Perdona, Koldo.

–Bien. Si tuvieras cualquier problema, no dudes en llamar a mi hijo. Mi secretaria tiene sus teléfonos.

–No te preocupes, Koldo. Así lo haré.

–Gracias, Estivill.

Era curioso que el señor Estivill se fuera con la cabeza alta y mirando de frente. La fábrica iría mejor sin Koldo Iturriaga. Lo percibía. Faltaba alguien con ganas, que le pusiera corazón y coraje, y él no se consideraba la persona adecuada: estaba inmerso en otras lides. Mientras que esperaba la llamada para hablar con Estados Unidos, oyó por el altavoz que el gerente convocaba a todos los jefes de sección en el salón de juntas. «¡Bravo, Estivill, así me gusta! Coge las riendas y adelante. Yo me siento como decía Machado»:

Tan pobre me estoy quedando
que ya ni siquiera estoy
conmigo, ni sé si voy
conmigo a solas viajando.

La despedida

Koldo llegó a su casa sonriente y encontró a Julita preparándole las maletas. En voz alta, iba siguiendo la lista de dos hojas que le había dejado él y lo amontonaba todo encima de la cama.

–¡Dios mío! ¿Adónde va? –dijo Julita, que cogía, en ese momento, cuatro camisas y las colocaba como podía encima del montón de ropa que había en la cama.

–No lo sé –respondió Koldo, que estaba tan sorprendido como ella de la cantidad de ropa que le había pedido.

–¡Pero si se lleva toda la ropa que hay en el armario!

–Más vale que sobre y no que falte –se le ocurrió decir a Koldo como única justificación.

–Ropa de invierno, ropa de verano. –Julita esparcía la ropa por toda la cama–. ¿Cuántos meses estará por ahí?

–Tampoco lo sé.

–¡Ay, qué locura!

–Puede ser, pero, a lo mejor, cogeré el barco y me perderé por esos mundos de Dios.

–Perdone que se lo diga, pero su mundo es éste.

–Si mi mundo es éste, como bien dices, volveré. Al menos habré experimentado y conocido otros mundos.

–¿Su hijo lo sabe?

–Aún no. Esta noche le voy a telefonear.

–No le gustará.

–Creo que sí. Lleva más de un año aconsejándome que rehaga mi vida.

–Los consejos se dan, pero luego uno se arrepiente de haberlos dado. Me lo decía mi padre, que en paz descanse.

–Ya. Bien pensado, pero a veces uno tiene que dejarse llevar por los instintos. Y esta vez presiento que algo bien gordo puede pasar. Es una premonición.

–Yo también tengo premoniciones.

–¿Alguna en particular?

–Que tengo una librería. Me gustan los libros; aquí con usted he sabido apreciarlos.

–Fantástico –replicó, entusiasmado, Koldo–. Deseo que se cumpla tu sueño. ¿Sabes una cosa?

–Diga.

–Me siento más joven y con menos peso en las espaldas. Me he sacado de encima un sinfín de obligaciones, casi diría estupideces.

–Parece que le gusta la transformación que se ha producido en su persona.

–Me gusta. Me siento otro y con ánimo para probar un nuevo sistema de vida.

–Yo pensaba que era más tímido y más arraigado a su forma de ser.

–Lo era, pero puede ser que esté influenciado por Soledad. Ha cambiado totalmente de vida, del blanco al negro, nunca mejor dicho, y se encuentra fantásticamente. Muy feliz.

–Perdone –se disculpó antes de hablar Julita, consciente de que sus palabras podían herir a Koldo–, pero su ex esposa es más valiente que usted.

–Esta valentía es la que quiero para mí –dijo Koldo, sonriendo–. Será cuestión de probar.

–Le deseo toda la suerte del mundo.

–Y tú que lo veas.

Julita volvió a centrar su atención en el montón de ropa que se acumulaba encima de la cama.

—Necesitará dos maletas grandes —dijo, repentinamente entusiasmada—. Y sólo tiene una, las demás son pequeñas.

—Ve a comprarla a El Corte Inglés.

—De acuerdo.

Julita se fue tarareando y Koldo se encaminó a la biblioteca. Se encontraba ante un dilema. ¿Qué libros se llevaba? Elegir no era tarea fácil, dado que su biblioteca era enorme y estaba repleta de libros y más libros. Si quería discutir con ella sobre Machado, mejor que escogiera sus obras más significativas. ¡Qué tontería! Lo normal es que se las haya leído cien veces. Alguien que escribe sobre una persona, se informa. Elegir qué libros llevarse... Nunca se había encontrado ante ese dilema. Mejor llevarse sólo el de ella: los demás ya los compraría. Y si la relación va bien, leería los que tiene ella. Bien pensado. Era una solución optimista. Empezó a mirar las estanterías y se paró en los libros que más le habían gustado. ¡Cuánto había disfrutado! Abrió uno de ellos y le pareció que, entre sus páginas, estaban guardados sus lloros; hojeó otro e hizo el mismo gesto y oyó sus risas. Sonrió y pensó que nunca se le había ocurrido que allí, en las hojas de los libros, en las frases subrayadas y en las anotaciones que había hecho, estaba su vida. Sí, su vida estaba allí, en esas cuatro paredes, dentro de esos volúmenes. ¿Qué debió de suceder cuando su padre los quemó en Lekeitio? Se quejaron y las risas se debieron de convertir en lloros y los lloros en lamentos. ¿Y los personajes? ¿Qué les debió de pasar a ellos? Sufrieron. Suerte que su padre no los escuchó. Él debía de yacer muerto, ajeno a su dolor.

Julita entró en la biblioteca y se encontró a Koldo ensimismado. Como no quería molestarlo su fue a preparar su equipaje. Al cabo de un par de horas volvió a la sala y le dijo de sopetón:

—Señor Koldo, las maletas ya están preparadas.

–Bien, Julita. Dame un abrazo muy fuerte y un par de besos. Te tengo que agradecer todo lo que has hecho por mí. Has sido un gran apoyo.

–Me ha encantado. Pórtese bien y venga pronto. ¿Me contará lo que ha visto por esos mundos?

–Prometido.

–Suerte, señor Koldo.

–Gracias, Julita. Dile a Flora que suba un momento.

–Se lo diré. Adiós.

Se besaron en la puerta y Julita se fue llorando escaleras abajo; no quiso esperar el ascensor. Koldo se sentía emocionado cada vez que se despedía de alguien, pero, esta vez, consideraba que el sentimiento era más fuerte.

Sonó el timbre y fue a abrir la puerta. Allí estaba Flora, con cara entristecida.

–¿Qué le ha hecho a Julita?

–Nada, mujer. Que al despedirnos se ha emocionado.

–Menos mal.

–Flora, le doy unas llaves para cuando venga mi hijo.

–¿Su hijo vendrá? –se extrañó Flora.

–Lo más probable. Yo, al menos, le diré que lo haga. Nunca ha estado aquí y, aprovechando mi ausencia, me gustaría que viera donde he pasado la mayor parte de mi tiempo, que se haga una composición de lugar.

–Muy bien. Creo que lo tenía que haber hecho antes.

–Ya lo sé, pero uno, a veces, comete errores y yo trato, ahora, de subsanarlos. Aquí le muestro las fotos de él, tal como le prometí.

Flora cogió el sobre de fotografías y las miró con verdadera curiosidad.

–Me gusta Mario. Tiene un buen talante. Y usted está embobado cada vez que lo mira.

–Sí, es verdad. Se me cae la baba. Se las he enseñado a Julita y también ha opinado lo mismo.

—Hombre, lo vería hasta un ciego —se rió Flora.

—Bien, aquí le doy un sobre para Julita —dijo Koldo, dejando sobre las manos de Flora un sobre cerrado—. En él hay tres meses de sueldo y un cheque por todo lo que me ha ayudado. No se lo dé ahora. Hágalo cuando usted lo crea oportuno. Flora, usted ya recibirá el dinero a través del banco; me he permitido subirle el sueldo. No diga nada, ya sé que le paga el administrador de fincas, pero usted lo merece.

Flora estaba a punto de llorar. Demasiadas emociones, demasiados cambios después de tantos años. No sabía cómo agradecerle a Koldo lo bien que se había portado con ellas.

—Señor Koldo, usted es demasiado bueno —acertó a decir.

—No lo suficiente. Ahora me estoy dando cuenta de que he vivido lejos del mundo real.

—No lo desdeñe tan rápidamente. Yo le he visto inmerso en sus libros, disfrutando de ese mundo irreal tan suyo, y era bonito. Usted, la mayoría de las veces, ni veía a Julita ni me veía a mí. Pasábamos por su lado, íbamos a regar a la terraza y nos quedábamos mirándole extasiadas, y usted no se daba cuenta de que existíamos.

—¿Y eso es bueno?

—Conociéndolo, sí. Era divertido.

—Pues ahora creo que tengo que dejar aparte este mundo paranoico, sin repudiarlo, para meterlo en un paréntesis y tratar de sumergirme en el mundo de los mortales, que tan olvidado tenía.

—Cuidado, señor Koldo. La gente es mala y le pueden hacer daño. Usted es un pajarillo recién salido del nido. El mundo real es duro.

—Procuraré hacerle caso. Se lo prometo.

—¿Cuánto tiempo estará fuera?

—Primero, pensé en un par de meses; pero estoy acariciando la posibilidad de estar más.

–¿Y su hijo lo sabe?

–No. Esta noche se lo voy a decir. Trataré de no decirle el tiempo que estaré ausente, para no asustarlo.

–¿Navegará con su velero?

–Eso será imprescindible. –Koldo sonrió.

–Vaya con cuidado –dijo Flora, que estaba tan preocupada como contenta de que Koldo hubiera decidido regresar al mundo real.

–Flora, el *Machado* lo construyó el pueblo entero. Cuando salgo tengo muchos ángeles que velan por mi seguridad –le tranquilizó Koldo.

–Me gusta oírlo. Cuando usted me habla, luego, por las noches, sueño.

–Usted sabe escuchar y eso es muy importante. ¡Vaya con Dios!

–Cuídese, señor Koldo.

–Lo haré, no tema.

Koldo le dio dos besos y una palmada en el trasero. Ella sonrió y se le escaparon unas lágrimas.

–Ahora ya sé por qué Julita lloraba y no se ha despedido de mí –dijo Flora, mientras se sonaba con un pañuelo enorme–. ¿A qué hora se va?

–Muy pronto, saldré de casa a las seis de la mañana.

–¿Adónde va?

–Es un secreto.

En el rellano, Koldo le saludaba con la mano, mientras Flora esperaba el ascensor. Cuando se hubo ido, Koldo entró en el piso y fue a sentarse a su sillón. Se quitó las gafas, enteló con su vaho los cristales y con el faldón de la camisa los limpió a conciencia; comprobó su estado a contraluz y, satisfecho, se las volvió a poner. Luego suspiró y cogió el auricular. Mientras marcaba el número que Mario le había dado para contactar con él en Roma, miró las fotos que estaban encima de la mesa del despacho. Soledad y Richard, enlazados, delante de su idílica casa; ella parecía que le preguntara: «Koldo, ¿y tú que harás?». En la otra fotografía estaban Mario y él, sonriendo, el día de la graduación. Había comprado unos marcos muy bonitos y se las llevaría para ponerlas en la mesita de noche del hotel o de donde se alojara. Cuando terminó de marcar el número, el teléfono sonó cuatro veces y alguien que no conocía le contestó:

–*¿Pronto?*

–*¿Mario? Per cortesía.*

Oyó varias voces y risas. Mario tardó algún tiempo en ponerse al teléfono y Koldo estuvo pensando mientras tanto si le diría la verdad o no. Aún no lo había decidido. En unos segundos hablaría con Mario y no sabía qué le explicaría y qué se reservaría para él. Finalmente, decidió que se lo diría a medias.

–¿Koldo? –preguntó Mario.

–El mismo.

–Perdona, pero estaba en el jardín hablando con la abuela. Ya te contaré, su vida es apasionante.

–Me gustará oírla.

–¿Qué querías? ¿Tienes algún problema?

–No. Te telefoneaba para saber de ti y para contarte un proyecto.

–Nosotros estamos perfectamente. Yo leo mucho y hago mis ejercicios como me indicó el profe. A veces me ayuda Ángela y nos lo pasamos bien, nos divertimos. A ella le gusta porque le sirve para refrescar el vocabulario español. Explícame tu plan.

–He decidido irme durante algún tiempo por ahí.

Durante unos segundos no se oyó nada. Koldo pensó que quizá la llamada se había cortado.

–¡No me lo puedo creer! –gritó Mario, tan fuerte que Koldo tuvo que retirar el auricular.

–Créelo, ya tengo hechas las maletas.

–¿Adónde vas?

–Primero, navegaré en el *Machado*; luego pensaré adónde iré.

–¿Navegando o por tierra?

–Las dos cosas. No lo sé con certitud.

–¿No me escondes algo?

Tras la sorpresa primera, Mario empezaba a desconfiar. ¿Por qué ese cambio? Tratándose de su padre, se podía esperar cualquier cosa. Se sentía contento de que su padre tomara decisiones para cambiar su vida, pero también se sentía inquieto.

–«Esconder» no es la palabra adecuada. Yo diría que tengo dudas y, hasta que no las resuelva, prefiero no detallar mi itinerario.

–Bien. ¿Y el trabajo?

–He tenido una sentada con el gerente, ya sabes, con el señor Estivill, y le he dicho que me ausentaré durante algún tiempo.

–¿Y cómo se lo ha tomado? Porque es duro de cojones.

–Al principio, mal: me ha dicho que soy un enajenado; después, mejor. Le he subido de rango, de sueldo y le he dado un porcentaje sobre los beneficios.

–Debía de estar contento.

–Creo que sí.

–Estoy entusiasmado de que te hayas decidido a salir de tu guarida. El aire fresco, y tú sabes a cuál me refiero, te sentará bien.

–Así lo espero. Tú me has impulsado a ello y Soledad me ha acabado de dar el empujón.

–No me gustaría ser el responsable de ello, si no te encuentras a gusto fuera de tus libros y del mundo que has creado en tu casa.

–No, soy mayorcito. Por cierto, si quieres, puedes ir a vislumbrar este mundo que dejo por el momento.

–Iré. Me gustará verlo.

–Simplemente es curioso.

–¿Cuánto tiempo estarás por ahí?

–Lo desconozco.

–Me gustará saber de ti.

–Despreocúpate y no sufras.

–¿Qué haré los jueves?

–Ve al Ernani, come como un rey y piensa en mí.

–Te echaré de menos.

–Yo también.

–Júrame que te cuidarás.

–Te lo juro.

–Te envío un abrazo muy fuerte y un montón de besos.

–Lo mismo digo, hijo.

–Hasta pronto, Koldo, y suerte.

–Hasta la vista.

Después de colgar, fue inevitable que recordara a Antonio:

> *¿Dijiste media verdad?*
> *Dirán que mientes dos veces*
> *si dices la otra mitad.*

Koldo se quedó un buen rato mirando el teléfono. Al lado de aquel odioso aparato se encontraban unas tijeras y estuvo tentado de cogerlas y cortar el cable. Así se sentiría libre; habría cortado el cordón umbilical que le unía al mundo y a su hijo. ¿Por qué pensaba de aquella manera? ¿Podía ser que tuviera celos de su propio hijo porque había sabido encontrar a una chica de ensueño, guapa e inteligente? El ser humano es envidioso. Pero él amaba a Mario, durante aquellos meses había aprendido a quererlo, pero deseaba mostrarle que Koldo Iturriaga era capaz de rehacer su vida, como Soledad, y encontrar a la mujer de sus sueños. Su cara se endureció y se hizo el propósito de que no volvería hasta haberla hallado; aunque podría ser Elisa u otra. ¿Por qué estaba tan obcecado? Lo presumía, pero no lo sabía con certitud.

Se dirigió a la mesa y desplegó un mapa. Lo había pensado varias veces y tenía sus dudas. ¿Cogería un avión hasta Barcelona y después alquilaría un coche hasta Colliure? Parecía ser lo más rápido, pero no quería correr. Prefería disfrutar del paisaje y acercarse sin prisas. Había telefoneado a la editorial para decirles que le comunicaran a Elisa que llegaría en unos días, pero sin especificar el día y la hora, para que lo aguardara: «Lo mejor siempre se hace esperar», pensó Koldo, y se le escapó una sonrisa. Estuvo calculando los kilómetros y decidió ir en coche, así disfrutaría del paisaje. Madrid, Barcelona y Colliure. Y a lo mejor necesitaría el coche para ir de un lado a otro. Cogió las fotografías enmarcadas de Mario y Soledad y las puso dentro de un maletín; cogió el ordenador portátil, un bloc, pluma, lápiz y goma. Bien, iría a dormir para estar descansado por la mañana. Se fue a la habitación y se acostó. Tardó más de una hora en conciliar el sueño. Tenía remordimientos por no haber sido más explícito con Mario. Si todo iba bien, ya se lo explicaría.

El despertador sonó con estridencia y le malogró el sueño delicioso que tenía: Soledad y él se encontraban a bordo del *Machado* y les envolvía una niebla espesa, se abrazaban, se besaban y de repente se disipaba la niebla y aparecía un sol espléndido; oían voces y, cuando miraban por la borda, veían una pequeña barca que estaba tripulada por Aitor y Patxi, que pescaban y discutían: «Aitor, suelta a los peces pequeños, que aún tienen que crecer, quédate sólo con los más grandes». No pudo saber lo que le respondía su padre.

Acalló el despertador y, a regañadientes, se levantó. Sonrió al recordar un proverbio de Machado:

> *Tras el vivir y el soñar,*
> *está lo que más importa:*
> *despertar.*

Se miró en el espejo y decidió afeitarse; no le quedaba bien aquella barba de cinco días: parecía un presidiario.

> *Mis ojos en el espejo*
> *son ojos ciegos que miran*
> *los ojos con que los veo.*

La ducha duró más de lo acostumbrado y luego se vistió rápidamente. Se fue a la cocina y se preparó un tazón enorme de café. Con él en la mano se dirigió a la biblioteca y la estuvo mirando con atención. Se dijo para sí que le parecía que su mirada acariciaba los libros. Cogió el *Quijote* y lo puso encima de la mesa: «Tú serás el vigilante y el guardián de los otros volúmenes. Te hago responsable de lo que les pueda suceder». Se le hacía extraño irse y despedirse de sus queridos libros y de todos aquellos personajes que habían formado parte de su vida. Otra vez le surgía la idea del adiós. ¿Por qué estaba llorando? No lo sabía, pero presentía que, desde ese momento, todo sería diferente. Puso el tazón en la mesita donde siempre lo dejaba, cogió las maletas y, cuando cerró la casa, supo que concluía una etapa y empezaba otra nueva. Y le vino a la memoria una cita de Machado.

> *Adiós para siempre; tu monotonía,*
> *fuente, es más amarga que la pena mía.*

Colliure

El viaje fue maravilloso. Conocía el trayecto de Madrid a Barcelona y el de Barcelona a la frontera, pero siempre había ido por trabajo. Esa vez era distinto. Todo le parecía hermoso. Disfrutaba del paisaje y abrió la ventana para coger aquel aire nuevo. Necesitaba ese aire nuevo; el que traía en los pulmones estaba muy viciado. Cada detalle le parecía inédito. «Soy libre, me siento renacer. Por eso estoy disfrutando». Cuando cruzó la frontera, sonrió al recordar que cuando tenía seis años su padre le decía que, si se fijaba bien, encontraría dibujadas en la carretera las cruces que en los mapas delimitaban los dos países. Cerró los ojos apenas una fracción de segundo y le pareció verlas.

Cogió la travesía interior que iba desde Le Boulou a Colliure y se dio cuenta de que el camino era el adecuado: la ruta al paraíso. Una larga hilera de plátanos espigados y enormemente altos la bordeaban. Formaban parte de un cuento y componían una armonioso paisaje que trazaba la dirección correcta en pos de la amada; ahora lo sabía. Por allí debía de haber pasado su querido Machado, y, seguro que, sabiendo cómo era, presagió con su clara y poética visión que allí acabaría su vida. A Koldo le gustó la comparación con su maestro y encontró hermosa la premonición que tuvo.

Cuando divisó el mar le pareció que descubría otro mar. No era el mismo: no era el Cantábrico que él tan bien conocía. Estaba muy revuelto, violentado por olas que dibujaban unas crestas espumosas y blancas: «Corderos. El mar está lleno de corderos, no salgas a navegar. Piensa que hasta los peces se van al fondo y huyen de ellos», le decía Patxi. Era un día muy claro, pero el viento quería ser dueño y señor de aquellas aguas. ¡Ay, Dios! El mar era precioso en todos los lugares. Cuando vio las tejas rojas que formaban los tejados de aquellas pequeñas casas del pueblo de Colliure, sintió que continuaba el cuento y que él era el caballero andante que iba a rescatar a su Dulcinea de aquellos monstruos del viento. Entró en el pueblo y fue bajando por una avenida hasta desembocar en una plaza de plátanos altos, donde se hallaban varios ancianos cubiertos con boinas, que jugaban a la petanca. Aquí está la última señal del camino: los mismos árboles de la carretera, que han venido a jugar con los viejos. Aparcó el coche en un lugar que se imaginó que el destino le adjudicaba y se dispuso a buscar el hotel que tan amablemente le indicó Elisa a la editorial.

Al mirar otra vez la plazuela se fijó en una casa rosada que se hallaba justo al lado, en una bifurcación. Le dio un vuelco el corazón y mientras caminaba hacia la casa sentía cómo el corazón le latía con fuerza. Se acercó y la fue contemplando con curiosidad. «Quintana», leyó sobre la puerta principal. Era una casa de tres plantas y se accedía al piso superior por una escalera estrecha y empinada. En la pared que daba acceso a dicha escalera, había una placa que decía:

ANTONIO MACHADO
POÈTE ESPAGNOL
EST MORT DANS CETTE
MAISON LE 22 FEVRIER
1 9 3 9

Todo coincidía. La carretera de plátanos que marcaban la senda, los mismos árboles que circundaban la plaza y la casa donde él murió. Se sentía emocionado y aún persistía una atracción desconocida que lo arrastraba. Se dejó llevar. No decidía él el camino: eran sus propios pasos los que le indicaban la dirección, no sabía hacia qué lugar. Siguió por la riera y, tras caminar unos metros, cogió una calle estrecha, se topó con un recodo, lo dobló y, de pronto, vio el cementerio. Era pequeño, entrañable, confortable y estaba rodeado de casas. Koldo pensó que el cementerio formaba parte de la vida diaria de los colliurenses. Era parte del día a día; allí al lado se hallaba la panadería, el supermercado, la farmacia, el ayuntamiento y, separado por una pared, el aparcamiento de los vivos junto al aparcamiento de los muertos. Nada más entrar vio la tumba: la tumba de Machado. Era curioso, no la había visto nunca, pero sabía que no podía ser otra. Era sencilla: un murete de ladrillos y una lápida de piedra con las inscripciones siguientes:

ANTONIO MACHADO

SEVILLA 26 VII 1 8 7 5
COLLIURE 22 II 1 9 3 9

ANA RUIZ

MADRE DEL POETA

SEVILLA 4 II 1 8 5 4
COLLIURE 25 II 1 9 3 9

Pensó en lo feliz que se hubiera sentido su madre si estuviera allí, con él, y viera aquella tumba que simbolizaba tantos momentos vividos juntos, leyendo ella y él escuchando en el mirador acristalado de la casa, frente al puerto. Le vinieron los recuerdos, agolpados y bulliciosos, y se mezclaron con las poesías de Machado que le fluían sin querer y que rememoraba con ternura.

Justo al lado se encontraba el famoso buzón metálico, pero con la cara de cristal para que se vieran las cartas que los amantes del poeta le dedicaban. Se preguntó quién sería el encargado de vaciarlo y qué haría con las cartas. ¿Las leía? ¿Se guardaban en algún sitio especial? ¿Alguien se encargaba de contestarlas como si fuera Machado? No lo creía. Nadie se atrevería a suplantarlo. Elisa lo debía de saber: se lo preguntaría. Se sentía bien. Agradeció que la fuerza interior que lo invadió al ver la casa del poeta lo hubiera llevado al cementerio. En vez de rezar padrenuestros, empezó a recitar las poesías que más le habían impactado a lo largo de aquellos años y que recordaba sin cometer ningún error; se santiguó y decidió que frecuentaría la tumba de Machado. Su ánimo se sentía enriquecido.

Volvió a la plaza, cogió las maletas y, como llevaban ruedas, las fue arrastrando sin ningún esfuerzo. Siguió por la pequeña avenida que daba al mar, al lado de la riera, paseando acompañado por cantidad de parasoles y mesas de varios restaurantes. Vio el letrero del hotel y le gustó: «Les Templiers». Las mesas del restaurante estaban prácticamente vacías. Debía de ser pronto para cenar ya que faltaba poco para las siete. Entró en el bar y la atmósfera le cautivó: unos contertulios jugaban a cartas y chillaban entre ellos en un francés que no logró descifrar del todo; sólo entendió alguna palabra suelta. Le gustó ver que la barra del bar era una barca transformada: la quilla era de madera oscura y ponía el nombre de «Collioure» y «Les Templiers» y en un extremo se encontraba el mascarón de proa, formado por una sirena que tenía a un hijo en los brazos. Nunca había visto a una sirena con su hijo. Las paredes estaban cubiertas de cuadros, las mesas y sillas eran de madera, y adosado a la pared se hallaba un banco corrido de piel de color granate. Bien, buen rollo. Se dirigió a la barra y preguntó quién era la persona que le podía ayudar para darle una habitación. Su francés no era perfecto pero creía que sería suficiente para hacerse entender. Se sorprendió cuando le contestaron en español y le dijeron que allí mismo, en un rincón, había una señorita que le atendería. Nunca había visto una recepción tan minúscula como aquélla. La señorita en cuestión no hablaba español, sólo lo entendía, pero hablaba catalán. Subieron por una escalera tan llena de cuadros que era imposible colocar uno más, por pequeño que fuera. Cuando llegaron al segundo piso comprobó que los cuadros seguían inundando las paredes. La habitación era sencilla pero agradable. La chica abrió la ventana del balcón para demostrarle que se veía el mar. Se quedó mirándola y le recitó una estrofa de una poesía de Machado. Ella se quedó extrañada y sonrió.

> *–Abre el balcón. La hora*
> *de una ilusión se acerca...*
> *La tarde se ha dormido*
> *y las campanas sueñan.*

Koldo dejó las maletas y se prestó a ir al puerto; para él era esencial. Salió del hotel y se encaminó con pasos rápidos hacia su mar. ¿Qué importaba que no fuera el suyo, en el que había navegado toda la vida? El mar era siempre el mar. Cuando llegó al puerto y vio la bahía se quedó con la boca abierta. Nunca había visto algo semejante. El campanario de la iglesia estaba en medio de la ensenada y las olas lo golpeaban. Las casas, en su mayoría pintadas de colores pastel, recibían la luz del sol, que ya se estaba poniendo, y lucían preciosas. Y las montañas, habitadas por un castillo que se alzaba imponente en lo más alto, presumían de aquella belleza, rendían su verdor y se postraban ufanas al sentirse acariciadas por el mar. ¡Dios! ¡Nadie más podía crear tanta hermosura! En el puerto, las barcas con vela latina se perfilaban como si fueran las artistas mostrando su bella estampa. A la derecha del puerto se erigía un castillo enorme sólo separado del mar por un pequeño camino por el que transitaban turistas y gente del pueblo. En el torreón, el viento jugueteaba con la bandera francesa y la catalana, juntándolas y demostrando que el pueblo se rendía al mestizaje franco-catalán.

Se sentó en una de aquellas terrazas, llenas de parasoles de todos los colores, y pidió que le sirvieran lo más típico. Se presentó un camarero con una copa de Banyuls y le dijo que era dulzón como el paisaje. No se equivocaba: era perfecto porque aquel vino dulce se tenía que beber a sorbos, muy despacio, para degustarlo como se saborea el panorama. Pensó que se podía quedar toda una vida mirando aquella vista increíble y que no se cansaría nunca. Se sentía impresionado y comprendió por qué Machado había elegido aquel lugar para acabar sus días. Puede ser que su retiro fuera por el exilio al que le obligó la guerra, pero cuando en su día descubrió la belleza de Colliure debió de valorar tanta poesía.

La tarde se ha dormido
y las campanas sueñan.

¿Cómo podía él, Koldo Iturriaga, haberse perdido el disfrute de aquellas sensaciones? ¿Por qué había postergado sentir el escalofrío que le recorría la espalda cuando contemplaba la belleza de ese pueblo? Comprendió, de pronto, por qué tantos pintores famosos habían recalado en aquel paraje. ¿Qué debían de pensar Picasso, Matisse, Dufy y tantos otros que habían pasado por aquel lugar? El sol caía lentamente y se escondía tras los tejados de aquellas casas de cuento. Respiró profundo y suspiró. No le extrañaba que Elisa hubiera escrito aquel libro lleno de sensibilidad. La noche se cernió sobre el lugar y decidió que mañana volvería a verlo. Se levantaría pronto para disfrutar del amanecer y comprobar, con el cambio de luz, la diferencia entre el Colliure que había contemplado al atardecer y el que le esperaba de buena mañana. «¡Ay, Antonio, tus poesías reviven en mí, más aun aquí, donde todo es hermosura!», exclamó Koldo.

> *Ante el pálido lienzo de la tarde,*
> *la iglesia, con sus torres afiladas*
> *y el ancho campanario, en cuyos huecos*
> *voltean suavemente las campanas,*
> *alta y sombría, surge.*
>
> *La estrella es una lágrima*
> *en el azul celeste.*
> *Bajo la estrella clara,*
> *flota, vellón disperso,*
> *una nube quimérica de plata.*

Le apetecía dar una vuelta por el pueblo, andar por aquellas pequeñas calles y preguntar dónde se encontraba su Elisa. «Koldo, cuidado, no te hagas ilusiones. Sería mejor ir de día. No sería correcto que me presentara al anochecer. Además, mañana es jueves, el día más propicio», pensó.

Se fue al hotel y cenó de maravilla: anchoas de Colliure y pescado al horno a la Pauline. Extrañado porque llamaran Pauline a ese plato, preguntó al camarero quién era o había sido la mujer que daba nombre al plato. El camarero, que hablaba con bastante corrección el castellano, sorprendido por la pregunta, le contestó que había sido la cocinera y mujer del propietario. «¿Entonces...?», preguntó Koldo, temiendo la respuesta que iba a oír. «Hace años que se murió. Si mira en el interior, encontrará su retrato, pintado por Picasso, que también pintó a sus hijos y nietos, que ahora regentan el hotel-restaurante», contestó el camarero con amabilidad. Aquella terraza era agradable. Se veía desfilar a cantidad de gente de diferentes capas sociales, turistas de múltiples nacionalidades y gentes del lugar, todos ellos mezclados. Dio una vuelta y se quedó durante algún rato en una plaza donde había un entarimado para una orquesta y donde los famosos plátanos volvían a estar presentes. Vio con simpatía que había un pequeño cine y se imaginó que los sillones debían de ser de madera y bastante incómodos. Se retiró pronto a la cama porque el peso de los kilómetros que había hecho le estaba pasando factura. «Mañana tengo que estar en plena forma.» Ése fue el último pensamiento que tuvo. Se encontraba tan cansado que cerró los ojos y, temiendo que el agotamiento le impidiera tener fuerzas para soñar, evocó un proverbio de Machado:

De toda la memoria sólo vale
el don preclaro de evocar los sueños.

Unos nudillos golpeando la puerta lo despertaron. Al insistir varias veces, se levantó de golpe y contestó:

–Sí, ¿quién es?

–*Bonjour, monsieur, six heures* –dijo una voz de mujer.

–*Merci. Je me reveille tout de suite.*

–*Comme vous voulez, monsieur.*

Koldo se desperezó y, en voz alta, recitó:

No el sol, sino la campana
cuando te despierta, es
lo mejor de la mañana.

La chica, que aún estaba en el umbral de la puerta, pensó que estaba loco y se escapó escaleras abajo. Koldo escuchó los pasos, que se alejaban trotando, y sonrió. Se levantó de un salto; se fue al cuarto de baño; se pasó la maquinilla de afeitar varias veces; se duchó; estrenó una de las camisas tejanas; se puso los *bluejeans,* con cierto apuro porque le venían prietos; la chupa de cuero y se perfumó. Se miró al espejo y consideró que no llegaba a aparentar los cincuenta. ¡Bien!

Cuando bajó al café aún no daban desayunos, por lo que se dirigió al puerto para disfrutar del amanecer. Era aún de noche y se sentó en un banco que se hallaba cerca de las barcas y que dominaba la bahía. Puso un carrete de fotos en la máquina y esperó a que se hiciera de día. Mientras tanto estuvo pensando en Mario. Si lo viera, ¿pensaría que estaba loco? Lo más probable. Él, que se consideraba un hombre sensato, estaba allí, esperando que se fraguara la amistad entre una escritora bella y joven con un fulano maduro, rumbo a los sesenta años y con pánico terrible de quedarse sólo y encerrado en un piso de Madrid. Absurdo.

Francamente, lo del piso en la capital lo encontraba descabellado. Pasara lo que pasare dejaría la fábrica y volvería a Bilbao. Viviría en Lekeitio y saldría en el *Machado* a navegar. Eso es lo que pensaba hasta ayer, pero ese día, después de haber reflexionado y visto ese paraje idílico, se veía a bordo del *Machado* navegando por esas aguas transparentes. ¿Le gustaría a su velero conocer ese lugar, como a él, y entablar amistad con otros peces? ¿Y el negocio? Tenía suficiente para vivir: durante aquellos años, había ahorrado y podría desenvolverse bien en Francia. De vez en cuando iría a Lekeitio y pasaría algunos meses en su casa: para algo la había construido de nuevo.

El amanecer fue rosado y el mar, en el horizonte, se tiñó de rojo. Tiró un carrete entero de fotografías y suspiró de placer. El aire no había decrecido de intensidad; por el contrario, aún se veían más crestas blancas en el mar: los famosos corderos, como les llamaba Patxi. Se sorprendió cuando oyó a dos pescadores discutir: «*C'est impossible de sortir aujourd'hui, il y a trop de moutons*». Sonrió y pensó que aunque los mares estuvieran separados, a las olas encrespadas, tanto Patxi como los pescadores franceses las llamaban por el mismo nombre. Si algún día traigo el *Machado*, se sentirá como en su propio mar; o sea, en su casa.

Volvió a Les Templiers para desayunar y se puso las botas: pan caliente, mantequilla, mermelada, cruasanes acabados de salir del horno y un café con leche servido en una taza enorme. ¡Qué bueno se encuentra todo cuando uno viaja! ¡Era la novedad, que se volvía capricho! Se dirigió a la chica que le había acompañado a la habitación, y que supuso que era la misma que lo había despertado por la mañana, y le preguntó dónde estaba la calle Bellevue.

–*Pardon, mademoiselle. Vous connaissez la rue Bellevue?*

–*Oui, bien sûr. C'est une petite rue derrière de l'église. Toutes les maisons donnent sur la mer, la vue est magnifique. C'est facile de trouver.*

–*Merci bien. Au revoir, mademoiselle.*

–*Au revoir, monsieur.*

Koldo no fue directamente a la casa de Elisa. Como había planeado el día anterior, quería conocer el pueblo. Además, era muy pronto y prefería ir a una hora prudencial. Se adentró por las callejuelas y disfrutó de lo que veía. Las casas eran de fábula y estaban pintadas con colores pálidos, generalmente rosas y ocres, al contrario que las puertas y los porticones de las ventanas, que tenían unos colores muy vivos, en los que predominaba el azul añil. Para acceder a las viviendas, en la mayor parte de ellas se encontraban unas pequeñas escaleras de piedra cubiertas con enredaderas de viña. Las calles no estaban asfaltadas, la pizarra era lo que predominaba, y en algunas habían utilizado adoquines, cantos o guijarros que formaban auténticos dibujos. Por el medio de la calle bajaba un canalón rojo que canalizaba el agua cuando llovía o que servía para desaguar cuando regaban la calle. Había enredaderas de viña por doquier trepando por las paredes, y los jazmines y demás flores se mezclaban perfumándolo todo con su fuerte fragancia. Koldo, embobado, se perdió por aquellas callejuelas subiendo y bajando pendientes y escaleras. Cada rincón le parecía nuevo e iba de descubrimiento en descubrimiento, fotografiándolo todo. La gente que encontraba iba de compras o venía de la panadería o de la librería con su *baguette* bajo el brazo y el periódico en la mano. Él procuraba saludarlos y ellos le dedicaban una sonrisa.

Koldo creyó que el momento de afrontar la entrevista con Elisa había llegado y le preguntó a un viejo dónde estaba la iglesia, porque se había perdido.

–*Bonjour, monsieur. L'église, si vous plait?*

–*¡Ah! Vous êtes perdu?*

–*Oui, monsieur.*

–*Vous descendez cette rue et vous y êtes. C'est petit Collioure. Vous êtes Catalan?*

–*Non, monsieur. Je suis Basque.*

–*C'est bien. Les Catalans et les Basques sont pareils. Ils veulent l'independance. C'est vrai?*

–*Oui.*

–*Nous aimerions être Catalans, mais Paris ne veut pas.*

–*Vous avez raison. Il se passe la même chose a Madrid.*

–*Au revoir.*

–*Au revoir.*

A Koldo se le iluminó la cara gracias a esa conversación tan agradable y, haciendo caso al viejo, bajó por la pendiente hasta que encontró la iglesia. Luego subió unas escaleras y vio el letrero. Allí estaba la calle. Fue subiendo y mirando por unas pequeñas oberturas que había en el muro y que permitían ver el mar. Cuando estuvo delante de la casa se quedó inmóvil. Le latía tan fuerte el corazón que pensaba que Elisa lo oiría y saldría a abrir la puerta sin necesidad de que él llamara al timbre. Había una parra que cubría la entrada y, además, había cantidad de plantas. La pequeña puerta era de madera y en el extremo superior estaban grabados dos caballos. Un original picaporte reclamaba que se lo usara. Supo, en aquel momento, que algo bueno tenía que ocurrir. La premonición era clara. Más aún cuando una viejecita salió por la puerta que estaba al lado, le sonrió y le hizo un gesto para que no se entretuviera, para que llamara a la puerta. Se sintió un caballero andante, suspiró y golpeó la aldaba contra la puerta, sin fijarse que estaba instalado un interfono. Al poco rato se oyó una voz femenina en francés:

–*C'est qui?*

–*Je suis* Koldo Iturriaga.

–Pasa, Koldo. Entra, sigue por el pasillo y espérame en el salón. Ahora voy.

A Koldo la voz le pareció maravillosa, muy dulce. Se abrió la puerta y avanzó por el pasillo hasta entrar en el salón. Era mucho más bonito de como lo había soñado. Las paredes estaban repletas de libros y también había muchos esparcidos por el suelo. Los muebles eran de buen gusto y había una mesa de cara a un gran ventanal; encima de ella se hallaba un ordenador, un diccionario y cantidad de folios escritos. Se acercó al mirador y pudo contemplar una vista magnífica. Se quedó abstraído mirando aquel mar enfurecido y perdió la noción del tiempo. Las olas batían furiosas contra unas rocas negras y al contemplar la espuma le dio la sensación de que el mar iba destapando botellas de champán. ¿Ese mar celebraba el encuentro entre él y Elisa? Se acordó de la poesía de Machado que escogió Mario para definir su estado de soledad. Esa poesía era el motivo por el cual estaba allí, esperando a aquella persona que no conocía y que deseaba que se enamorara de él:

Poned atención:
Un corazón solitario
no es un corazón.

Notó un carraspeo detrás de él, se volvió y vio a una chica joven, en una silla de ruedas, sonriendo y observándolo divertida.

La inquietud de Mario

Desde que Koldo se despidió, había pasado un mes y Mario no sabía nada: ninguna noticia. Durante la estancia en Roma, no lo echó de menos, pero desde que había vuelto sentía su ausencia: dos meses sin saber nada de él. Lo conocía bien gracias a aquellos meses en que se habían frecuentado prácticamente todos los jueves. Pero ese silencio no presagiaba nada bueno. Aunque también pensaba que quizá, por el contrario, todo iba de maravilla. Podría ser que quisiera darle una sorpresa y que fuera capaz de presentarse con una novia. En la última conversación que había mantenido con él, le pareció que le escondía algo, que no era lo suficientemente franco, y que no le había explicado completamente su plan. Algo le había cambiado y él se sentía responsable. «Seguramente, mi relación con Ángela le ha afectado, y el cambio producido en Soledad, le ha acabado de sumir en un terrible aislamiento. No puede ser que de la noche a la mañana decidiese dejar el trabajo y largarse por esos mundos de Dios. Iré al Ernani, pronto, antes de que tengan mucho trabajo y averiguaré si saben algo.» Memoró una cita de Machado que siempre se la decía su padre.

Confiamos
en que no será verdad
nada de lo que pensamos.

Con esos pensamientos llegó al restaurante, cabizbajo y preocupado. En el exterior, delante de la puerta, estaba Gaizka, sentado en una silla.

–Buenos días, Mario. Placer de verte.

–Lo mismo digo. ¿Qué haces aquí, fuera del restaurante? No es costumbre verte así, mano sobre mano.

–Siempre estoy dentro, en la sombra. Y hoy me he dicho que estaría bien tomar un poco el sol.

–¡Bravo! Cuidado con la calva, que se te pondrá roja.

–Txaro me ha puesto un poco de crema.

–Txaro te mima en demasía –dijo Mario, sonriendo.

–Sí, es verdad. ¿Cómo te ha ido en Roma?

–Muy bien. He comido pasta todos los días. Koldo se reiría de mí.

–¿Qué sabes de él?

–Nada. Por eso os he venido a ver.

–Pasa y conversemos.

Gaizka cogió del hombro a Mario y entraron en el establecimiento. Se fueron directos a la cocina a ver a Txaro. Ella lo estuvo besuqueando durante un buen rato.

–Déjalo ya, que lo gastas –le conminó Gaizka.

–Es mi chico y hacía dos meses que no lo veía –dijo Txaro, mientras abrazaba a Mario con todas sus fuerzas.

–¡Estás celoso! –repuso Mario, riendo.

–La verdad es que sí. Llega él y te lo empapuzas a besos –replicó Gaizka.

–No le hagas caso, Mario. Gaizka os extraña. ¿Qué sabes de tu padre?

–Nada. Se lo decía a Gaizka. He venido a comer, pero, todo sea dicho, he venido para saber algo de Koldo.

–Para tu tranquilidad te diré una frase que dice un profesor inglés que viene todos los sábados a comer cuando no recibe noticias de su novia, que vive en Londres: «*No news, good news»* –dijo Gaizka, alardeando de su poco inglés, con una pronunciación nefasta.

–Gracias, es lo que pienso yo también, pero es extraño que de un día al otro se cree este silencio. ¿No os parece?

–Yo lo veo normal. Quiere darte una sorpresa –sostuvo Txaro.

–Ya lo he pensado, pero no me cuadra. Decidme, ¿cómo lo visteis?

–Txaro, ¿se lo dices tú?

–Mira, Mario. Tu padre está detrás de una moza; eso es seguro. Se cambió de ropa; ha renovado su vestuario con una ropa mucho más moderna; se ha comprado una chupa de cuero y unos tejanos estrechos, zapatos anchos y camisas de colores. Y el peinado... Dile, Gaizka, cómo iba pelado.

–Como un soldado. Cabello muy corto y de punta. Eso sí, parecía mucho más joven. Txaro dijo que aparentaba unos diez años menos.

–¡Dios mío! ¡No es posible! –respondió Mario, llevándose las manos a la cabeza.

–Sí. La verdad, nos extrañó y dedujimos que había encontrado una chica joven y que, por esa causa, se había transformado en un *playboy* –argumentó Txaro, y preguntó súbitamente preocupada por su acento inglés–: ¿Lo he dicho bien?

–Muy bien –asintió Mario.

–¿Esas palabras te las mete en la cabeza el finolis? –pronunció Gaizka con voz socarrona.

–No te metas con Jean-Luc, que es mi ayudante y le quiero un montón. –Txaro siempre defendía a su cocinero de los ataques de Gaizka–. Él sí tiene sensibilidad; no como tú, que sólo sabes insultarle.

–No os enfadéis, por favor –les pidió Mario, al que no le interesaban demasiado las disputas entre Txaro y Gaizka, porque quería saber más de su padre–. O sea, que, según vosotros, ¿ya tenía una chica y además joven?

–Sí, yo diría que sí, pero aún no había salido con ella –aventuró Gaizka.

–¿Y tú cómo lo sabes? –preguntó Txaro, arqueando una ceja y mirando a Gaizka.

–Porque si hubiese salido con la chica, se le hubiese escapado algún comentario –profetizó Gaizka.

–Bien. Repasemos: conoce a una chica, le gusta y decide irse a pasar una temporada con ella a no sé dónde –intervino Mario.

–Más o menos –admitió Gaizka.

–¿Has averiguado si está en Lekeitio? –preguntó Txaro.

–No contestaba nadie –respondió Mario–. El otro día tuve una alegría porque alguien cogió el teléfono. Era la mujer que va a limpiar una vez a la semana y me dijo que no sabía nada de Koldo.

–¿Y en su casa? –observó Txaro–. Julita debe de saber algo. Ella fue quien le cambió el aspecto y le cortó el pelo.

–¿Quién es Julita? –preguntó Mario, que tenía que hacer verdaderos esfuerzos para asimilar tantas novedades sobre la vida de su padre.

–¿No lo sabes? –Gaizka no podía creerse que Koldo nunca hubiera mencionado a Julita–. Es la chica que cuida de tu padre. ¿Nunca te ha hablado de ella?

–No. No me ha explicado nada sobre dónde vive y quién está con él. Siempre ha sido muy reservado –aclaró Mario.

–Pues pregúntale. Ve a su casa e infórmate –razonó Gaizka.

–Nunca he ido a su escondrijo.

–¡No es posible! –exclamó Txaro.

–Lo que oís. –Txaro y Gaizka lo miraban como si no creyeran lo que les decía–. Koldo, por superstición y porque decía que éste era nuestro mundo, tenía la manía de que sólo nos viéramos aquí –se justificó Mario.

—¡Koldo está loco! No enseñar a su hijo dónde transcurre su vida, después de tantos meses encontrándose para comer y charlar, es algo inaudito —se escandalizó Txaro.

—Parece extraño, pero ha sido así. —Para Mario no era algo tan extraño. Desde el principio habían hablado de la vida de Koldo, pero, sobre todo, de su vida pasada. Además, habían circunscrito sus encuentros al Ernani, por lo que no se había planteado hacer una visita a la casa de Koldo—. Aunque cuando me llamó para despedirse, me hizo hincapié en que fuera a visitar su nido. Me sorprendió y aún no sé por qué me lo dijo.

—Yo creo que quiere jugar contigo. Eso es muy propio de Koldo. No me extrañaría que, para encontrarlo, quiera que resuelvas el rompecabezas —argumentó Gaizka.

—¿Eso creéis?

—Puede ser. Cuando no lee, le gusta hacer crucigramas para enriquecer su vocabulario, jeroglíficos para despertar su mente y rompecabezas para tener más rapidez de reflejos —apuntó Gaizka.

—Es curioso que vosotros sepáis más de mi padre que yo mismo.

—Yo creo que te ha hablado de su pasado, pero que ha olvidado contarte su presente.

Mario clavó la mirada en Gaizka pero veía a su padre hablándole en el Ernani, explicándole su vida, recitándole versos de Machado. Él creía que había llegado a conocer a su padre.

—Ahora me doy cuenta de que no sé nada de Koldo.

—Sí sabes, pero para él no era importante comentarte el día a día —explicó Txaro.

—Iré a su guarida e inspeccionaré. Ya os contaré —señaló Mario.

—Por favor. Estamos en ascuas —dijo Gaizka.

–Ahora siéntate y prepárate para degustar auténticos manjares del cielo –comentó Txaro.

–Así lo haré. Muchas gracias por vuestra ayuda.

–Siempre que quieras, ya lo sabes. Y no hace falta que vengas sólo los jueves –dijo Gaizka.

–Me lo dijo Koldo y así lo haré. Cada jueves vendré. A lo mejor llama aquí. –Mario estaba contento de poder seguir yendo los jueves al Ernani.

–Como tú quieras –dijo Txaro.

Mario se fue a sentar en la mesa de siempre y se quedó recordando los momentos pasados con Koldo. Le cogió morriña y se le escaparon varias lágrimas. Se quitó las gafas y, cuando las tuvo en la mano, le vino a la memoria el ritual que acostumbraba a realizar su padre. Cuando las miró al trasluz y las vio limpias, se puso el faldón de la camisa en su sitio, se las colocó bien en la nariz, pero ligeramente más bajas, como Koldo, y se le iluminó la cara.

–¡Uy! ¡Uy! Igualito que Koldo. De tal palo tal astilla –exclamó Gaizka, que venía con un plato humeante.

–No me importaría parecerme a él.

–Estoy de acuerdo. Tu padre es la hostia, pero es un puñetero en sus cosas.

–Tienes razón.

–Ahora olvida a Koldo por un momento y come estas nécoras, que están deliciosas.

–¿Sólo eso? –Mario esperaba un banquete más abundante y le extrañaba que no hubiera más delicias previstas en el menú.

–Y un besugo al horno que te chuparás los dedos. –Gaizka confirmó las expectativas de Mario.

–Bien, eso es otra cosa.

–¿Te has ido alguna vez con hambre de esta santa casa?

–Nunca.

–Ni te irás. ¿Qué tal esas nécoras?

—Muy ricas —dijo Mario, que ya había empezado a comer—. A mi madre le gustan mucho.

—¿Qué hace Soledad? ¿Cómo le va?

—Muy bien. Sus cartas son apasionantes. La vida en África la ha cambiado por completo. No la conocerías: de ser una pija madrileña, y que me perdone la expresión, se ha convertido en la Madre Teresa de Calcuta. Es feliz. Tiene un hombre que la adora y una niña adorable, negra como el betún y con unos dientes más blancos que esta servilleta —dijo Mario, cogiendo la servilleta y acercándosela a Gaizka.

—Koldo no me hizo caso y le propuso a Soledad que se reconciliaran para liarse otra vez. Claro, no funcionó.

—No creas, si no hubiera tenido a Richard, no sé lo que hubiese pasado. Ella aprecia mucho a mi padre y conserva muy buenos recuerdos del tiempo que pasaron juntos. Después de las buenas relaciones que mantuvimos Koldo y yo, la veía interesada y me preguntaba mucho por él.

—No te engañes, Mario. No había rescoldo.

—Lo sé, pero a veces...

—De ilusión también se vive.

—Me hubiera gustado. Ahora, ya ves: mi madre, en el quinto pino; y mi padre, detrás de una muchacha.

—Aún son jóvenes, no lo olvides. Pueden y tienen la obligación de rehacer su vida. ¿Te gustaba tu padre tal como estaba, tan solo?

—No. Yo le había dicho un centenar de veces que se echara novia.

—Pues ya lo ha hecho.

—Creo que yo he forzado la situación. Él cambió cuando vio a Ángela. A partir de ese momento, por mis circunstancias, se vio obligado a buscar a una mujer que le hiciera compañía. Me temo que por eso no me da noticias.

—No creo. Hay algo que desconocemos. Piensa que él es muy purista.

–¿Y?

–Algo maquina. Búscalo, porque a él le gusta jugar al gato y al ratón.

–Después de comer iré a su piso y trataré de ser un buen gato.

–Txaro me hace señas. Voy a buscar tu besugo.

Gaizka se fue rápidamente a la cocina y Mario estuvo calibrando lo que le habían dicho él y Txaro. Ellos lo conocían bien, mejor que él, y lo habían visto antes de que se fuera. ¿Dónde estaría? Hoy, que era jueves, ¿iría a comer a un restaurante y pensaría en él? Conociéndolo, seguro que sí.

El besugo estaba riquísimo y, durante el tiempo que dedicó en comerlo, se olvidó de su padre para concentrarse en los sabores y aromas del plato. Antes de irse, pasó por la cocina para felicitar a Gaizka y Txaro por la comida. Les dijo que no quería comer postre porque tenía prisa –aunque en realidad quería irse porque el restaurante estaba lleno y no quería darles más trabajo– y tuvo que negarse varias veces a las peticiones de Txaro para que probara alguno de sus dulces. Cuando hubo franqueado la puerta, decidió que se iba directo a la madriguera de su padre. Abrió la agenda para saber la dirección. Era curioso que tuviera que comprobarla y que no se acordara ni siquiera de en qué calle vivía. Era propio de una novela y, sabiendo que a Koldo le entusiasmaba ponerse en la piel de los personajes de los libros, asintió con la cabeza y sonrió.

Por unos momentos se quedó absorto mirando el edificio desde fuera. Era una casa antigua y los pisos debían de ser grandes y de techos altos. Entró y se fue a la portería. Antes de llamar al timbre, se abrió la puerta y apareció una señora de cara rechoncha, muy sonriente y con unas llaves en la mano.

–Hola, Mario.

–¿Me conoce? –preguntó Mario, sorprendido de que esa mujer que nunca había visto se dirigiera a él por su nombre.

–Claro –respondió Flora, como si fuera la cosa más normal del mundo–. Te vi en las fotos de graduación. Aquí tienes las llaves. Koldo dijo que vendrías y que te las diera y me pusiera a tus órdenes.

–Mi padre es un tunante.

–No digas eso del señor Koldo: él es maravilloso. Un poco distraído, pero eso forma parte de su carácter.

–¿Lo conoce bien?

–Mucho. Él y yo acostumbramos a charlar muchas veces. Cuando se siente solo, viene a echarse algún que otro parloteo.

–¿Puede decirme cómo estaba últimamente?

–Más joven, interesante, guapo y sonreía más a menudo. En los últimos días no leía como antes, se le veía más despistado, más pendiente de la gente. Antes no nos oía ni cuando entrábamos en el piso mi hija o yo. Últimamente era más feliz. Y había una mujer de por medio. De eso estoy segura.

–¿La vio usted?

–Llámame Flora. No, no la trajo nunca si es eso lo que quieres saber. Al menos ni yo ni Julita la vimos. Claro que de noche pudiera ser, pero creemos que no, porque a las mujeres les encanta dejar señales.

–Flora, ¿conoce a la chica que limpia en su casa y que se llama Julita?

–Es mi hija.

–¡Sopla! ¿Está arriba?

–Sí, está regando las plantas.

–¿Me permite?

–Claro.

–Muchas gracias.

Mario esperaba, con cara de pasmo, a que bajara el ascensor. La portera sabía que vendría y le conocía. Era increíble. Le había impresionado que saliera ya con las llaves en la mano. ¿Tendría razón Gaizka cuando apostaba a que Koldo quería jugar? Subió en el ascensor hasta la última planta y se dispuso a recibir más sorpresas.

Llamó al timbre porque no quería asustar a Julita y le abrió una chica pizpireta, con cara maliciosa y una sonrisa de oreja a oreja. Era muy guapa, pechugona, y tenía un buen culo; por un momento se le ocurrió que su padre bien podría haber tenido relaciones amorosas con ella. Luego supo que había pensado mal.

–Hola, señorito Iturriaga.

«Por lo visto, todo el mundo sabe mi nombre», pensó.

–Llámeme Mario, a secas, por favor.

–Pues tutéeme.

Julita tenía una voz sensual. Hablaba con educación, de manera formal, pero no distante.

–Bien, lo mismo digo.

–No sé si podré. Le tengo un gran respeto a tu padre –repuso con timidez.

–¿Puedo pasar?

–Perdón, claro. Sabía que subías porque mi madre me ha llamado por teléfono. ¿Quieres que te enseñe la casa?

–Si no te molesta, prefiero verla solo.

–¡Qué me va a molestar!

–Quisiera hacerte algunas preguntas.

–Pasamos a la cocina y allí procuraré ayudarte.

–Bien.

Julita avanzó por un pasillo muy largo y Mario la siguió. Las paredes estaban cubiertas de cuadros de barcos y veleros y había cantidad de vitrinas llenas de mapas antiguos, brújulas, compases marinos, diversidad de nudos marinos, ánforas y muchas caracolas. Todo se veía muy limpio: no había ni una mota de polvo. La cocina era muy amplia y se podía comer en ella. Tenía una gran campana y los muebles eran de madera gastada: se les veía la pátina. Todo reluciente. Se sentó en una de las sillas y comprobó que el asiento era de rafia y se aprestó a indagar.

–¿Qué quieres tomar? –preguntó Julita.

–Un café bien cargado.

–Como tu padre.

–Sí, creo que somos muy cafeteros.

–Bueno. Tú dirás. ¿Qué quieres saber?

–No soy chafardero. Mi padre es libre de hacer lo que quiera, pero resulta que hace dos meses que no sé nada de él.

–Ya.

–Explícate, por favor.

–Tu padre ha ido en busca de una chica mucho más joven que él. Y creo que sé el porqué.

–¿Por qué?

–Últimamente no era el mismo de antes. Hace unos meses, tu padre se ponía a leer en su biblioteca y olvidaba todo lo que pasaba en el mundo, pero desde tu graduación, y desde que recibió las cartas de tu madre, cambió. Parecía que apreciaba menos ese mundo que tenía y, en cambio, el que se abría por delante, el mundano, olvidado aposta durante mucho tiempo, le retornaba a ser atractivo.

–Hablas bien.

–Tu padre le dio dinero a mi madre para que me diera estudios. Yo no fui una buena estudiante y le fallé. A él no le supo mal. Recuerdo que le dijo a mi madre: «Déjela, ya sabrá desenvolverse en la vida. No se preocupe: es muy despabilada». Él vivía sus personajes; yo, a veces, le oía gritar y discutir con no sé quién, pero él sí que lo sabía. Hace cinco años que estoy aquí y él, el otro día, no se acordaba de cuánto tiempo llevaba trabajando para él. Durante este tiempo he pasado de puntillas para no molestarle y creo que lo he conseguido. Estoy contenta de ello, porque es lo que quería: que nadie le perturbara. Le dejaba la ropa en el armario y la comida hecha, menos los jueves, que se iba a comer contigo. Y esto no me lo dijo él, sino mi madre, que se lo contaba de vez en cuando.

–Unos jueves encantadores y una comida más sabrosa porque sus palabras eran tan densas que se masticaban.

–Así es él.

–Cuenta, por favor.

A Mario le encantaba que aquella voz tan dulce le hablara de su padre.

–De esta manera han transcurrido todos estos años, en los que la monotonía ha imperado en esta casa. Yo he leído mucho y él lo sabía. Cuando terminaba, me sentaba en el invernáculo y pasaban las horas sin darme cuenta. A veces veía que me miraba, asentía y dejaba que continuara. Él es muy comedido y no le gusta malgastar las palabras. En vez de recomendarme algún libro, acostumbra a dejármelos encima de esta mesa. –Julita había preparado café para los dos y se había sentado delante de Mario. De vez en cuando, dejaba de hablar y soplaba la humeante taza de café–. Siempre me han gustado los libros que me hace leer. Prefería que no me los llevara a casa, pero un día, en uno de ellos, había una nota que decía: «Veo que quieres los libros porque, el otro día, cuando les quitabas el polvo, lo hacías con mucho mimo, acariciándolos. Me emocioné y por eso dejo que te lo lleves, pero con una condición: una vez leído, lo devuelves a su sitio. Sabrás qué sitio es porque habrá un vacío y una señal roja donde lo he sacado. Los libros son parte de nuestro mundo y de nuestras vidas; no lo olvides».

–Increíble.

–Sí, lo es. Tu padre es un fuera serie.

–¿Y qué pasó?

–Este último año se le podía hablar. Estaba más abierto. Por eso cuando vino cargado de paquetes me extrañé y le solté que si eran las Navidades o algo por el estilo. Él se rió y me enseñó lo que se había comprado. ¡Una pasada! Evidentemente quería ligarse a alguna jovencita y se había agenciado un vestuario que no iba con su personalidad. Le aconsejé, puesto que había trabajado en una tienda masculina de modas como dependienta. Mi madre, cuando esto ocurrió, se lo dijo, pero, o no se percató o no se acordaba. Yo disimulé y obvié su olvido. Me dediqué a él: le dije que se pusiera en la ducha y lo trasquilé, como si fuera un militar... Pobre, pero el peinado que le hicieron era horrible y no se podía arreglar. Nos divertimos. Sí, señor.

–Es curioso ese cariño que te tenía.

–Mi madre me lo explicó. Él quería tener una hija con tu madre, se pirraba por las niñas, pero empezaron a distanciarse y no hubo lugar.

–No lo sabía.

–Mi padre le ayudaba con los libros. Era contable y tenía buena caligrafía. Eso le encantaba a tu padre. Líneas rectas, letra igualada; usaba pluma estilográfica para que tuviera el mismo grosor. Los dos eran virgo, muy meticulosos. Mi padre se ponía en la mesa del despacho e iba archivándolos en un libro: les ponía el *ex libris* del señor Koldo, el número de registro y, por orden de autores, los colocaba en las estanterías. No se oía ni una mosca. Un día, mi padre se puso enfermo y resultó que cuando le hicieron las revisiones le encontraron que tenía cáncer de páncreas. No hubo nada que hacer. Tu padre le llevó a los mejores médicos y nada.

–Lo siento.

–De eso hace ocho años. Trabajó con el señor Koldo dos años, pero para Koldo Iturriaga es como si hubiera trabajado toda la vida. Su entorno era tan íntimo, tan cerrado, que cualquier cosa que se saliera de lo común adquiría mucha importancia, a veces excesiva. Días antes de morir, mi padre lo llamó y tuvieron palabras sentidas. El deseo de mi padre era que yo adquiriera una carrera para desenvolverme bien en la vida. Le decía: «Hija de una portera y un contable: horrible. No hay porvenir para ella». Y el señor Koldo se lo prometió y cumplió.

–Hermoso. –Mario estaba emocionado por lo bien que se había portado su padre con Julita.

–Sí, lo es. Por eso, cuando creí que me necesitaba, le ayudé.

–¿Sabes quién es ella?

–No lo sé. Según él es un secreto.

–¿Dónde está?

–Se lo pregunté y mi madre hizo lo mismo, pero no nos lo dijo.

–Y ¿entonces?

–Él estaba muy ilusionado y muy nervioso.

–¿Por qué?

–Yo creo que no la conocía. No lo sé seguro, pero lo presiento.

–¡Dios! Es un lío.

La marcha de su padre estaba tomando carácter de enigma. Cada pregunta que hacía era el detonante para otro interrogante.

–No sufras, todo va estupendamente. Si no fuera bien, volvería con sus libros. Tenlo por seguro.

–Gracias, es un alivio escucharte.

–Sí, pero tardará.

–¿Por qué lo dices?

–Porque me dejó un cheque de mucho dinero.

–¿Y eso?

–Estábamos hablando de premoniciones y me preguntó si yo tenía alguna.

–¿Y qué le dijiste?

–Que había tenido una: montaba una librería.

–¿Y te dejó el dinero para montarla?

–Sí, y no sé qué hacer con tanto dinero. Esperaré para hablar con él.

–Si te lo ha dejado es para algo. Forma parte de la promesa que le hizo a tu padre.

–Me lo he figurado, pero me gustaría agradecérselo. Mi madre es de la misma opinión. Él no tiene ninguna obligación. Yo no sé cómo tengo que actuar. Me dejó junto al cheque una lista de editoriales y agentes literarios, con la intención de que me ayuden a montar la librería.

–Créeme. Tira adelante y cuando venga le enseñas la librería que soñaste.

–Se lo consultaré a mi madre. Gracias por decírmelo.

–Yo trabajaré por la mañana, y por las tardes vendré aquí para tratar de encontrar a mi padre. Sé que él lo está esperando.

–Si puedo ayudar...

–Seguro que sí. Ya te lo diré. Ahora, prefiero entrar en el *sancta sanctorum* solo. ¿Lo entiendes?

–Claro que sí.

–Me ha gustado mucho la conversación que hemos mantenido. Ha sido bonita.

–Ha sido preciosa porque tu padre es único. Hasta mañana.

–Hasta mañana, Julita.

Mario se fue a la habitación de Koldo y comprobó que era como la había imaginado, austera y con muchas fotografías por todas las paredes: Iziar, Aitor, Soledad, Patxi y el *Machado*. Este último era el verdadero protagonista. Fotos de la casa de Lekeitio, antes y después del incendio y enmarcadas ambas, una al lado de la otra. No se veía la diferencia: parecía que la casa se hubiera pintado de nuevo.

Soledad estaba en la mayor parte de las fotografías, muy guapa y con el cabello al viento. Mario se encontró en cuatro fotos: cuando tenía cuatro años, ocho, doce y en la graduación, junto a Ángela. Le hizo gracia ver una fotografía de Gaizka y Txaro de jóvenes, bastante más delgados y él con pelo. A Koldo se le veía bien en todas las fotos, era fotogénico, y siempre parecía feliz. Menos en una en la que le caían unos lagrimones. Debía de ser en el entierro de Aitor. A su lado estaban Soledad y Patxi y supuso que la otra persona debía de ser Txema. ¡Dios! Se parecían. ¿Cómo no se dio cuenta nadie? Sintió un escalofrío y se marchó del dormitorio.

Contó las habitaciones que había en aquel piso antiguo y se quedó asombrado. Dos cuartos de invitados, solamente. Cuando entró en la biblioteca, lo comprendió todo. Koldo debía de haber tirado los tabiques de muchas habitaciones. El techo lo debió de construir de nuevo ya que era más alto que el resto de la casa. Daba al terrado y se veía luz por los lados. El espacio era enorme y daba a un invernáculo totalmente cubierto, muy grande, lleno de plantas por todos los sitios. Naturalmente lo había cubierto para que el sol no diera directamente a los libros. ¿Cuántos tomos debía de tener? Encima de un fichero se hallaban los libros de registro. Abrió el último y pudo ver que estaba anotado el número diez mil ochocientos cincuenta y uno. Lo chocante era que el orden imperaba en aquella sala, que tenía unos doscientos metros cuadrados y un techo de seis metros. Había una pasarela que bordeaba todo el lugar y que permitía acceder a la segunda planta de estanterías. Cuatro escaleras daban paso a esa segunda planta. Ahora entendía cuando Koldo hablaba de su biblioteca.

Mario se quedó impresionado y se sentó en el sillón que estaba al lado del invernadero. Ése era el asiento en el que Koldo había leído tantos y tantos libros. Al lado se hallaba una simple mesita con las señales de los vasos, tazas calientes, cafeteras y demás acompañantes que había tenido en sus sesiones de lectura. Había, también, un mueble sobre el que reposaba un tocadiscos, un magnetófono con cintas de mucha duración grabadas para escuchar música durante largas horas, el archivador y, en medio de la estancia, una mesa de roble muy grande con dos sillas, colocada como un piano. Encima de ella se encontraba, como si fuera el capitán de todos los libros, el *Quijote*. ¿Por qué lo había dejado allí, solo, en mitad de la mesa? ¿Acaso para vigilar? Koldo era capaz de eso y mucho más. Su imaginación no tenía límites. Lo miró todo durante más de dos horas, hasta que se hizo de noche. Luego se marchó despacio y cerró la puerta. Mañana volvería e intentaría averiguar dónde se hallaba su padre.

En busca de Koldo

Mario llamó por teléfono al amigo de Koldo –el que buscaba gente joven para poder dominarla, según le había dicho su padre– porque había decidido trabajar por las mañanas. Habían quedado en que tendrían una entrevista y se encaminaba a ella no sin cierto resquemor porque se acordaba de las advertencias que le había hecho su padre. Pero otras preocupaciones ocupaban su cabeza. Después de darle vueltas y vueltas a la desaparición de Koldo, se había decidido: destinaría las tardes a buscarlo. Y ya había comenzado a seguir los pasos de su padre. Su primera pista era la biblioteca, en la que había transcurrido buena parte de la vida de Koldo. Estaba convencido de que en la biblioteca se encontraba la clave. Pero ¿realmente quería su padre que lo buscara? Quizá quería que lo dejaran tranquilo, romper con todo, incluso con él. Albergaba serias dudas y lo último que quería hacer era meter la pata. Si no se ponía en contacto con él era por algo y, conociéndolo, como virgo que era, le extrañaba que lo dejara en el aire, rodeado de aquel silencio que cada día que pasaba se volvía más insoportable. Veía descabellada la hipótesis de que quisiera jugar al gato y al ratón, como le había sugerido Gaizka. Pero, quién sabe, quizá surgirían otros argumentos que evidenciarían que, en efecto, le estaba poniendo a prueba.

Llegó a la fábrica de recambios de coche y se dirigió al mostrador que custodiaba la entrada a las oficinas. Una secretaria muy joven, con una falda muy corta que dejaba a la vista un ombligo grande y precioso, le preguntó, sin sacarse una piruleta de la boca, qué deseaba.

—Con el señor Enrique Pérez, por favor —respondió Mario.

—Está ocupado. ¿Tiene concertada entrevista? —La secretaria hablaba con la melodía aburrida de la gente que recita de memoria.

—Sí. Me llamo Mario Iturriaga.

—¡Ah, sí! Me ha dicho que lo recibirá enseguida —replicó ella, abandonando el papel de secretaria común.

—Gracias.

—¿Es hijo del señor Koldo?

—Sí, ¿por qué?

—Su padre es una bella persona. No sé cómo se puede entender con el jefe.

—Porque él tiene mucha paciencia.

—¿Puedo tutearte?

—Por descontado.

—Me llamo Victoria. ¿Vienes a venderle algo?

—No. Quiero trabajar aquí.

—¡Pobre! Paga muy bien, pero su carácter es insoportable. Nadie lo aguanta. Seguro que te coge. Ha despedido al encargado y a tres obreros en una semana.

—Mal me lo pintas.

—A mí no puede despedirme, vengo recomendada por uno de sus mejores clientes. Y conmigo está más suave que la seda. Ya se ha ido la visita; le diré que estás esperándole. —La secretaria accionó el interfono y carraspeó antes de decir—: El señor Mario Iturriaga está aquí. —Luego, en tono de confidencia y dirigiéndose a Mario, le dijo—: Pasa, Mario, y suerte.

Mario se ajustó el nudo de la corbata y se alisó el pelo. Era la primera vez que tenía una entrevista de trabajo y se encontraba bastante apurado. Victoria le guiñó un ojo y con el pulgar hacia arriba le deseó que fuera bien. Él se acordó de Patxi y pensó que todo iría de maravilla. ¿Por qué complicarse tanto la vida, cuando todo era tan sencillo? Entró en un despacho muy grande, de proporciones exageradas, con grandes ventanales que daban a la fábrica, y desde el que se veía a los obreros trabajar. Le extrañó que el señor Pérez se levantara y que le sonriera. Tenía buen porte, alto, con bigote, y le causó una buena impresión; por las advertencias que había recibido, se lo imaginaba bajo, rechoncho y con una gran calva.

–Siéntate. Deseaba conocerte. –Hablaba con seguridad, con ese punto de autoridad que tienen las personas que están acostumbradas a mandar y ser obedecidas–. Tu padre me telefoneó hace una semana y me avisó de que vendrías a verme. ¿Has llegado de Roma? ¿No es cierto?

–Sí, llegué hace tres días. Perdone, ¿mi padre llamó?

–Sí, ¿te extraña?

–No es eso, pero me gustaría saber desde dónde llamó. Tengo que darle un recado y no lo ubico.

–Creo que llamó desde Bilbao.

–Gracias, señor Pérez.

–De nada, muchacho. Tenía un humor excelente. Le pregunté a qué era debido su buen talante y me contestó que todo le iba como la seda. Me habló muy bien de ti y me dijo que eras un fuera serie. ¿Qué opinas de su dictamen?

–Que es exagerado. Hace dos meses que acabé la carrera y no he trabajado nunca.

–Me dijo que eres muy analítico. –El señor Pérez hablaba con la mirada clavada en Mario. Lo estaba estudiando, pesando, valorando con sus ojos de jefe habituado a decidir quién vale y quién no–. Necesito alguien como tú para que haga subir la producción. El escandallo de las piezas es más elevado cada día y los clientes pagan menos. Una proporción desastrosa.

–No puedo aconsejarle aún, porque desconozco su negocio –se justificó Mario, aunque rápidamente añadió–: pero a veces aumentando la calidad y perfilando nuevos diseños se consigue equilibrar el desfase.

–Bien, perfecto. Es lo que le dije al encargado y me dijo que estaba elucubrando tonterías. Lo puse de patitas en la calle. ¡Faltaría más!

–Si quiere puedo estudiar su problemática, pero sólo por las mañanas. Las tardes las invertiré en estudiar –mintió Mario.

–Vale. ¿Te dijo Koldo que soy muy quisquilloso?

–Me avisó de que usted era un hombre con genio y que le gustaba la puntualidad y la eficacia.

–Bien por Koldo. ¿No te dijo que soy odioso y que nadie me soporta?

–Sí, exactamente.

–Me gusta tu franqueza. Ponte a trabajar mañana mismo.

–Sí, señor.

–Bienvenido, Mario –dijo, mientras se estrechaban la mano.

–Gracias por la confianza. Hasta mañana, señor Pérez.

–Enrique, llámame así.

–De acuerdo, señor Enrique.

Salió del despacho contento. Creía que, para ser la primera vez, había obrado bien. Saludó a Victoria y le dio dos besos. Ella se alegró de que empezara a trabajar de inmediato. Cuando salió de la fábrica se detuvo a pensar en la llamada de su padre y se dio cuenta de que Koldo se acordaba de él y eso le gustó. Suspiró y se tranquilizó. No le ocurría nada y, según el señor Pérez, se encontraba de muy buen humor. Eran buenas noticias.

Se dirigió a casa de su padre y aparcó justo delante, a unos metros de la portería. Koldo se hubiera alegrado y le hubiese dicho que el destino le tenía reservado aquel lugar. Saludó a Flora, que estaba hablando con una vecina, y subió a pie porque estaban engrasando el ascensor. La puerta estaba abierta y no se extrañó al oír la voz de Julita, que lo llamaba desde la biblioteca.

–Hola, Julita –dijo mientras empujaba la puerta de la biblioteca, que estaba medio abierta–. Ya sé, tu madre te ha avisado de que subía.

–Sí. Siempre me avisa.

–Bien. He venido para intentar esclarecer este enigma. Hace sólo tres días, Koldo se hallaba en Bilbao.

–Estupendo.

–Fue una llamada, pero, según me ha dicho el propietario de la fábrica donde trabajaré por las mañanas, estaba pletórico.

–Te lo dije. Si estuviese mal, vendría a encerrarse en la biblioteca, como si fuera una tortuga y necesitase el caparazón.

«Esta Julita conoce más a mi padre que yo. Es casi como su médico de cabecera», pensó Mario.

–Bien. Manos a la obra.

–Te han llamado de una notaría de Madrid. Les dije que vendrías esta mañana y volverán a telefonear dentro de una hora. Era urgente.

–¿Una notaría? Esto me huele a una treta de Koldo.

–¿Tú crees?

–Sí. Ya lo verás. Ahora explícame cómo funciona la biblioteca.

–Es sencillo. Hay unos libros de registro porque a tu padre le gustaba tenerlos, pero en el ordenador están todos los libros ordenados por autor y por título de la obra. En él verás indicado dónde se encuentran: en qué estantería, estante y número de colocación, contando siempre por la izquierda. Por ejemplo, la *Odisea*, E-5/ est. 4/ nº 25; es decir, estantería 5, estante 4, contando por la izquierda, el tomo veinticinco. Como te habrás fijado, tanto las estanterías como los estantes están numerados con placas de porcelana que encontró mi padre en el Rastro. No encontrarás ni uno solo que esté mal colocado. Pare él era algo sagrado y, cuando leía un libro, ponía un cartón rojo que sobresalía. Yo le decía que por qué no lo consultaba en el ordenador y él se reía y me decía que las computadoras se podían equivocar. A mí me ponía el cartón rojo con mi nombre.

—Es un trabajo muy bien hecho.

Mario estaba impresionado. Julita conocía al dedillo los entresijos de la biblioteca de su padre.

—Mi padre le ayudó a encontrar un método que fuera infalible. El señor Koldo estaba orgulloso de ello. Ven, vamos a coger un libro cualquiera –dijo Julita, acercándose a la estantería más cercana, la que quedaba justo a su derecha–. Éste, *El nombre de la rosa*, de Umberto Eco. Abre la tapa, ¿qué ves?

Mario obedeció y vio una silueta que reconoció enseguida.

—El exlibris de mi padre, supongo.

—Exactamente. A él le entusiasmaba el *Quijote*. Lo encargó a un ilustrador y si te fijas está la figura de don Quijote, pero con la «K» de Koldo.

—Sí, ya lo veo.

—Tu padre es muy peculiar.

—Sí, he visto que ha dejado el *Quijote* encima de la mesa.

—Es el vigilante de la biblioteca. Siempre que sale de viaje lo deja de capitán. Una vez me dijo: «Yo soy tan supersticioso como Aitor, mi padre: creo en fantasmas. Don Quijote pondrá a todos los personajes en vereda, cada uno en su sitio, por si alguno se desmadra».

—Pero ¿por qué?

–Decía que, al igual que él, que adoptaba la personalidad de los personajes cuando leía un libro, ellos podían saltar de un libro a otro y cambiar la historia.

–Descabellado.

–No le busques una lógica. Con tu padre, todo es simple y monótono o disparatado e incluso absurdo.

–Trato de entenderlo, pero a veces me pierdo.

Mario forzaba el cuello para contemplar la inmensidad de la biblioteca. ¿Cuántas horas, días, semanas, meses había pasado su padre leyendo esos libros?

–Mira la primera página –dijo Julita–. Como verás está su firma, el día que lo leyó, el lugar y una reseña que indica si le ha llegado al alma, si está bien escrito, si ha entrado en la piel de los personajes, con cuál de ellos se ha sentido más identificado y si está bien explicada la historia.

–Fabuloso.

–Eso no es todo. Ve mirando entre las páginas y encontrarás anotaciones, cartas de embarque y si lo ha leído durante algún viaje. Piensa que él iba casi todas las semanas a Lekeitio. También puede haber alguna flor si cuando lo estaba leyendo se hallaba en el campo, fotos, recibos, tarjetas de algún restaurante, de alguien conocido, etcétera. Me he encontrado cosas extravagantes. Todo lo que se encuentra tiene que ver con los días que leyó el libro.

–Por lo que veo, se podría recomponer su vida a través de los libros.

–Sí. Pero necesitarías tu vida entera para recomponer los trazos de su existencia.

–Lo supongo.

–Un día, yo estaba en la cocina preparándole la comida y me llamó, muy agitado. Me asusté porque no estaba acostumbrada a que me gritara y fui corriendo. Estaba enloquecido y me dijo: «Fíjate, una historia maravillosa. Podría ser mi historia. Es un hombre que se muere y recomponen su vida gracias a las notas que hay en sus libros. Lo tienes que leer». Fue la primera vez que me aconsejó un libro de palabra, porque, generalmente, ni yo ni nadie existía para él, sobre todo cuando estaba leyendo.

–¿Lo leíste?

–Por descontado. Me gustó, pero creo que sería más apasionante la vida de Koldo Iturriaga.

–Mi padre insistió para que la escriba yo, porque él se siente demasiado implicado y podría darle al libro un punto de vista muy partidista.

–Puede ser que tenga razón.

–Julita –Mario cerró el libro de golpe y, sin poder disimular un rastro de preocupación y urgencia, dijo–: quiero encontrarlo. ¿Por dónde empiezo?

–Francamente, no lo sé –respondió Julita–. Yo te dejo, me voy a preparar algo de comer. ¿Te apetece pasta? Al señor Koldo no le gustaba nada.

–Me encanta –replicó Mario, que ya estaba pensando en que sería más que complicado dar con su padre. Estaba tan absorto que no oía que el teléfono reclamaba su atención–. Mi novia es italiana y he comido cada día pasta.

–Bien. Coge el teléfono; deben de ser los de la notaría.

–Vale –respondió Mario, despertando de sus cavilaciones.

Mario cogió el auricular y oyó la voz grave de un señor que le espetó de golpe:

–¿Mario Iturriaga?

–Sí, soy yo.

–Su padre nos dijo que nos pusiéramos en contacto con usted. Soy el secretario del notario y le conmino a que venga cuanto antes por un asunto de su interés. Es urgente.

–¿Mi padre les llamó?

–Sí, desde una notaría de Bilbao.

–¿Y cómo sabía que me encontraría aquí, en este teléfono?

–No lo sé. Nos dio dos números de teléfono, pero nos avisó de que lo más probable era que estuviera aquí.

–¿Cuándo quiere que vaya?

Mario estaba intrigado. Su padre era una caja de sorpresas.

–Lo antes posible. El señor notario estará esta tarde. Yo le aconsejo que no se demore.

–¿Puede avanzarme de qué se trata?

–No, señor. Por teléfono no es aconsejable.

–Bien –aceptó Mario–. Pasaré esta tarde a las seis.

–Es la notaría del señor Pedro Sánchez de Albornoz, calle Serrano 181, entresuelo. Hasta esta tarde, señor Iturriaga.

–Hasta la vista y gracias.

Cuando colgó el auricular se quedó durante un buen rato mirando el teléfono como si éste le pudiera decir algo más. ¿Cuál sería la sorpresa que le preparaba Koldo? No se lo podía imaginar. Se dirigió a la cocina y le contó la conversación a Julita, que estaba removiendo la pasta.

–¿Qué te parece? Tú que lo conoces mejor que yo, ¿me puedes ayudar?

Julita se limpió las manos con un trapo que llevaba en el hombro. Lo dejó bien doblado sobre la mesa antes de responder:

–Tu padre es imprevisible. Te contaré una historia que me ha explicado mi madre. Cuando compró este ático, vino con varios arquitectos y les explicó lo que quería: «Odio las bibliotecas oscuras, tenebrosas, donde los libros se vuelven seniles y las páginas se amarillean de tristeza. Sé que se volverán viejos y las páginas adquirirán un tono ocre, pero que lo hagan con alegría». Eligió a uno de ellos y le dijo que era necesario que la biblioteca fuese muy alta para que los libros respiraran, que hubiera un invernáculo lleno de plantas para que entrara mucha claridad pero sin que les diera la luz directamente. Pidió permiso a la comunidad de vecinos para utilizar el terrado y se lo denegaron. Fue a un notario e hizo un documento para cada uno de los propietarios de los pisos, en el que él se hacía cargo del gasto de la finca durante dos años. No hubo ni un no. Y ya lo ves, la biblioteca se alza dos metros sobre el terrado en discusión. Hasta que la obra no estuvo terminada, no trajo ni uno solo de los libros. Incluso dejó transcurrir un mes largo para que no quedara ni una mota del polvo que flotaba en el ambiente por culpa de las obras.

–¡Koldo es la hostia! –gritó Mario–. ¿Y el permiso del ayuntamiento?

–Todo el terrado está bordeado de árboles para que no se vea la construcción, que sobresale dos metros de la biblioteca. Hizo una maqueta a escala y se la llevó al arquitecto municipal. Éste le dijo que estaba muy bien, que con los árboles había escondido ese pegote arquitectónico. Y él le respondió que no era un pegote, que era una biblioteca, la torre del saber, y que la arboleda no la escondía, la revalorizaba. Y el del ayuntamiento le salió con que era una lástima, que con tanta planta tendría muchas moscas. «¡No desdeñe las moscas!», le dijo tu padre. Además le recitó una poesía sobre las moscas, de su maestro Machado, para que cambiara de opinión. Se la recitó delante de todos sus subalternos, que lo miraban como si se hubiera vuelto loco. A ver si me acuerdo... –Julita cerraba los ojos y buscaba, entre las poesías que le había recitado Koldo, la que hablaba de las moscas. Movía los labios como si estuviera ensayando con voz muda–. Sí, ya la tengo:

Inevitables golosas,
vosotras, moscas vulgares,
me evocáis todas las cosas.

Moscas de todas las horas,
de infancia y adolescencia,
de mi juventud dorada;
de esta segunda inocencia,
que da en no creer en nada,
de siempre... Moscas vulgares,
que de puro familiares
no tendréis digno cantor:
yo sé que os habéis posado
sobre el juguete encantado,
sobre el libro cerrado,
sobre la carta de amor,
sobre los párpados yertos
de los muertos.

Inevitables golosas,
que ni labráis como abejas,
ni brilláis cual mariposas;
pequeñitas, revoltosas,
vosotras, amigas viejas,
me evocáis todas las cosas.

—¡Bien por Koldo! Pero, Julita, ¿cómo te acuerdas de un poema tan largo?

—Bueno, no es para tanto —dijo Julita con falsa modestia. Por dentro estaba encantada de haber impresionado a Mario—. Me gusta cómo tu padre recita y, además, siempre he tenido buena memoria. Pues eso, cuando te metas en la biblioteca y empieces a ahondar en los libros, irás descubriendo la personalidad de Koldo.

—Bien, allá voy. Avísame cuando tengas la comida preparada.

—Sí, señor —dijo Julita, saludando al modo militar y sonriendo.

Mario volvió a la biblioteca y empezó a rebuscar en los cajones de la mesa. Las anotaciones eran curiosas y algunas hacían referencia a él:

«Esta poesía de Machado la siento muy dentro de mí cuando voy de Bilbao a Lekeitio, cuando navego o cuando veo a la gente»:

El viajero

He andado muchos caminos,
he abierto muchas veredas;
he navegado en cien mares
y atracado en cien riberas.

En todas partes he visto
caravanas de tristeza,
soberbios y melancólicos
borrachos de sombra negra,

y pedantones al paño
que miran, callan, y piensan
que saben, porque no beben
el vino de las tabernas.

Mala gente que camina
Y va apestando a tierra...

Y en todas partes he visto
gente que danzan o juegan,
cuando pueden, y laboran
sus cuatro palmos de tierra.

Nunca, si llegan a un sitio,
preguntan adónde llegan.
Cuando caminan, cabalgan
a lomos de mula vieja,

y no conocen la prisa
ni aun en los días de fiesta.
Donde hay vino, beben vivo;
donde no hay vino, agua fresca.

Son buenas gentes que viven,
laboran, pasan y sueñan,
y en un día como tantos
descansan bajo tierra.

Mario la encontró preciosa y la dejó a un lado para hacer una copia. Había un montón de ellas y, a cada una, Koldo le ponía un significado. Le satisfizo una que estaba sujeta con un clip a una fotografía en la que se veía a su padre y a Soledad besándose.

Aunque corra el tiempo.
La memoria no correrá.

Dejó para más adelante un montón de fotografías de él cuando era pequeño, de Aitor e Iziar en el puerto de Lekeitio, delante de la casa, y concentró su atención en una carpeta con una etiqueta de las de colegio pegada en un extremo, en la que ponía el nombre de «Mario». La abrió y vio que estaba el guión para escribir la historia de los Iturriaga, en tinta roja, y que ponía la data en que se lo había dado. Además, había fotos de ellos dos durante la fiesta de graduación; y una nota, cosida en una de ellas, le causó un impacto brutal. Era una fotografía –si no recordaba mal la había hecho Gaizka–, en la que se les veía a ellos dos rodeando a Ángela por la cintura y enseñando la lengua. La nota decía: «Ángela es demasiado guapa; no es buena pareja para Mario: sufriría demasiado viviendo con ella. Mario necesita otra clase de chica, más normal, más cariñosa, no tan segura de sí misma, más dúctil; más sencilla, en una palabra. Y estando lejos uno del otro será difícil que se mantengan fieles. Los hombres siempre van detrás de las mujeres como Ángela y a ellas les gusta». Se quedó petrificado porque durante los dos meses que pasó con Ángela en Roma, ella había salido con otros chicos de la universidad y él se había sentido mal, no sólo celoso, si no con un dolor físico, un no poder estar en su cuerpo. Cuando se despidieron le dio la impresión de que no existía la atracción del verano, de que esa fascinación se había evaporado, de que ya no era lo mismo. ¿Tendría razón Koldo? Él se sentía enamorado. Pero ¿ella sentía lo mismo por él? Oyó la voz de Julita, que lo llamaba desde el invernáculo. Dejó la carpeta y se dijo que la acabaría de mirar más tarde y fue a ver a Julita. Justo lo que necesitaba en ese momento; Julita estaba de pie al lado de una mesa preparada con cariño: mantel de algodón blanco, platos con borde dorado y copas de cristal, una botella de vino en una cubitera, y en las bandejas había tallarines al pesto y tres clases de ensaladas. Maravilloso. Un auténtico festín para compensar los males del alma a través del estómago. Todo parecía riquísimo y ella sonreía con dulzura. Se había puesto un traje negro con lunares blancos, se había recogido el pelo y estaba muy guapa.

–¡Dios mío!, Julita, ¿qué has hecho? Es... es... es fantástico.

–La comida. Y me he arreglado un poco. He ido a casa y me he cambiado. Me ha parecido más bonito comer aquí, entre todas estas plantas. ¡Es un lugar tan romántico!

–Es ideal, pero tú estás guapísima.

Mario no tuvo reparos en mirar de arriba a abajo a Julita.

–Gracias, pero no soy guapa. Resultona, puede que sí –dijo ella, haciendo un guiño coqueto.

Se sentaron y Julita le sirvió. De vez en cuando lo miraba y bajaba la vista al mantel. Mario respiró, suspiró y dijo:

–Estoy a las mil maravillas. Este rincón es muy agradable.

–Aquí le dejaba la comida al señor Koldo. Sólo tenía que calentársela si yo no estaba. Muchas veces le servía y él no se daba ni cuenta de que existía. Era curioso, yo me hubiera pirrado por comer con él, aquí, los dos solos.

–¿Y por qué no se lo dijiste? Koldo no tenía perjuicios.

–Lo sé, pero me daba corte. ¿Sabes una cosa?

–Dime.

–Yo he estado enamorada del señor Koldo. Era y es mi ídolo.

Julita había bajado la cabeza, como si hubiera hecho una travesura, y miraba a Mario forzando la mirada.

–¡Qué me dices!

–No se lo digas, me sentiría muy cohibida y se rompería algo que ha sido maravilloso.

–Prometido, no se lo diré. Cuenta.

A Mario le costaba creer que Julita se hubiera enamorado del letraherido y solitario de su padre.

–Me encantaba verlo. Cuando leía se transformaba y yo levantaba la vista del libro que estaba leyendo y lo miraba embobada. Si me dejaba un libro, lo leía con pasión, y como sabía que él se había puesto en el papel del protagonista, yo hacía lo mismo y me sentía la heroína y la amante.

–¡Qué fuerte!

–Sí. He soñado que estábamos los dos juntos un montón de veces. Y... –Julita interrumpió su confesión, más por acrecentar la emoción que por timidez.

–No seas tímida, Julita, di lo que piensas –le urgió Mario.

—Me da apuro. Es tu padre y le tengo un gran respeto.

—Me lo figuro.

—Cuando él no estaba, me desnudaba y me acostaba en su cama, me restregaba con las sábanas y soñaba que hacía el amor con él. ¡Es horrible! ¿Verdad?

—No. Me parece que es una prueba de amor. ¿Y Koldo no se dio cuenta de tus miradas y de que estabas loca por él?

—No. ¡Es tan distraído!

—¿Y qué pasó luego?

—Al no hacerme caso, incluso después de insinuarme un par de veces, me busqué un novio y me he ido olvidando de él. Lo he idealizado y ahora es algo muy etéreo. Aunque cuando le corté el pelo, él no se dio cuenta de que se le había abierto el batín y mostraba su sexo. Cuando lo vi, estuve a punto de echarme sobre él y decirle que no fuera a buscar a ninguna mujer, que me tenía a mí. Pero me abstuve. No sé por qué te cuento todas estas historias, pensarás que soy una buscona y no es eso. Pero tenía necesidad de explicárselo a alguien y tú me has venido que ni caído del cielo. Con estas charlas, he revivido aquellos momentos y además tú me haces pensar en él.

—¿Me parezco a Koldo?

—Sí. En muchas cosas eres igualito. Todo es igual.

Mario, casi sin darse cuenta, le cogió la mano y la miró a los ojos. Ella no bajó la mirada y se bebió de un trago la copa de vino. Mario hizo lo mismo; se levantaron, se abrazaron y se besaron. Primero fue un beso corto, leve, tímido; luego, se enzarzaron en apasionados abrazos y sus bocas no podían apartarse. Entonces, se miraron fijamente y se cogieron de la mano y fueron a la habitación de Koldo. Mientras se desnudaban se miraban sin pudor y se metieron entre las sábanas. Las sábanas de Koldo, donde ella se acostaba desnuda y se masturbaba. Los dos pensaban lo mismo y eso les excitó aún más. Hicieron el amor dulce y salvajemente; y luego, cansados, mirándose el uno al otro, como no creyendo lo que había sucedido, descansaron desnudos y cogidos de la mano.

–Cuando te vi por primera vez ya tuve el deseo de estar contigo –susurró Julita.

–Yo pensé que estabas liada con mi padre.

–Lo hubiera estado si él hubiera querido.

–Bueno, a veces uno no es capaz de reaccionar. Y lo que está buscando suele tenerlo muy cerca.

Estaban tumbados de lado. Sus caras estaban tan cerca que apenas susurrando ya se entendían.

–Me hace pensar en un libro que me dejó tu padre en la mesa de la cocina. Se llama *El alquimista*. ¿Lo has leído?

–Sí, tienes razón. Me gustó mucho.

–Cuando tenga la librería, me hartaré de leer y pondré los libros que me gusten en un atril con una frase que diga más o menos esto: «Libros leídos y recomendados por una lectora soñadora».

–Venderás la tira.

–Es curioso –dijo Julita, mirando al techo.

–¿Qué?

–Que estemos hablando tan tranquilos como si nada hubiera pasado.

–Yo estoy muy bien –dijo, con franqueza, Mario.

–Yo también. Es como si hubiera hecho el amor con los dos.

–Sí, él estaba aquí.

–¿Tienes remordimientos? –le preguntó de golpe Julita–. Yo no.

–Ni yo tampoco. Me siento bien porque ha sido natural.

–Tienes novia, ¿se lo dirás?

–No. ¿Y tú?

–Tampoco. Aunque cuando esté con él, pensaré en ti.

–Yo no lo sé. ¿Sabes?, tengo algunas dudas. Ya las tenía, pero una nota de Koldo respecto a Ángela me ha turbado mucho.

–¿Qué decía?

–Que era demasiado guapa y que no era la persona que necesitaba.

–¿Y tú que piensas?

–Que puede tener razón, pero eso ya se verá.

–Me gustas mucho, Mario.

Julita metía sus dedos en el cabello de Mario y le frotaba la cabeza con una pasión que era casi violenta.

–Es la primera vez que me llamas por mi nombre. Me hace recordar uno de los tantos proverbios de Machado que cuenta Koldo.

Dicen que el hombre no es hombre
mientras que no oye su nombre
de labios de una mujer.
Puede ser.

–Me encanta –dijo Julita, besándole en la frente, las mejillas, la boca–, lo encuentro fantástico y romántico. ¿Y yo te gusto? –Hablaba con un tono de fingida súplica. Mario sonreía y jugaba a hacer caminar sus dedos sobre los senos desnudos de ella.

–Mucho.

–¿De veras?

–Sí.

–Mientras no vuelva Koldo, podrías trasladarte a vivir aquí.

–¿Y me cuidarías como a él?

–Muchísimo más –se entusiasmó Julita–. Te prepararía la comida, haría la casa, leeríamos juntos, nos miraríamos de cuando en cuando, nuestros ojos hablarían y nuestros sexos harían el resto.

–Es la proposición más honesta, y deshonesta al mismo tiempo, que nunca me habían hecho.

–Viviremos juntos y seré tu amante.

–Ahora, iré al notario, me enteraré de lo que me prepara mi padre, y luego pasaré por casa, haré la maleta y vendré enseguida.

–Yo te prepararé la cena y luego nos acostaremos juntos.

Hablaban aceleradamente, casi atropellándose el uno al otro. Estaban tan entusiasmados con lo fácil que era cambiar sus vidas: sólo hacía falta desearlo para que fuera posible.

–¿Y tu madre?

–Lo comprenderá. Ella es un amor. El que no lo comprenderá es mi novio.

–¿Qué le dirás?

–La verdad. Que he decidido ser la amante de mi señorito.

–Pero...

–No tengas miedo. Nuestra relación no era muy boyante. Y no te estoy pidiendo relaciones ni compromisos.

–¿Tú crees que es pecado lo que hacemos?

–Sí, por descontado, pero es hermoso al mismo tiempo.

–Lo haremos hermoso.

–¿Y cuando hables con Ángela?

–No quiero pensar en ella en estos momentos. Ya veremos.

–¡Anda! Levántate, que llegarás tarde a la cita.

–Sí.

Se besaron largamente para que los labios recordaran y Mario dio un salto, se vistió y salió del cuarto a toda prisa.

–¿No te duchas?

–Quiero tener el olor de tu sexo en todo mi cuerpo.

–¿Qué dirá el notario si lo percibe? –dijo Julita, divertida.

–Que soy un chico con suerte. Hasta pronto.

–Hasta dentro de poco. Te deseo y aún no te has ido.

–Volveré con más pasión. Adiós.

Mario bajaba en el ascensor y no se podía creer lo que había ocurrido. Julita le gustaba, y mucho. La encontraba más mujer, más hembra. Se miró al espejo, se pasó la mano por el cabello desordenado, escrutó sus ojos y los encontró fulgurantes; se olió las manos y supo que Julita lo había hechizado y que él, conscientemente, se había dejado. ¡Dios! Se sentía excitado otra vez. ¡Eso era una locura! ¡Una adorable locura!

Entró en la notaría y preguntó por el secretario. Cuando éste salió a recibirle, Mario estuvo a punto de no poder reprimir la risa: era un individuo mucho más delgado que él, con una nariz muy grande en la que reposaban unos lentes de aumento, y que destacaba por sus grandes orejas. Era de cómic, un personaje de tebeo. El notario no le hizo esperar y lo atendió enseguida. Tampoco le iba a la zaga el secretario: gordinflón, calvo y con los pantalones más subidos de lo normal y sujetos por unos elásticos. Fumaba un puro y cuando Mario entró, lo apagó en el cenicero, se levantó y lo saludó exageradamente.

–Señor Iturriaga –dijo, abrazándole y palmeándole en la espalda.

–Sí, señor.

–Me alegro de verlo. Creía que no era tan joven. Siéntese.

–Usted dirá.

–Su padre fue a la notaría de Bilbao, donde tenemos una corresponsalía, y le ha dejado, prácticamente, todo lo que tiene. Sólo se ha quedado con la casa de Lekeitio y un velero. El resto es suyo.

–No lo entiendo. ¿Quiere decir que me lo deja en el testamento?

–No me ha entendido. Lo ha puesto todo a su nombre.

–¿A mi nombre? –Mario no se lo podía creer; era otra de las sorpresas de su padre.

–Exactamente.

–Pero ¿por qué?

–Desconocemos los motivos. A lo mejor en Bilbao le pueden dar alguna nueva y quizá tengan información suplementaria, pero a mí me han encargado que le diga que usted es propietario del piso, de las acciones de una fábrica de ordenadores, de acciones de Bolsa, de las cuentas bancarias; de todo lo que tiene en Madrid. La casa que tiene en Lekeitio, la cuenta que tiene en una entidad bancaria en dicho pueblo y un velero apodado *Machado*, todo ello, se lo deja en testamento.

–¡Dios mío! ¿Por qué? ¿Acaso no quiere volver?

–No lo sé.

–Se ha vuelto loco.

–No creo. Por lo que me han dicho, tenía un humor excelente.

–¿Hizo algún comentario? –Mario necesitaba agarrarse a algo para comprender por qué su padre actuaba de ese modo.

–Puede ser. Piense que el notario es amigo suyo de toda la vida y es fácil que se haya sincerado.

–Bien, gracias. No sé qué hacer.

–En estos asuntos no se puede hacer gran cosa. Pero al dejárselo en vida se ha ahorrado mucho dinero. Supongo que por eso lo habrá hecho.

–¿Sabe dónde está?

–No señor. Aquí le entrego todos los documentos que acreditan que es usted el nuevo propietario. Por cierto, he tenido que llamar al gerente de la fábrica y se lo he notificado. Se pondrá en contacto con usted.

–Ya. Supongo que mucha gente se pondría contenta, pero yo siento una gran tristeza –se sinceró Mario.

–No esté triste. Su padre le quiere. Y prueba evidente es el acto que ha realizado. Nadie se desprende en vida de lo que tiene. Él tendrá algo que sustituye los bienes materiales, y eso es bonito.

–Tengo celos de ese algo. No sé qué es, quién es, ni de qué se trata.

–Lo entiendo, pero esté tranquilo: su padre está bien.

–Le doy mis más expresivas gracias por sus palabras.

–Si me necesita para cualquier cosa, no dude en llamarme.

–Lo haré; se lo agradezco. Adiós.

–Le deseo suerte. Hasta la vista.

Mario se levantó como si fuera un sonámbulo y se marchó de aquel despacho repleto de carpetas y documentos. La carga que le ponía Koldo sobre sus espaldas era excesiva. ¿Por qué actuaba de aquel modo? ¿Por qué no le llamaba y le comunicaba, personalmente, que no quería nada que le recordara Madrid? ¿Cómo podía dejar su biblioteca, sus amados libros, la fábrica? No lo entendía. Tendría que desplazarse a Bilbao y a Lekeitio para intentar esclarecer no sólo el paradero de su padre, sino el motivo de que actuara así, de que huyera. Mañana iría a ver al señor Estivill y le preguntaría si le podía informar sobre la causa de las actuaciones del señor Koldo Iturriaga.

Llegó cargado con la maleta al piso de Koldo. Flora le abrió el ascensor, le dio dos besos y no le dijo nada. Se figuró que Julita ya le habría comunicado lo acontecido. ¿Qué querían decir aquellos besos? Suponía que estaba conforme, sino ni le hubiera mirado a la cara o se lo habría dicho, pero vio en sus ojos que había llorado. ¿Qué le podía decir él? La situación era muy delicada. Era preferible que se callara: ellas ya se lo habrían dicho todo. Julita lo estaba esperando en el rellano y lo abrazó cuando lo vio. Mario se sintió cohibido, pero la besó apasionadamente. Y entraron en el piso cogidos por la cintura.

–Te necesito más que nunca. Estoy totalmente perdido.

–¿Ha ocurrido alguna desgracia? –se alarmó Julita.

–No exactamente.

–¿Qué ha ocurrido?

–Koldo se ha vuelto loco y me lo ha dejado todo.

–¿Todo? ¿Qué quieres decir?

–El piso, las acciones de la fábrica, acciones de la Bolsa, el dinero de los bancos...

–No es posible –replicó Julita, apabullada por tanto dinero.

–De verdad, ha sido así. Aquí, en estas carpetas, están todos los contratos, acciones, cuentas bancarias...

–¿Por qué?

–No lo sé. Se supone que ha querido desprenderse de todo lo que no necesita.

–Es raro. ¿No te parece?

–Sí. Es muy rico. Hay mucho dinero en los bancos.

–Pon a varios detectives para que lo encuentren.

–Sería una falta de tacto. A mi padre eso no le gustaría.

–Tienes razón.

–Esa manera de actuar la habrá leído en algún libro.

–Puede ser, ¿pero cuál? Así sabríamos el próximo paso que dará.

–No lo sé.

–Voy a coger el teléfono, ¿no lo oyes?

–Perdón, no lo oía.

Julita cogió el auricular y le hizo gestos a Mario para que se pusiera al teléfono.

–Es el señor Estivill, el gerente de la empresa.

–Diga, señor Estivill.

–¿Ha ido a ver al notario? –El señor Estivill parecía llamar desde un entierro.

–Sí.

–Entonces, ¿está enterado?

–Sí, señor.

–¿Y qué piensa?

–No lo sé.

–Es una excentricidad –sentenció, y como Mario no decía nada, siguió con su diagnóstico–: Yo lo veía raro, últimamente, pero no creía que fuera capaz de cometer tal disparate. Me ha llamado hoy desde Lekeitio, pero yo estaba con un cliente y no me encontraba en el despacho. Cuando le he llamado ya no estaba en la casa. Ha actuado sin decirme nada; sin previa consulta, siquiera. Un horror. Se supone que tengo la culpa de lo que ha hecho porque lo llamé enajenado, por eso ha prescindido de mí. Veinte años con él y no se ha despedido.

–Cálmese, ya recibirá una carta explicándole los motivos.

–¿Usted cree?

–Seguro que sí. Ahora, debe de estar en plena euforia. Cuando se le pase, se pondrá en contacto con usted.

–Gracias. Le llamaba para decirle que me pongo a sus órdenes.

–Oiga, y perdone que le sea franco, todo es muy reciente y no sé qué pensar ni cómo actuaré. De momento, pretendo buscar a mi padre para que me explique por qué lo ha hecho. Mientras tanto, proceda como siempre. Según Koldo, usted dirige la empresa de maravillas.

–Gracias –se tranquilizó–. ¿Sabe que los americanos ya lo sabían? Los ha llamado antes que a mí. –El señor Estivill parecía más que molesto por no haber sido el primero en enterarse.

–Seguro que ha sido por el cambio de horario.

–No lo había pensado. Piense que me he quedado atónito.

–Me lo figuro. Tranquilícese, que no ha ocurrido nada.

–¡Llevo tantos años en esta fábrica! –se lamentaba como si hubiera sufrido un agravio por parte de Koldo, como si su honor hubiera resultado ultrajado.

–Y continuará llevándolos.

Mario había asumido que debía tranquilizar al señor Estivill.

–Su padre me había hablado muy bien de usted, pero se quedó corto.

–Pronto se aclarará todo y Koldo volverá y ocupará el lugar que le corresponde. Esto ha sido un desliz: la búsqueda de una segunda juventud.

–¿Vio el corte de pelo que llevaba?

–No. Me lo perdí. Me hubiera gustado verlo.

–¿Y cómo iba vestido? Él, que era tan circunspecto.

–Por eso ha querido romper con todo, ¿lo entiende? –dijo Mario, sin muchas esperanzas de que un hombre tan convencional como el señor Estivill pudiera entender que alguien con un buen trabajo fuera capaz de cambiar radicalmente de vida.

–No. Aquí se le quiere mucho. Pero ¿qué le digo a los clientes?

–Nada, que está de vacaciones.

Mario empezaba a estar un poco harto de las preocupaciones del señor Estivill.

–He llorado, ¿sabe?

–Eso le honra. Es bonito.

–Curioso, es usted quien me está calmando a mí –dijo el señor Estivill, en un momento de lucidez y calma.

–Porque se siente traicionado.

–Es la palabra justa: traición.

–Mañana iré a Bilbao y a Lekeitio, pero, cuando vuelva, iré a verlo.

–Gracias, señor Mario.

–Tutéeme, Estivill.

–Esas fueron las últimas palabras que me dijo después de tantos años: «Tutéeme, Estivill».

–Ahora le dejo. Mañana tengo que madrugar.

–Adiós, Mario, y muchísimas gracias por tu comprensión.

–Adiós, Estivill.

Mario colgó y suspiró. Julita, que estaba a su lado, lo besó y le dijo:

–La conversación te ha ido bien. Has contestado a cantidad de preguntas que te hacías tú mismo.

–Es cierto.

–¿Tienes hambre?

–En absoluto.

–Vamos a la cama. –Julita le hablaba casi al oído–. Necesitas que alguien te abrace y te llene de besos.

–Sí, me siento como si fuese un niño pequeño.

–Desnúdate y ven.

Julita lo abrazó, le hizo poner la cabeza entre sus pechos y empezó a acariciarle el pelo, la espalda y a darle besos en la mano. Mario se sintió bien y suspiró.

–Habla, vacía tus pensamientos, te sentirás liberado –le sugirió Julita.

–¿Cómo ha ido con tu madre?

Mario, entre sus preocupaciones, contaba con la relación que había iniciado con Julita.

–Bien. Aunque le ha costado comprenderlo. Ella está chapada a la antigua y no puede entender lo nuestro. –Cuando dijo «lo nuestro», hizo una pausa teatral y miró con lujuria a Mario–. Pero se avino a que lo hiciera con mi novio porque le dije, y eso es cierto, que tenía la intención de casarme con él, pero cuando supo, por mi boca, que deseaba ser sólo tu amante, se puso a llorar. «Tienes sólo veinticinco años y te veo tan niña», me dijo. Y yo le dije que tengo cuerpo de mujer y que me gustas tú porque me haces pensar en el señor Koldo. Cuando oyó esto se escandalizó y me insultó: «Dios mío, pensar eso. Yo ya sabía que te gustaba el señor, pero no pensaba que acabarías en brazos de su hijo. Te comportas como una lagarta». Le contesté que tenía razón pero que no me arrepentía y que ojalá lo nuestro durara una eternidad. «Si estás en pecado, irás al infierno», me dijo ella. Y ¿sabes qué le respondí?, que sería un bonito y agradable infierno. Entonces, ella se santiguó y se fue llorando. Al cabo de media hora, vino a mi habitación y me encontró haciendo la maleta. Me dio dos besos, sonrió de mala gana y, con un rictus de tristeza, me deseó que fuera feliz.

—Es una buena mujer. —Mario acariciaba el pelo de Julita—. Es comprensible que no lo entienda. Ni yo sé lo que estamos haciendo. Me gusta y me siento en el paraíso, pero me asusta un poco.

—Hemos sentido la necesidad de entregarnos el uno al otro y yo creo que eso no es malo. Esta casa nos liga, tu padre nos ata, los libros nos unen y nuestros cuerpos se benefician de todos estos lazos —concluyó Julita—. ¿No te parece hermoso?

—Así planteado lo encuentro muy bonito.

—No hemos hecho ningún compromiso; nos amamos, justamente, porque nos sentimos libres —reflexionó—. Y ahora planteemos el problema que nos acucia. —Julita demostraba poseer un gran sentido práctico—. ¿Qué piensas de lo que ha hecho tu padre?

—Como le dije al señor Estivill, creo que Koldo tenía la necesidad de desprenderse de todo lo que le pesaba. Y cuando ha encontrado una persona que ha llenado su exis-

tencia, no ha dudado, ni por un sólo momento, en sacarse todo lastre de encima. En nuestras conversaciones ya había surgido este dilema y él fue claro en su exposición. Me dijo que lo dejaría todo para poder vivir con más intensidad una nueva vida, una nueva experiencia. Piensa que él es un novelero que se aferra a cualquier papel y ése le ha venido que ni pintado. Todos los que me han hablado de él han coincidido y me han dicho lo mismo: que está pletórico y muy feliz.

–¿Y después? Porque siempre hay un después.

–Koldo está muy seguro de sí mismo. Vive en las nubes, pero sabe lo que hace. Si le va mal, puede rehacerse y nosotros le ayudaremos.

–¿Nosotros?

–Sí. Estaremos a su lado.

–¿No te importaría que me acostara con él?

–No, en absoluto.

–Podríamos vivir los tres juntos y yo sería vuestra amante.

–Un día discutimos sobre los triángulos amorosos y él me dijo que nunca puede funcionar. Pero yo viviría con Ángela y tú con él.

–Bien, pero de vez en cuando te haría un hueco en mi cama.

–Y yo vendría a calentar tus sábanas.

–¿Tú crees que soy una puta?

–No. De momento no cobras.

–No lo había pensado. Ahora que eres rico, podrías darme unos cuantos billetes y ya está.

–Si quieres...

–No. Es broma. Aparte, sabes que soy una mujer rica, también. Mañana, aprovechando que te vas a Bilbao a buscar a tu padre, empezaré a buscar un local para montar la librería. Hay una esquina en la calle Claudio Coello, que sería fantástica. Me gustan las esquinas.

—Si buscas una esquina, en la calle Serrano con Goya traspasan un local.

—Será muy caro.

—Si quieres te puedo ayudar.

—Ahora siento que soy una cortesana.

—Ven aquí y gánate el traspaso.

Julita se le puso encima y bromeando lo llenó de besos. Él se dejaba hacer y pensaba que al día siguiente iría a Bilbao, luego a Lekeitio, encontraría a Koldo y le diría que volviera, que reanudaran otra vez las citas de cada jueves en el Ernani, que trabajarían los dos juntos en la fábrica, leerían en la biblioteca, escribirían la historia de los Iturriaga y Julita los cuidaría como sabía hacer. La compartirían, ¿por qué no? Se sintió muy excitado, se abandonó y perdió la noción del tiempo.

Mario, en Bilbao

Apenas se acordaba de Bilbao. «Tiene que haber cambiado mucho», pensaba mientras bajaba la escalinata del avión. Era un crío cuando iban a Lekeitio a navegar en el *Machado*. Cogió un taxi en el aeropuerto y le dio al taxista la dirección de la notaría. Yendo hacia la capital, llamó por teléfono para averiguar si se hallaba el notario. La secretaria le dijo que estaba a punto de llegar y Mario insistió en que era vital que se entrevistara con él para hacerle un sinfín de preguntas sobre Koldo Iturriaga. La secretaria parecía un poco reticente a los deseos de Mario, pero finalmente le respondió que, aunque tenía compromisos, le haría un hueco en su agenda.

Cuando llegó no le extrañó que se viera la ría desde la misma notaría. Era una casa vieja; en su interior había una escalera de madera gastada por los años, que crujía cuando se subían los peldaños. La secretaria lo hizo pasar a un despacho atiborrado de carpetas en tal precario equilibrio que daba la sensación de que un leve soplo de aire las haría caer. Se arremolinó en el asiento y contempló la ría. Él no podría trabajar en esas condiciones: siempre buscaría un barco con la mirada y se le iría el santo al cielo. Estuvo esperando una hora mientras cavilaba sobre lo que estaba ocurriendo: Koldo había huido de forma repentina, le había dejado casi todo lo que tenía y nadie era capaz de decirle dónde estaba. Vio a Koldo manejando los hilos de las marionetas; y las marionetas eran él, Julita, el notario... En pocos días habían pasado tantas cosas y su vida había quedado completamente trastocada. Estaba viviendo en la casa de Koldo, que ahora era suya, aunque no la sentía como tal, con Julita, que era una mujer adorable y pasional; había tenido que calmar a un desesperado señor Estivill; no había ido a trabajar en su primer día y cuando habló con el señor Pérez, su voz socarrona le hizo ver que poco podía esperar de su paciencia. Mal comienzo. Entró el notario y le pareció ver una réplica de Koldo. Se parecían muchísimo y tenían el mismo porte, salvo que éste iba mejor vestido. Seguramente le gustaría navegar, porque estaba tostado por el sol y sus manos no eran las de un oficinista que nunca ha probado el trabajo duro: estaban curtidas por el sol y el mar. La edad debía de ser más o menos la misma, unos cincuenta y cinco años, y por la foto que había encima de la mesa estaba casado y con dos hijos. Era una foto de hacía algunos años, porque se le veía más joven que al natural.

–Hola, Mario. –Le estrechó la mano y se sentó enfrente de él–. Supongo que has venido a recabar noticias sobre tu padre. ¿No es cierto?

–Exactamente. No sé nada de él desde hace dos meses y medio y estoy inquieto. Para postre, ayer me dieron la noticia de que me ha dejado casi todos sus bienes y, naturalmente, me siento un poco aturdido.

–Bien. Él y yo estudiamos juntos y hace años que nos conocemos. –Se reclinó en el asiento y continuó–: Me llamó desde la carretera, eso sí que lo sé, pero no me dijo dónde se encontraba. Cerca de la frontera, puede ser, porque había interferencias. Me dijo que preparase los papeles para dejártelo todo en vida. Como comprenderás, me sorprendió mucho y le dije que viniera para que habláramos.

–¿Y?

–Se presentó al cabo de dos días y cuando vi asomar su cabeza rapada por la puerta, por un momento no lo reconocí. Piensa que hacía cinco años que no nos veíamos. Parecía un chaval, aunque yo sé que tiene prácticamente mi edad. Se le veía risueño y daba la sensación de ser un muchacho que quiere cometer una barrabasada. Nos abrazamos y me contó sus propósitos. La primera pregunta que le hice es por qué. Él me respondió que quería dar otro rumbo a su vida porque sentía que la que llevaba era muy monótona, sin alicientes. Tenía que vivir y ahora sabía lo que quería. Había encontrado a la mujer de su vida. Me confesó que se pasaban horas y horas hablando y haciendo el amor. No les importaba nada más. Ella es escritora y, por lo que me contó, se entienden a las mil maravillas. Me dijo que se sentían actores de los libros que leían y que una vez él era Claudio, otra era Juan y después Pedro o Ramón; y que era caballero, truhán, pendenciero, monje, espadachín y siempre amante; y que ella era dulce, apasionada, mujer fatal, altiva, generosa, buena, mala y perversa. Así que me dijo que se había planteado por qué necesitaba todo lo que tenía y había llegado a la conclusión de que tú tienes una mujer guapísima que te comprende y te hace feliz y que su ex mujer está en África con sus negritos, por lo que quería vivir con lo justo; no necesitaba más. Me comentó que quería disfrutar de los momentos tan intensos que estaba viviendo y que luego Dios diría. Además, me avanzó que vendrías a verme y me pidió que te explicara lo que te acabo de contar. Me aseguró que lo comprenderías ya que habías insistido durante varios meses para que hiciera lo que ha hecho. No quería llamarte, porque pensaba que se dejaría persuadir y lo convencerías para que volviera.

Mario intentaba asimilar todo lo que acababa de oír. De algún modo era lógico, pero no se lo podía creer. Tenía la impresión de que todo era un montaje, un sueño, algo irreal, y que en cualquier momento estaría en el Ernani. Pero no, estaba en Bilbao, siguiendo la pista de su padre y escuchando cómo un notario le explicaba que Koldo había roto con todo y había decidido cambiar de vida.

–Todo lo que ha pasado es por mi culpa –acertó a decir Mario. Hablaba tan bajo que el notario tuvo que acercarse a la mesa para oírle mejor–. Es cierto que le comía el coco para que levantara el vuelo, pero... pero no me imaginaba todo lo que ocurriría. Pensaba que... que... no sé... que encontraría a una mujer y vendría a Madrid con ella y que en la comida de los jueves, en vez de nosotros dos, seríamos cuatro.

–¡Ay, Mario! Es difícil prever lo que pasará. Las buenas intenciones no bastan; generalmente, se complican y se vuelven incontrolables. Yo le aconsejé que se lo pensara, que tú podrías sentirte herido, como te está pasando ahora, pero él seguía en sus trece. Insistía en que te beneficiarías de los impuestos de sucesión y que tú le habías demostrado durante estos meses que eras todo un hombre, capaz de llevarlo todo mejor que él. Era bonito lo que decía y yo me sentí orgulloso al oír lo bien que hablaba de su hijo. Ojalá pudiera sentirme igual: mis hijos son unos tarambanas.

–Entonces ¿qué hago?

Mario se sentía perdido. Ahora no sabía si su padre quería que lo encontrara o si ya había llegado al final de la búsqueda.

–Él quiere que lo encuentres. Sabe que lo conseguirás. Cuando os veáis todo se arreglará y él tratará de convencerte y tú harás lo mismo. Me gustaría saber quién va a ganar. Por favor, no me dejéis en la higuera, quiero saber el final. Ya no es una novela romántica: se está transformando en una novela épica. ¿Quieres que te diga algo?

–Sí.

–No me ha sorprendido. Cuando íbamos al colegio, él ya soñaba con personajes noveleros y yo reía cuando me explicaba sus planes y se transformaba en cada uno de los protagonistas. Koldo Iturriaga, un actor imaginario, polivalente. Sí, señor.

–Gracias. Me ha ayudado mucho.

–Me alegro. Acércate a Lekeitio, allí tiene a su primera o segunda novia, vete a saber, su famoso *Machado*. Sigue su estela y lo encontrarás.

–Así lo haré. Repito, gracias.

–No se merecen. El ratón detrás del gato... Divertido, muy divertido.

Mario salió de la notaría con el corazón en un puño. Era evidente que Koldo había conseguido lo que pretendía. Lo encontraría y todo volvería a estar en su sitio.

Cogió un taxi y le dijo que lo llevara a Lekeitio. Tenía que ir rápido. Temía que Koldo se le escapara. Era muy huidizo: ya se lo había demostrado. Durante el trayecto empezó a hacer cábalas. No podía dejar de pensar en lo que había ocurrido, en lo que estaba sucediendo y en cómo acabaría la historia. Él deseaba casarse con Ángela, pero quería vivir con Julita. Lo quería todo; la cuadratura del círculo: la esposa y la amante. ¡Dios, qué lío! Ahora, con la distancia, podía diferenciar entre Julita y Ángela. Y lo tenía claro, tenía más puntos Julita porque se hallaba metida en el mundo de Koldo, porque pertenecía al universo de su padre, y este universo le atraía.

Cuando llegó a Lekeitio y el taxi lo dejó delante de la casa, el corazón le latió más fuerte y sintió que las palpitaciones le subían a la boca. Allí se erigía aquella casa que tanto significaba para Koldo. No le decepcionó, porque ya la había visto en fotografías, pero si no hubiese sido así, la hubiera encontrado más pequeña de lo que esperaba, más poca cosa. Pensó que la imaginación enriquece y agranda la mayor parte de las veces. Llamó a la puerta. Primero, presionando el timbre y luego golpeando fuertemente con los nudillos. No contestó nadie. Por un momento, se imaginó la casa cubierta de llamas y a los personajes de los libros gritando, desesperados, queriendo huir de la quema, para no convertirse en fantasmas. De repente, una voz femenina lo sacó de su ensoñación:

–Señor...

–Mario Iturriaga, para servirle –se presentó él, consciente de que su apellido lo haría fácilmente reconocible.

–Te pareces algo a tu padre. En el porte, aunque eres más delgado. Yo soy la mujer de Patxi; seguro que Koldo te habrá hablado de nosotros.

–Por descontado. –Mario estaba impresionado. Por fin conocía a una de las personas de las que tanto le había hablado su padre en el Ernani–. Me gustaba la forma de pensar de su marido y la carta que le escribió a Koldo es fantástica. Tengo en casa, en mi habitación, pegada a la pared con unas chinchetas, la copia que me dio mi padre.

–A Patxi le hubiera encantado saberlo. –Hablaba con cierta emoción triste y feliz, como si le doliera y gustara recordar a su marido–. Él era muy sencillo, pero al mismo tiempo muy sentido. El pobre se emocionaba por cualquier cosa. ¿Qué te trae por aquí? Si has venido a ver a Koldo, has llegado tarde, hace tres días partió en el *Machado*. Mi hijo puede saber más que yo porque lo acompañó a bordo ya que iba muy cargado.

–¿Sabe si iba con alguien más? –preguntó Mario, rápidamente.

–No, iba solo.

–Gracias. ¿Dónde está su hijo?

–Siempre está en el puerto, al igual que Patxi. Hace el mismo trabajo y así se siente unido a él. Se querían mucho. Ve a verlo, le gustará ayudarte.

–Gracias.

–Siempre nos tendrás para lo que desees. La familia Iturriaga está en nuestros corazones y en los del todo el pueblo.

–Adiós.

–Adiós, hijo.

Mario se dirigió al puerto. Cuando parecía que estaba a punto de saber adónde iba su padre, cuando estaba a punto de atraparlo, cuando alguien le daba noticias de él, se le escapaba, se le escurría entre los dedos. Se sentía como el burro que persigue, obstinado, la zanahoria. Pero por lo menos estaba tras su rastro. Una vez en el puerto, escrutó con la mirada los diferentes pontones y advirtió que al final de uno de ellos se hallaba un hombre de unos cincuenta años, con una gorra de marino, que hablaba con los pescadores de una barca. Se dirigió con paso rápido hacia él.

–¿Eres Yuli, el hijo de Patxi?

–Sí, el mismo. Y tú eres Mario, el hijo de Koldo.

–¿Cómo lo sabes?

–Me enseñó una foto tuya el otro día cuando lo acompañé a bordo. –Yuli era un hombre fuerte, fornido por el duro trabajo del mar. Miraba directamente a los ojos, sin timidez ni vergüenza, como si estuviera mirando el horizonte.

–Perdona, ¿a santo de qué?

–Me la enseñó para decirme que vendrías a buscarlo.

–¿Y?

–Zarpó hace tres días.

–¿Sabes adónde?

–Hacia Francia. Le ayudé a llevar los bártulos, comida, latas, pertrechos. Por lo visto iba a hacer una larga travesía.

–¿Se le veía preocupado?

–Al contrario, reía por los codos y estaba de broma. Hablamos de Patxi y me dijo que lo acompañara. Ojalá hubiera podido ir, pero me debo a mi puerto; a mi padre no le hubiera gustado que me fuera. Mi puesto está aquí.

–Ya, lo comprendo. ¿Cómo puedo enterarme de la ruta que ha tomado?

–En la Comandancia de Marina de Bilbao. Ellos te indicarán las escalas que ha hecho y los puertos donde ha dormido, salvo si ha anclado en alguna cala. Incluso te pueden poner en comunicación con él.

–Gracias.

–Tranquilo, hombre, que no es nada. Si vienes algún día, podemos ir a pescar. La barca de Txema ahora es mía: me la ha dado. Patxi hubiese estado contento de tenerla, porque la construyó Aitor. Tengo arrendada la que me compró mi madre y no tiene los recuerdos ni el encanto de ésta.

–Es raro que Txema te la diera, porque le tenía una gran estima.

–No. Piensa que Patxi murió en esta barca y que Txema se ha ido a vivir a Bilbao. Muchos murmullos y rumores que no ha podido aguantar...

–Ya –comprendió Mario. No necesitaba que le explicaran los motivos de Txema para marcharse: él los conocía tan bien o mejor que Yuli y éste lo sabía y le miraba con complicidad.

–Que tengas suerte, que os encontréis con tu padre y que hagáis las paces.

–No estamos enfadados.

–Entonces ¿por qué os hostigáis?

–Es un juego –dijo Mario, que no quería dar mayores explicaciones; quizá porque ni él mismo estaba seguro de saber las verdaderas razones de la marcha de su padre.

–Con lo fácil que es el teléfono... –Yuli respetaba el secretismo de Mario.

–Tienes razón, pero a Koldo no le gustan las cosas fáciles.

–Mi padre decía que Koldo era muy novelero. Debe de pensar que es un pirata o algo parecido.

–Seguramente. Gracias por tus informaciones, Yuli.

–Estoy para eso. Abur.

Mario llegó a la Comandancia de Marina de Bilbao y habló con un hombre muy agradable que se mesaba continuamente una gran barba blanca y fumaba en pipa. Era el clásico capitán bueno de las películas de aventuras de las Indias Orientales. Le explicó la situación y le mintió porque le dijo que tenía que darle un recado importante a Koldo. No quería contarle la historia completa, porque seguramente no la entendería.

—Bien, caballerete. —Hablaba con tono bonachón, contento de poder ayudarle—. Vamos a ver dónde podemos ubicar a tu padre —dijo, mientras leía las hojas de registro—. Aquí está: el *Machado* durmió en el puerto de San Juan de Luz, ayer. Vamos a llamar al puerto; allí lo encontraremos. El comandante del puerto es un buen amigo mío. Habla español con un acento que me hace reír cada vez que abre la boca, porque estuvo muchos años en Cádiz y se le quedó el deje andaluz.

—*Monsieur Pilou?*

—*Oui, en moment. De la part de qui?*

—*Comandancia de Bilbao, à l'appareil.*

—¿Lobo de mar?

—Sí, ¿cómo estás, tortuga?

—Perfecto. ¿Qué quieres?

—Deseo saber si se encuentra en el puerto un velero apodado *Machado*. Al menos es lo que consta según el parte enviado por un tal Koldo Iturriaga.

—Ha estado fondeado esta noche, pero ayer el señor Iturriaga me pidió una grúa para sacarlo del agua y poder llevárselo por tierra; a las ocho de la mañana lo ha cargado en un remolque y se ha ido.

—¿Sabes adónde iba?

—No, no lo sé.

—¿El remolque era conocido?

—No me he fijado, pero creo que venía alguien a buscarlo

del sur de Francia. No lo podría asegurar, pero el acento era inconfundible. ¿Pasa algo?

–Su hijo quiere darle un aviso importante. Está aquí conmigo.

–Pues dile que su padre es muy generoso: ha ido repartiendo propinas a todo el mundo.

–Gracias, tortuga. *Au revoir.*

–Aquí me tienes para lo que gustes, lobo de mar.

El comandante encogió los hombros y echó una bocanada de humo de su pipa a la cara del pobre Mario, que frunció el entrecejo.

–Siento no ser de gran ayuda, pero ya lo has oído: parece que tu padre es muy escurridizo.

–Lo es –dijo Mario, que empezaba a resignarse a la frustración de que su padre se le escapara siempre en el último momento–. Él tiene las de ganar porque va por delante y es difícil por mi parte deducir sus movimientos.

–¿Qué piensas hacer?

–¿Hay algún método para saber dónde está?

–Tendrías que esperar a que mueva pieza, como en ajedrez, y eso lo hará en el momento que recale en un puerto. Entonces es posible que sepamos dónde se encuentra. Mientras tanto, a esperar.

–¿No puede informar a los puertos de las regiones del sur de Francia de que le avisen si fondea este velero?

–Sí, claro, pero esto cuesta un buen dinero. Piensa que la zona es muy grande.

–No se ofenda, tenga este sobre y mire si hay bastante.

–¡Por supuesto! –dijo, abriendo ligeramente el sobre.

–Quédeselo y avíseme en este teléfono. Yo regreso a Madrid hoy mismo.

–Si ancla en una bahía no lo sabremos.

–Haga lo que pueda.

–Adiós, muchacho.

—Adiós, lobo de mar.

Mario se marchó compungido hacia el aeropuerto, con la sensación de que había perdido el tiempo. Mañana volvería a la carga en la biblioteca. Ese mundo irreal de los libros y los personajes inventados era el mundo real de Koldo. No debía buscarlo en el mundo de los seres de carne y hueso, si no en el universo de sus lecturas. Ése era el lugar para averiguar dónde estaba Koldo. Pensó en la novela *El alquimista*, de Paulo Coelho, y se le iluminó la cara.

Siguiendo las pistas

Mario y Julita estaban sentados frente a frente y de vez en cuando bebían de unas tazas humeantes de café. Estaban abstraídos y reinaba un silencio incómodo. Fue Julita quien se atrevió a interrumpir aquella quietud:

—Tú crees que has perdido el tiempo yendo a Bilbao y yo no estoy de acuerdo contigo. El notario te dijo muchas cosas interesantes que concuerdan con las que ya conocíamos. Sabemos que está enamorado de una joven escritora francesa que vive en el sur de Francia y que se entienden a las mil maravillas; incluso juegan a actuar como los diferentes personajes de las novelas. Ha decidido prescindir de esta casa y del negocio. No te llama, porque tiene miedo a que le persuadas de que venga otra vez y reemprenda la vida monótona que llevaba. Fue a Lekeitio a coger lo único que le hacía falta: su querido *Machado*. Lo llevó por tierra para no dar la vuelta a toda la Península, por lo que el pueblo o la ciudad se encuentra entre Montecarlo y la frontera franco-española. Está feliz de la vida y lo está pasando bomba. Le divierte que lo estés buscando; eso es todo.

—Julita, querida, me siento descorazonado. —A Mario no le hacían efecto los ánimos y los argumentos de Julita. Sentía que había perdido el rastro de su padre—. Llevamos un mes encerrados en la biblioteca persiguiendo escritoras francesas o españolas que puedan estar en Francia y aún estamos hechos un lío. Creo que se nos escapa algo. Nos hemos perdido. Yo volvería al punto de salida: cuando yo me gradúo y Koldo descubre a una autora a través de algún libro y queda prendado de ella. Esto cuadra más con su personalidad.

—Hemos seguido todos los libros registrados en el último año y no hemos encontrado nada.

—¿Estás segura de que nada más comprar un libro lo registra de inmediato? —preguntó Mario, que barajaba la posibilidad de que su padre hubiera incumplido alguna de sus estrictas normas y manías y que por eso no estuvieran siguiendo la pista correcta.

—Completamente. No falla —aseguró Julita.

—Pues, esta vez, no lo ha hecho. Estoy convencido —Mario insistía. Su padre había dejado de registrar algún libro, ya sea intencionadamente o no, pero ahí estaba el principio del camino.

—No es su costumbre y piensa que tu padre es virgo, muy metódico. —A Julita no le cabía en la cabeza que el maniático y metódico Koldo hubiera quebrantado alguna de sus reglas.

—Fui a la librería a la que acostumbra a ir y no consta que hubiese comprado un libro distinto de los que están en el famoso registro.

—Normal. Él los inscribe al momento.

—Espera, ¿recibe libros de alguien? —preguntó Mario, al que se le acababa de iluminar la cara.

—Sí, algunas veces he visto paquetes encima de la mesa. Suele subírselos mi madre.

—Llama a tu madre y pregúntale si recibió algún envío.

—Bien, allá voy. Bajaré y aprovecharé para besarla y hacerle algunos mimos. Desde que me he marchado de casa y me he trasladado a vivir aquí, contigo, está bastante mosca y se siente abandonada.

—Perfecto. Yo miraré en el fichero de las facturas. ¿Tú sabes dónde lo tiene? —Mario intuía que había encontrado una pista buena.

–En la otra habitación. Él decía que las facturas no podían estar junto a los libros.

–Adelante. Manos a la obra.

Julita bajó a consultar a su madre y Mario se fue a examinar las facturas. Por el dinamismo de ambos, parecía que hubiera renacido la esperanza. Al poco rato, entró Julita en el apartamento, con las mejillas encendidas.

–Tienes razón, Mario. Mi madre le entregó un paquete al mismo tiempo que la correspondencia y está segura de que, en ella, se encontraban unas cartas de Soledad. Se fijó en los sellos, porque eran muy bonitos, y en la letra tan perfecta del sobre. Se acuerda de que cuando Koldo vio las cartas, abrió mucho los ojos y, con pretextos que no venían a cuento, se la sacó de encima.

–Bien. Tenemos una ligera pista. ¿Sabe quién le enviaba los libros?

–No, pero no era la primera vez que recibía un paquete parecido; mi madre se acordaba de haber visto el envoltorio otras veces.

–¡Bravo! –exclamó Mario.

–¿Y tú has encontrado algo entre las facturas?

–No. No hay facturas de libros.

–Mira en su libro de cheques. A lo mejor le enviaba un talón bancario.

–No. Ya lo comprobé hace una semana.

–Dentro de los libros hay facturas.

–¿Quieres volver a mirarlos? Están mareados de tanto que los hemos meneado.

–Espera, creo que el librero o quien sea no le hace factura, sino un simple albarán.

–¿Y dónde los guarda?

–Dentro de los libros, seguro.

–¿Y cómo los paga?

–Por carta a un banco. Mira la correspondencia.

Ambos se fueron a buscar el archivo y se lo llevaron a la biblioteca. Con dedos ansiosos buscaban entre los separadores del archivo, pero se llevaron una desilusión. Existían diversas cartas, pero no correspondían a envíos a bancos.

–¿Y si lo paga a través de Internet? –preguntó Mario.

–No, miré su correo electrónico y no había nada al respecto.

–Julita, ¿y si lo paga a través de la fábrica?

Mario no podía disimular cierta desesperación: ya no se le ocurrían más posibilidades.

–No acostumbraba a mezclar las cosas, pero telefonea a su secretaria; Marta, así se llama.

–Sí, algunas veces se ha puesto en contacto conmigo y nos caemos bien.

–Mucho mejor, porque cuando llamaba aquí era muy circunspecta.

Aún no había acabado Julita de hablar y Mario ya había cogido el teléfono para llamar a la fábrica. Apretó la tecla de «sin manos» para que Julita oyera la conversación. Tardaron un poco –a ellos les pareció una eternidad–, pero finalmente se puso la secretaria.

–Hola, ¿qué tal?

–¿Mario?, ¿eres tú?

–Sí.

–¿Qué sabes del señor Iturriaga?

–Que está perfectamente.

–Me alegro, porque me cae muy bien.

–Oye, Marta, ¿acostumbraba mi padre a darte alguna factura para que se la pagaras?

–Sí, pero no se lo digas al señor Estivill. Ya sabes cómo es.

–No te preocupes, no sabrá nada.

–Tu padre odiaba el papeleo y yo le hacía de secretaria. Casi todo iba a través del banco, pero las facturas que no eran usuales las pagaba a través de envíos por Internet directamente a la entidad bancaria. Era un trabajo fácil y tu padre se portaba muy bien y a mí me iba fantástico recibir un dinero de sobresueldo.

–¿Tienes un archivo?

–No. Él me mostraba el albarán o la factura y yo le enviaba el importe al banco como conformidad para que lo pagaran. ¿Tienes algún problema?

–Hay un librero que me reclama el importe de un envío y no sé si está pagado o no.

–Tengo una memoria excelente. La última factura sobre libros que pagué fue hace tres meses y algo y correspondía a Félix, un librero que le envía los libros que cree que al señor Koldo le pueden gustar y que le busca los que están agotados y las primeras ediciones.

–¿Me puedes dar el teléfono?

–¿Pero no se puso en contacto contigo?

–Sí, pero llamó cuando yo no estaba y habló con Julita.

–¿Y quién es Julita?

–La chica que cuida de mi padre en su casa.

–¡Ah, sí! He hablado algunas veces con ella. No me extraña, porque es un poco despistada, aunque tu padre le tiene un gran cariño. Dice que sin ella estaría muerto.

–Es verdad. Es excelente.

Mario le hizo un guiño a Julita.

–¿Te mando las coordenadas a tu casa?

–No. Envíamelas a casa de mi padre. He ido a pasar algunos días allí. Es sitio muy tranquilo para estudiar.

–Bien. Dentro de nada las recibirás. Tengo que mirar en el directorio telefónico de tu padre.

–Gracias. Muy agradecido.

–De nada. Y estoy contenta de que el señor Koldo te haya dejado las acciones; nos lo comunicó el señor Estivill. Tendrías que haberlo visto, porque puso una cara de vinagre que daba pena verlo. Supongo que vendrás a visitarnos, ¿no?

–Lo juro. Cuando haya resuelto algunos flecos de la carrera, vendré.

–Pensaba que ya te habías graduado.

–Sí, pero aún me quedaba un postgrado y estoy en ello –mintió Mario.

–Bien. Hasta pronto, Mario

–Hasta la vista, Marta.

Julita negaba con la cabeza y miraba, seria, a Mario. Éste la miró y le dijo de sopetón:

–Supongo que no te gusta que mienta.

–Exactamente. Le hubieses podido decir que estabas buscando a tu padre y punto. Pero le metes un rollo sobre el librero, que no te he dado el recado y que estás haciendo un postgrado.

–No quería explicarle que Koldo ha desaparecido –se justificó Mario–. Tal como es Estivill, organizaría un sarao.

–Tienes razón.

–Julita, me parece que tenemos la pista buena. Lo que ha dicho Marta coincide con el paquete que le entregó Flora.

–Aquí tienes la dirección y el teléfono de Félix –dijo Julita, que estaba comprobando en el ordenador–. Marta acaba de enviar un e-mail; no ha perdido el tiempo.

–Creo que iré a visitarle. Le sonsacaré con más facilidad si voy a verlo en persona. Tengo miedo de que se cierre en banda y no quiera facilitarme la información que necesitamos.

–Si llama Ángela, ¿qué quieres que le diga? Te prevengo de que hace dos semanas que telefonea y tú no le dices nada. Me da pena; esta chica lo está pasando mal.

–Ya lo sé, pero estoy inmerso en encontrar a Koldo y, ya ves, he dejado de ir a trabajar. –Mario quería justificarse más a sí mismo que convencer a Julita de sus argumentos. Se sentía fatal por tener tan abandonada a Ángela, pero no tenía ganas de hablar con ella y tampoco sabía qué decirle–. El señor Pérez ya no me llama, supongo que un día de éstos me va a decir que no hace falta que vaya, que estoy despedido.

–No te vayas por la tangente. Lo de Ángela es otra cosa. Te sientes culpable y por eso no das la cara.

–Supongo que tienes razón otra vez. En efecto, siento que no actúo bien.

–Te lo he dicho cantidad de veces –le recriminó Julita–. No tienes que sentirte atado por lo nuestro. Yo estoy muy bien contigo, pero, justamente, la libertad que tenemos y el no sentirnos obligados son la clave para que estemos mejor que nunca.

–Me gustas y cada día que pasa me siento mejor a tu lado –dijo Mario, besándola en la mejilla.

–Bien, eso es bueno, pero llama a Ángela. Ella no merece este trato. A mi novio le he dicho que era mejor que nos diéramos un tiempo para reflexionar y que no me apurara. Ya le llamaría cuando lo viera claro. Mario, se tiene que dar la cara.

–¡Vaya bronca!

–Mientras vas a ver al tal Félix, iré a cerrar el traspaso del local. La esquina es perfecta y tiene buen rollo; eso lo noto. Las editoriales están dispuestas a darme los libros en consignación. ¿Me ayudarás con la decoración? La quiero muy sencilla y las estanterías apenas se tienen que ver. Los libros son los protagonistas y por eso tiene que ser fácil hojearlos. Prefiero tener clientes que miren antes que tener clientes que compren. Y quiero un mostrador grande para poder dar información sobre los libros y quiero...

–Te pienso ayudar –le interrumpió Mario, cariñosamente–. No te preocupes.

Mario y Julita se besaron y bajaron juntos en el ascensor. En la portería, Flora los despidió. Ambos se marcharon en direcciones opuestas y se giraron para saludarse. Flora los miró y meneó la cabeza en señal de reprobación.

La librería era de las más antiguas de Madrid y se encontraba cerca de la Plaza Mayor. Le hizo gracia el sonido de la campanilla al entrar. En el interior había un orden dentro del desorden y los libros viejos estaban separados de los nuevos. Se encontraban varios clientes y lo curioso era que los jóvenes hojeaban los libros de segunda mano y dos personas mayores estaban interesadas en las últimas novedades. Mario pensó que debía de ser una cuestión de precio: la economía era lo que privaba a la juventud. Se fijó que sólo atendía un empleado y le preguntó por don Félix. El empleado le señaló que fuera al fondo de la librería, donde se hallaba una pequeña oficina. Cuando vio al dueño, se percató de que el librero hacía honor a su profesión. No podía dedicarse a otra cosa más que a los libros: pequeño, delgado, pelo recogido en una coleta, unas pequeñas gafas de media luna ajustadas en el extremo de la nariz y tez muy blanca.

–¿El señor Félix?

–Sí, soy yo –respondió, mirándolo por encima de las gafas.

–Me llamo Mario Iturriaga.

–Y es hijo del señor Koldo, ¿verdad?

–Sí.

–¿Qué hace su padre?

–Está bien. Muy ocupado.

–¿Ha vuelto?

–No, aún no.

–¡Caray!

–Sí, se ha cogido unas buenas vacaciones.

–Usted dirá.

–Hace unos cuatro meses usted le envió un pedido de libros. ¿Me equivoco?

–No, me acuerdo perfectamente de que le envié un encargo.

–Pasando la contabilidad se ha perdido la factura y desearía un duplicado. Me ha llamado su secretaria y me la ha pedido.

–No hay problema. Iturriaga, a ver... –Empezó a remover en un fichero–. Siéntese, por favor.

–Gracias.

–Aquí la tengo. Voy a hacerle una fotocopia.

–Muy amable.

Mientras el librero hacía la fotocopia, Mario se dedicaba a estudiar aquel extraño lugar. Los libros se apilaban en el suelo, sin orden aparente, y daba la impresión de que hacía años que no se hacía una limpieza a fondo.

–Tenga.

Mario la miró con atención y, cuando vio en el albarán que había un libro sobre Machado, escrito por una mujer, le dijo inmediatamente al librero:

–Éste era el libro que le gustó tanto a mi padre y por el que tanto se interesó. ¿No es cierto?

–Sí.

–¿Le dio la dirección de la escritora?

Mario empezaba a sentir la excitación de estar a punto de conseguir lo que quería, la clave que lo llevaría a su padre.

–No se lo puedo decir. Es una cuestión privada; perdóneme, pero su padre precisó que era una cuestión muy particular.

–Supongo que si se la pido, usted no me la dará.

–En efecto.

–¿Y si le dijera que tengo necesidad de hablar con él por una cuestión urgente?

—Me sabría mal, pero hace muchos años que trato con su padre y él no me ha autorizado a dar información.

—Lo entiendo y yo haría lo mismo, pero en este caso concreto le voy a ser muy franco. Tengo miedo de que le haya pasado algo. Hace cuatro meses que no sé nada de Koldo. Y no estamos enfadados ni trato de recriminarle nada. Simplemente, necesito hablar con él.

—Le comprendo, pero mi postura es difícil. Si él no se pone en contacto con usted, es que quiere vivir su vida sin que nadie le perturbe.

—Lo sé, pero estoy desesperado. —Mario intentaba abrir una brecha en la muralla de firmeza del librero—. Su casa, sus negocios y su dinero, todo, lo ha puesto a mi nombre. Sin más, sin decirme nada. Son actos que no son normales. Algo pasa y no sé lo que es. ¿Tiene otro ejemplar de este libro?

—Sí. ¡Juanito! —gritó Félix.

Juanito apareció en seguida y se cuadró ante su jefe.

—Dígame, señor Félix.

—Tráeme un tomo de *La tumba de Machado en Colliure.*

El empleado fue a buscarle el libro y vino con él en un periquete. Félix se lo dio a Mario y esperó su reacción. Mario abrió la solapa y se quedó mirando la foto durante un buen rato.

—¿Colliure está en el sur de Francia?

—Sí, creo que sí.

—¿Sabe dónde? No haga esa cara de asustado. No está contraviniendo aún ninguna norma. Podría mirarlo en el atlas que tiene mi padre.

—Cerca de la frontera, al lado de Port Vendres.

—¿Es donde murió Machado?

—Sí.

—Debe de ser un pueblo muy pequeño, ¿verdad?

En la cabeza de Mario empezaba a tomar forma un plan.

–Sí.

–Entonces, preguntando sería fácil encontrarlo; teniendo en cuenta que tiene su velero fondeado en el puerto o en la bahía.

–Supongo que sí.

–Por favor, ¿puede darme la dirección? –suplicó Mario–. No haga que me sienta más ridículo de lo que me siento: un hijo preguntando por todo el pueblo dónde vive su padre.

–Tiene razón, pero usted me comprenderá. La escritora vive en la rue Bellevue, número 14 –claudicó el librero.

–Gracias, Félix. No le diré a mi padre cómo he averiguado la dirección.

–Gracias, señor Mario.

–Compro el libro.

–Se lo regalo. He visto que estaba muy intranquilo y que sufría mucho. Que sirva para algo y que se encuentren pronto. Espero que no le pase nada malo.

–Yo también. Repito, infinitas gracias. Adiós.

–Adiós.

Mario se marchó de la librería con una sensación de triunfo pero de inquietud al mismo tiempo. La escritora era muy guapa, pero su mirada era preocupante. Se veía que era todo un carácter. Así que era ella; por fin le había puesto una cara, una mirada, al fantasma que tanto había perseguido, a la escritora que había motivado la marcha de su padre. Tenía que preparar el viaje enseguida. Mañana mismo iría a Colliure. ¿Qué haría Koldo cuando lo viera? Estaba seguro de que le diría que había tardado mucho en encontrarle y estaría contento. Tenía ganas de conocerla. Realmente, no había sido ninguna tontería: Koldo y ella debían de estar muy enamorados.

Julita lo estaba esperando con impaciencia y, cuando entró Mario, supo que, por fin, éste había encontrado a su padre. Suspiró, lo abrazó y lo llenó de besos.

–Lo tenemos –confirmó Mario, y le mostró el libro y la foto de la solapa–. Ésta es ella y vive en un pueblo, cerca de la frontera. El pueblo donde murió Machado. Todo encaja. Mira su foto y comprenderás el porqué.

–Una escritora que escribe sobre Machado... Y con esa cara y esa mirada... ¿Cuándo vas hacia allá? –Julita conocía muy bien a Koldo y sabía que por una mujer como ésa quedaba justificada su huida.

–Mañana mismo. Cogeré un avión hasta Barcelona y después alquilaré un coche.

–Te voy a preparar la maleta.

–Gracias, Julita. Estoy muy nervioso. Fíjate cómo tiemblo.

Mario le mostró las manos, que tiritaban como si estuviera muerto de frío.

–Yo también. No te preocupes, todo irá bien –le calmó Julita.

–Ya lo sé, pero llevamos meses detrás de Koldo y ahora siento que estoy haciendo algo malo.

–Él se alegrará de verte.

–Supongo que sí. Pero parece que vaya a fiscalizarle, cuando él es libre de hacer lo que le plazca.

–No vayas con resquemor. Koldo ha dado pruebas de que desea que lo encuentres.

–Más vale que sea así. Gracias por tranquilizarme.

–Sé que a lo mejor todo vuelve a ser como antes. –Julita se abrazó a Mario, en un abrazo que tenía más de deseo de retenerlo que de cariño–. Y lo nuestro se habrá acabado, pero yo he sido muy feliz contigo.

–Te lo digo ahora y pienso que no me equivoco: lo nuestro no se ha acabado. Creo, sinceramente, que sólo ha comenzado.

–No sé qué clase de amor es el que te profeso, Mario, pero sé que te quiero.

–Yo sí lo sé y te puedo decir que te quiero muchísimo. Cuando Koldo me cuente su aventura, yo le contaré lo nuestro.

–Gracias, Mario.

–Gracias a ti, Julita.

Mario se quedó pensativo y le vino a la memoria una frase que había oído a Koldo:

Hora de mi corazón
la hora de una esperanza
y una desesperación.

Al encuentro de Koldo

Mario llegó a Colliure y no quiso perder el tiempo visitando el pueblo. Tenía unas ganas imperiosas de ver a Koldo. Llevaba meses persiguiéndolo por Madrid, Bilbao, la biblioteca... Ahora no podía esperar ni unos minutos. Pasó por el puerto y miró la bahía para ver si divisaba el *Machado*. Había cantidad de veleros, pero, a primera vista, no logró verlo. Preguntó por la calle que le había dado Félix y, tras algún que otro tira y afloja, le indicaron que estaba frente a la iglesia. Apretó el paso, pero no dejó de admirar aquel lugar. No le extrañaba que su padre hubiese recalado allí: era maravilloso. Subió por la empinada calle y se quedó mirando la casa donde debía de estar su padre. Fuera, delante del portal, había una parra que daba sombra. Ahí debían de sentarse muchas veces por la noche para charlar y paliar el calor. No se lo pensó dos veces y llamó al timbre. Se encontraba nervioso y pensó en los consejos que le había dado Julita: «No te preocupes. Ve tranquilo, tu padre te espera y se alegrará de verte». Estuvo esperando durante cinco minutos y volvió a insistir. No estaban. Miró alrededor y se fijó en que, en la casa de al lado, había una escalera que daba acceso a la vivienda y pensó que era un buen sitio para esperarlos. Hacía un bochorno tremendo. «Seguro que se han ido con el *Machado* a dar una vuelta», se dijo. Si alguien le hubiera dicho que un día estaría en un pueblecito del sur de Francia esperando a que su padre volviera de pasear con su chica y que tendría el estómago revuelto, una desagradable sensación de ahogo, como si estuviera haciendo algo malo, no se lo hubiera creído. Incluso a él mismo le costaba creerlo ahora. De pronto, se abrió la puerta de la casa junto a la que estaba sentado y apareció una viejecita, sonriendo.

–*Pardon, vous êtes le fils de monsieur Koldo?*

–*Oui, c'est moi.*

–*Vôtre père m'a dit que vous viendrais un jour et qu' il faut que je vous donne les clés de la maison. Ça fait quelques jours que je vous attends.*

–*Merci, mais j'espere qu'ils viennent.*

–*Il ne faut pas. Entrez, entrez.*

–*Pardon?*

La viejecita ya no le quiso decir nada más, le dio las llaves y se encerró en su casa. Mario escudriñó la ventana de la vivienda de la anciana y presintió que lo estaba espiando a través de los visillos. Se dirigió a la puerta de la casa, metió la llave en la cerradura y, antes de abrir, suspiró. ¿Cómo había podido llegar a esta situación? Le daba la sensación de que era un vulgar ladrón. A pesar de los consejos de Julita, le costaba deshacerse de la impresión de que estaba haciendo algo malo. Entró con sigilo y encontró un pasillo, lo siguió y fue a parar a un salón en el que había un mirador acristalado que daba al mar. Allí, a apenas unos metros de la casa, las olas batían con furia y levantaban espuma. Notó que su corazón estaba más acelerado que de costumbre. El salón le pareció entrañable y sonrió al ver que las paredes estaban forradas de libros. «Es un lugar para escribir o para leer», pensó. El silencio era denso, pesado, y, como la balconera estaba cerrada, el ambiente era irrespirable. Abrió la ventana y entró una brisa agradable. Aquí es donde vivía su padre con la escritora; sólo tenía una foto de ella y nada más. Desconocía todo sobre aquella persona, que había embrujado a Koldo. Su padre lo había dejado todo por ella y él se había dedicado a seguir sus pasos hasta llegar a esa casa. Sólo tenía una foto de ella y la certeza de que debía de ser una persona muy especial. Por fin se había acabado el juego del gato y el ratón. Aquí, entre estas cuatro paredes, estaba la solución del jeroglífico que le había planteado su padre. Por un lado, confiaba en Koldo ya que le había dejado todas las acciones de un negocio que iba viento en popa y su casa, con su querida biblioteca, pero, en cambio, no le había contado aún, de viva palabra, sino sólo mediante terceras personas, por qué había desaparecido y cuáles habían sido las causas. Eso le hacía temer que algo hubiera ocurrido, algo que habría trastocado la vida de Koldo, algo que le habría hecho sacrificar su modus vivendi, sus costumbres, sus queridos libros y las citas que había tenido con él, cada jueves, durante tantos meses.

Se sentó delante del ventanal, decidido a esperarlos. En efecto, tenía celos de la tal Elisa. Ella había conseguido apartarlo de todo lo que rodeaba a Koldo. ¿Qué debía de tener esa mujer? Casi podría decirse que lo había secuestrado. ¿Dónde estaban? ¿Por qué Koldo le había dado las llaves a la anciana? Ella lo estaba esperando desde hacía algunos días y, por su cara, había quedado descansada, como si hubiera cumplido una promesa y se hubiera sentido liberada. ¡Dios! Continuaba el misterio y seguía intranquilo. Había dado con el paradero de su padre, pero todavía no tenía la solución del misterio. No sabía qué hacer y miró descuidadamente encima de la mesa. Los latidos se multiplicaron y se sintió mal, inquieto, al ver que había una carta dirigida a él y que la letra era de Koldo. Debajo de ella, se hallaba una libreta negra con una etiqueta que ponía: «El diario de los jueves». También había una caja de zapatos llena de misivas dirigidas a Machado con letra temblorosa e irregular y un gran envoltorio que ponía: «No lo abras hasta que hayas leído el diario».

Rasgó el sobre que contenía la carta dirigida a él, con cuidado, con un cortapapeles que estaba justo al lado, y se le escapó una leve sonrisa: su padre era tan detallista, tan metódico. Se arremolinó en el asiento y se prestó a leer la primera comunicación que tenía de Koldo desde hacía meses.

Querido Mario:

No sé si podrás perdonarme que te haya dejado en el olvido durante tantos meses y la angustia que habrás tenido durante todo este tiempo, pero creo que cuando hayas acabado de leer el particular diario que adjunto, entenderás todo lo que ha sucedido.

No sé cómo expresarte lo que has sido para mí durante estos meses en que nos hemos entrevistado los jueves. Has sido mi esperanza, la persona que me ha dado la fuerza necesaria para emprender un camino que creía no merecer; pero tu insistencia para que viviera, de verdad, la etapa apasionante que creías se podía abrir en mi vida, se ha cumplido. Desgraciadamente, tenía que realizarla solo, sin ti, pero te invito a participar en la historia más bella que podría sucederme.

Coge el diario y entra dentro de mi nueva vida. Verás que empieza en el jueves próximo a tu graduación y que irán desgranándose esos días tan especiales para nosotros. Piensa que estamos juntos en el Ernani y que, mientras saboreamos los platos deliciosos preparados por Txaro y Gaizka, yo te voy explicando la historia de los Iturriaga. Tú pensabas que la historia había terminado, pero la vida continúa y van ocurriendo cosas magníficas y deliciosas. Éste es el jugo de nuestra existencia y, por suerte, nunca se acaba. Algunas cosas ya las debes de saber por boca de otros, pero aunque sean repetitivas te las cuento porque creo que bien vale la pena ahondar en lo que ha ocurrido, con tal de que te sirva para valorar la razón de mis actos.

Te quiero muchísimo y siempre estaremos atados a nuestros sentimientos y a nuestras historias que nos han unido para el resto de nuestras vidas.

Koldo.

Mario estaba petrificado y emocionado. No quiso pensar nada, sólo le interesaba leer el diario y averiguar la verdad. Necesitaba beber algo, tenía la boca seca, y vio que la cocina estaba al lado. Abrió la nevera y cogió una botella fresca de agua, sacó un vaso de la alacena, se sirvió dos vasos de agua y se los bebió de golpe, con ansia. Luego, se sentó en el sillón que daba al ventanal. Acarició el diario con cariño, lo abrió y empezó a leer.

El diario de los jueves

Los jueves del 10 de abril al 10 de mayo:

Todo arranca el día de tu graduación...

Aquel día, como bien sabes, justamente no era jueves: era sábado. Yo tenía miedo de que algo ocurriera, de que se acabaran las citas de los jueves. Mi superstición o premonición, vete a saber, no iba errada. El destino es el que conduce nuestras vidas y, cuando incumples la tradición, rompes el encanto. En la mayoría de los cuentos que he leído así ocurre.

Conocí a Ángela y supe que nos distanciaría, porque con una mujer guapa de por medio es inevitable que algo ocurra. Así ha pasado durante toda la historia: las mujeres como Ángela han provocado guerras, asesinatos, querellas, celos y disputas. Arrugué la nariz cuando me dijiste que ibas a Roma para pasar dos meses con ella. Pensé: «He ahí el primer síntoma de nuestro alejamiento». ¿Por qué en el brindis hice una despedida y te pasé el relevo? No lo sé, pero sentí un impulso y ese impulso me forzó a hacerlo. Luego me marché a casa y Flora me dio las cartas de Soledad y un paquete de libros. Allí estaban dos pruebas más que me ponía el destino. Leí las cartas de tu madre y me alegré de que fuera tan feliz, pero, al mismo tiempo, comprendí que me había quedado aislado, solo, apartado de la gente que quería. Tú, en Roma; ella, en África; y yo, inmerso en un mundo creado por mí, pero que, en aquellos momentos, se me hacía correoso e insoportable.

Analicé seriamente lo que habías tratado de decirme durante aquellos meses que nos encontramos en el Ernani. Tú tratabas de comunicarme, con toda la buena fe que te caracteriza, que estaba cerrado a los sentimientos, ciego a las emociones. Yo, a lo largo de este tiempo, traté en vano de convencerte de que estaba lleno de ellos, pero tú insististe en que era un teórico, que sólo los empleaba leyendo libros, pero que me negaba a vivirlos. Tenías razón.

Aquel día todo estaba predestinado, la despedida que hice en el brindis, las cartas de Soledad y el paquete de libros que el buen librero Félix me enviaba de vez en cuando. Lo abrí y apareció un volumen que me excitó muchísimo. Lo escribía una mujer y versaba sobre la tumba de Machado. Lo leí una vez y, como lo encontré apasionante, lo releí. Era exactamente lo que hubiera escrito yo sobre el poeta, si supiera hacerlo. No me gustó únicamente porque estuviera bien escrito, o por el tema, sino que tenía la impresión, la certeza, de que alguien había escrito por mí el libro que yo tenía en la cabeza y el corazón sobre Machado, y eso resultó ser lo más importante. Fue algo impresionante. Me gustó, y no te rías de mí, pero te juro que empecé a enamorarme de la escritora. No era la obra de una académica distante, fría y analítica que habla de Machado como si hablara de ordenadores. Leyendo el libro podía ver, sentir, comprender a la escritora apasionada, como yo, por Machado. Ella estaba siempre presente en cada línea, en cada palabra, y me daba la sensación de que escribía el libro para mí mientras yo lo leía, como si yo fuera el único lector del mundo. No es extraño que lo volviera a leer y que me quedara mirando su fotografía y su electrizante mirada durante horas y horas. Recabé información, como bien debes de saber, para estar al corriente de su paradero, porque me era imperioso conocerla, era vital. Se había convertido en el único objetivo de mi vida. Tardaron dos angustiosas semanas en darme su dirección y me di cuenta de que durante ese tiempo me había enamorado totalmente de ella; supe que tenía una verdadera obsesión por conocerla. Aunque te cueste creerlo, aunque pienses que es una barbaridad que alguien se enamore de una persona sin conocerla, simplemente por leer un libro suyo. Pero piensa, Mario, que mi universo, hasta ese momento, eran los libros. Cuando recibí la carta con su dirección y la tuve en las manos, noté que me quemaba y supe que tenía que hacer lo imposible por ir a verla.

Entonces, empezó la odisea de mi viaje. Julita me ayudó muchísimo y la pobre trató de cambiar mi aspecto para que pareciera mucho más joven. Fui a la fábrica y me despedí del gerente; no me importó que me llamara enajenado (ésa fue, exactamente, la palabra que empleó). Me despedí de todo lo que me ataba a este mundo irreal que había creado: de mi biblioteca, de mis libros. Y, sí, me supo mal despedirme de Gaizka y Txaro, de Flora y de Julita, y, sobre todo, de ti. Estuve a punto de explicártelo todo, de decirte que iba a buscar la felicidad que me correspondía, pero no tuve ánimo para contártelo. Tenía miedo de que te sintieras res-

ponsable de mi marcha y, por qué no confesártelo, de que pensaras que era un viejales chocho.

Cuando llegué a Colliure y fui a visitar la casa donde murió Machado y su tumba, comprendí por qué el poeta y el destino habían escogido este idílico lugar, aunque el pobre Machado se sintiera forzado a huir por culpa de la guerra que sufría España. Me enamoré de este pueblo y de lo que significaba. Tú sabes lo que representa para mí Machado y más ahora que conozco el pueblo donde acabó sus días.

Supongo que tú también has apreciado este lugar de embrujo. Nada más llegar, sentí que despertaba de un sueño, que volvía a ser aquel chaval que paseaba y leía en el puerto de Lekeitio. ¡Tenía tantas emociones! ¡Tenía tanto miedo!

Entré en esta casa sin saber a quién me encontraría. Oí una voz que me guió a donde tú estás ahora y me quedé absorto viendo el mar y las olas que se estrellaban en las rocas. Escuché una tos detrás de mí y me giré. Y de repente allí estaba ella, con una sonrisa que me llenó de placer, pero algo se desmoronó en mí cuando vi que estaba sentada en una silla de ruedas. El impacto fue enorme. Era algo que no podía esperar. La saludé, la felicité por el libro y dije una serie de gilipolleces que ni siquiera recuerdo. La miraba y disimulaba tratando de no ver la silla de ruedas. Me despedí de una forma patosa y Elisa no dejó de sonreír nunca: parecía comprender lo que estaba ocurriendo.

Jueves 17 de mayo

Estuve durante dos días dando vueltas por Colliure, sentado frente a la bahía, mirando el mar y deduciendo qué tenía que hacer. Había ido allí con firme propósito y des-

pués de haberla visto, me habían asaltado un sinfín de dudas. No quería pensar que era a causa de la silla de ruedas, pero sí lo era. No podía engañarme ni puedo engañarte a ti. Había ensayado diversas formas de presentación y, de una manera divertida, le hubiese dicho que, gracias su libro, me había enamorado de ella. Suponía que ella, al escuchar esta locura, se reiría y que, entonces, ya se habría roto el hielo y nacería un diálogo simpático que abriría las puertas a una posible relación. Pero todo era distinto, mi actuación tenía que ser mucho más cuidadosa, no quería herir sus sentimientos. Además, me hacía varias preguntas: ¿era lo mismo que ella estuviera inválida? No, no era lo mismo, tenía que ser sincero y comprender que las circunstancias habían cambiado. ¿Cuántas veces había leído novelas en las que el personaje o la protagonista se encontraban inválidos? Y yo, Koldo Iturriaga, había jurado que, llegado el caso, no me importaría nada. Y resultaba que, tristemente, a la hora de la verdad, me arrugaba.

Era evidente que la estrategia del enamorado que se presenta a una dama como si fuera un caballero de la Edad Media se había esfumado y que se hacía necesario el diálogo de dos personas unidas por un vínculo que es, ni más ni menos, el mismísimo Machado. ¿Qué diría el maestro, de esas relaciones que había despertado él después de sesenta y un años? ¿Qué aconsejaría?

¿Por qué esperé dos días para volver a visitarla? No lo supe hasta que me lo dijo ella una semana después. Lo que sí es cierto es que me encaminé otra vez a su casa con el ánimo de conversar y conocernos. Y te juro que no tenía otro pensamiento en la cabeza; me había liberado de las demás dudas e inhibiciones durante aquellos días de incertidumbre. «No te sientas avergonzado de tus dudas, es normal que hayas cambiado de forma de pensar», me decía a mí mismo.

Ella me recibió con el mismo talante y no me dijo nada sobre los dos días que había pasado sin ir a verla; y eso que, en realidad, le había dicho que volvería el día siguiente. La conversación fue muy fluida y hablamos de la obra machadiana y de lo que había supuesto para nosotros su emblemática figura. Pasaron las horas sin que nos diéramos cuenta. Hasta que dieron las tres de la tarde. Cuando se fijó en la hora, se echó las manos a la cabeza y me pidió perdón.

A continuación, te relato el diálogo que sostuvimos, tal como lo recuerdo, porque me interesa que vayas conociendo a Elisa. Si no lo hiciera, caería en un monólogo aburrido y no quiero que este diario se te haga pesado:

–¿Tendrás hambre? Perdona, Koldo, pero se me ha ido el santo al cielo.

–No te preocupes, yo también estaba en el limbo.

–Eso se soluciona en un periquete. ¿Te gusta el cordero? Virginie, la chica que viene a ayudarme en la casa, me lo dejó preparado ayer; sólo se tiene que calentar.

–Me gusta mucho.

–Bien. Después, unos buenos quesos y tengo tarta tatín que me trajo el masajista, que se llama Pierre y viene todos los días. Es un amor y me cuida mucho. Él también me lleva de paseo. Se necesita un hombre que tenga fuerza para acarrear la silla de ruedas por esas calles con tanta pendiente.

–¿Te puedo ayudar en algo, a calentar el cordero, por ejemplo?

–Si no te importa, te agradecería que me echaras una mano. Pon la mesa, yo te iré guiando y será divertido. El mantel, los platos, los vasos y los cubiertos están en la alacena que tienes en la cocina. Ve abriendo puertas y cajones, tú mismo.

–A sus órdenes, jefa.

–Bien. Al lado de la entrada hay un armario, lo abres y verás que hay una pequeña bodega. Coge un chablis, hoy tenemos qué celebrar. No todos los días tengo la oportunidad de hablar con un entendido en Machado. Perdón, ¿te sientes cómodo?

–Me siento a las mil maravillas, Elisa.

–Estupendo. Yo también me siento bien y muy contenta.

–Me alegro, sinceramente.

–Perdona si se me cae algo o se me vierte la salsa; es lo que me acostumbra a pasar. Soy una calamidad. Aún no me he acostumbrado a estar atada a la silla de ruedas y me siento torpe.

Yo sentí una punzada en el pecho y quise quitarle importancia a su desgracia. Por lo que le dije, de una forma inocente:

–No creas, yo soy muy despistado y siempre tropiezo con todo. Por eso, en la biblioteca que tengo en Madrid, he dejado apenas cuatro muebles: la mesa, dos sillas, un sillón para leer, una mesita, un fichero y un tocadiscos. Los libros no me estorban, se encuentran todos en su sitio, como si fueran soldados.

–Gracias por quitarle importancia a este monstruo. Eres muy considerado. Me gusta que los libros sean soldados.

–¿Sabes quién es el capitán?

–Me lo figuro: el Quijote.

–Exactamente, tienes premio.

–No me lo digas dos veces, los premios yo los cobro.

Nos reímos y nos sentamos a la mesa. Brindamos a la salud del poeta porque gracias a él estábamos disfrutando de una buena charla y una comida excelente. La mirada de ella me perturbó y me recordó a la que vi en la foto del libro.

–Perdona, pero me has mirado igual que en la fotografía de tu libro. Profundizando y tratando de saber lo que pienso.

–Sí, eso me decía el fotógrafo que me la hizo. Y la captó en la instantánea. No es de extrañar, en aquella época éramos novios.

–¿Has vendido muchos libros?

–Algunos. No a todo el mundo le interesa Machado y menos su tumba, pero como recibí varios premios, eso hizo que lo comprara la gente que vive de la literatura o lectores como tú. En Francia se vendió más. Muchas personas vienen a visitar su tumba.

–Es un cementerio especial, porque está dentro del pueblo y eso hace que forme parte de todos sus habitantes.

–Sí, es bonito. Yo suelo ir a menudo, me relaja y él me ayuda.

–Yo he ido cada día y, cuando salgo, me siento otro.

–Hemos hablado de él y de su obra. Y tú ¿quién eres?

–Yo soy lo que no quería ser: un hombre de negocios en vez de un literato.

–Suele pasar. Sé que eres vasco, pero ¿de dónde? Yo conozco aquellos andurriales.

–De Lekeitio, un pueblo cerca de Bilbao.

–Lo conozco.

–Tengo una casa en el mismo puerto y un velero llamado, como es natural, Machado.

–Lo tuyo es una pasada.

–Más que eso: es una obsesión.

–¿Te gusta navegar?

–Me encanta. Es mi pasión, junto con la lectura.

–Un barco y un libro, buena combinación. A mí me gusta el mar, aunque haya nacido en Valladolid y haya estudiado y vivido en París.

–El mar es grandioso. Jamás cansa cuando lo miras. Desde aquí se pueden ver las olas batiendo sobre las rocas; siempre es lo mismo, pero, así y todo, puedes quedarte horas contemplándolo.

—Tienes razón. Por eso compré este apartamento y tengo muchos novios que lo quieren.

—¿Muchos novios?

—Me refiero a personas a las que les gusta y les encantaría vivir aquí. Colliure es algo especial. Cuando lo has visto te enamora y ya no puedes dejar de pensar en él. Vine aquí para escribir el libro y me alojé en Les Templiers, como tú. Después, ya en París, y al cabo de un año de soñar que vivía aquí, recalé un buen día en el hotel y pregunté por casas que se vendieran. Cuando salió esta oportunidad, no me lo pensé dos veces, dejé París y me instalé definitivamente en este lugar. No creo que nadie me arranque de aquí y me lleve a otro sitio.

—Estoy de acuerdo. Me gustaría tener mi velero para conocer estos mares y saber si yo les gusto. Para un marino es importante la reciprocidad.

—Por tus ojos chispeantes, he visto que Vizcaya es tu país.

—Lo es. Y el mar de allí es precioso, pero sólo llevo tres días en Colliure y acaricio la idea de quedarme.

—¡Uy! Si piensas así, es que te ha cogido muy fuerte.

—Yo soy muy novelero y me dejo arrastrar por las circunstancias. Leo un libro de piratas y soy Bocanegra. Si es de la Revolución francesa, puedo sentirme guillotinado o enarbolando en las trincheras la bandera francesa y gritando «La Marsellesa».

—Me haces reír. Me acuerdo de un profesor de literatura que decía que no nos sintiéramos los protagonistas de nuestras propias novelas, que escribiéramos como si fuéramos Dios para estar por encima de los problemas que puedan tener los personajes. Si, cuando estás escribiendo un libro, consideras que hace falta matar a alguien porque estás cansado de él o va bien para la historia para crear suspense, *hazlo sin contemplaciones. Nadie te priva de hacerlo, tú*

eres rey y señor de lo que ocurra en la trama, y los protago-
nistas, que se las saben todas y quieren ser los más impor-
tantes, no tienen que coartarte.

–¡Muy bien, me gusta! Yo soy todo lo contrario, por eso
no soy escritor. Me enfado con ellos, les contesto e, incluso,
me peleo. Julita, la chica que me adecenta la casa y me hace
la comida, se asustaba cuando oía voces y venía corriendo.
Ahora, ya no hace caso y me jalea aún más para que, si lo
creo conveniente, les pegue.

–Me gustaría verte por un agujero. Sería divertido.

–Es un mundo solitario, como yo.

–¿Te pesa la soledad?

–No me pesaba, pero desde que mi hijo se ha echado
novia y mi ex mujer se ha ido con los negritos a África, es
como una losa. Lo de negritos no lo digo de forma despec-
tiva, sino simpática.

–Lo he captado y me hace gracia. ¡Ay, la soledad! A mí
me ocurrió lo mismo cuando me quedé sin poder andar. Mi
novio me dejó y las amistades se han ido diluyendo. Se sien-
ten incómodos porque no saben qué decirme. Tienen miedo
de que recordar los viejos momentos me ponga triste;
obvian el futuro porque temen que me sienta deprimida y
sólo saben hablar del presente de una forma insustancial,
para que no me afecte. Un rollo, te lo juro. A veces, tengo
ganas de decirles: «¡Por favor, olvida la puta silla de rue-
das y habladme como a una persona normal! ¡Si hay algo
que me jode, ya os lo diré, mierda!».

–¿Te molesta hablar de lo que te ha ocurrido?

–En este caso, no. Cuando tienes que repetirlo varias
veces al día, te quedas harta. Piensa que soy novata en estas
lides de la parálisis. He llorado todo lo que tenía que llorar
y me he sentido la más desgraciada del mundo, hasta que
vine aquí y lo sustituí por otra clase de alicientes. Es una
cuestión de coco. Cuando comprendes que no está en tu

mano poder arreglarlo, por mucho que hagas, y que tienes que conformarte con lo que te viene, encoges los hombros y tratas de buscar otras fuentes de energía positiva que llenen tu vida. Claro que una se siente afectada, por descontado. Mentiría si dijese lo contrario. Tengo parálisis en los músculos y, un día de éstos, recibiré el diagnóstico sobre mi futuro. Creo que no será muy bueno. De momento, sólo me ha afectado a las piernas; luego, no sé...

–*Perdona, pero creía que si lo escupías te sentirías mejor. Eres muy fuerte.*

–*Por narices.*

–*El cordero estaba delicioso; los quesos y la tarta tatín, también.*

–*Nada de ello lo he hecho yo.*

–*Es igual. Estaba riquísimo.*

–*¿Sabes?, estoy escribiendo la vida de una paralítica. Lo que siente, los miedos que la envuelven y cómo rehace su vida mediante otros parámetros que va encontrando. Me sirve como terapia para mis inquietudes y, además, es parecida a la que reciben los alcohólicos anónimos.*

–*Lo encuentro interesante, aunque tú tienes talento para encauzar otro tipo de novelas. Eres muy analítica y perspicaz a la vez y se te ocurren metáforas preciosas. Yo veo lo que describes, lo toco, lo oigo y hasta lo huelo.*

–*Me halagas y eso no está bien. Me acostumbraré y no dejaré que vuelvas a Madrid.*

–*No tengo ganas de ir. He huido y pronto me buscarán.*

–*¿Por qué huyes, Koldo?*

–*Porque todos, tarde o temprano, huimos y buscamos algo que no nos aferre a este mundo de pantomima. Algo que nos haga soñar, que no sea viejo, cansado y monótono.*

–*¿Tú crees que aquí lo encontrarás, en este pueblo encantador?*

–*Todo es posible. Tú eres encantadora.*

–*Gracias por el cumplido. El buen vino siempre hace el mismo efecto: enturbia los sentidos y despierta apetencias olvidadas.*

–*Me marché de Madrid con el sano propósito de entablar conversaciones agradables contigo y sentirme relajado, libre de complejos y hablar sinceramente. ¡Cuesta tanto hablar y entenderse!*

–*Es verdad. Yo también me siento viva y quiero trasladarte sentimientos que florezcan en las grietas de las rocas.*

–*¿Ves?, acabas de decir una de tus muchas metáforas.*

–*Eres tú y el vino. ¿Qué haces mañana?*

–*Tengo una cita con Elisa para que me cuente lo bonito que es la vida cuando dos personas se complementan: la escritora y el lector.*

–*Tú ganas. Los lectores son los clientes de los escritores.*

–*De acuerdo, ¿pero qué leerían los lectores si no existieran escritores? ¿Qué es lo primero, el huevo o la gallina?*

–*Prefiero que no gane nadie, Koldo. Te espero mañana a la misma hora. Y cocinaré yo. Te haré una* boullabaise *muy rica. ¿Te gusta ver el amanecer oyendo música de piano? ¿Bach o Mozart?*

–*Me encanta, y, en este país, más. Me he levantado pronto cada día para verlo. Creo que le va mejor Bach.*

–*Trae una* baguette *y croissants* calientes. *Virginie viene pasadas las nueve. Es adorable y me cuida como si fuera una niña pequeña.*

–*Dalo por hecho. También traeré vino. Una botella de chablis blanco para acompañar el pescado.*

–*Que sean dos. Soy bastante borracha.*

Me levanté y le di un beso en cada una de las mejillas. Ella protestó alegando que en Francia la costumbre era dar tres y nos reímos los dos. Me acompañó y me despidió desde la puerta. Sabía que esperaba que me girara y, aposta, no lo hice hasta que me encontraba pendiente abajo. Ape-

nas la veía, pero me imaginé que sonreía. Yo aún notaba la presión del abrazo que me dio cuando la besé, un abrazo, Mario, que me encantó.

> Los ojos porque suspiras
> sábelo bien,
> los ojos en que te miras
> son ojos porque te ven.

Jueves 24 de mayo

Habíamos pasado una semana maravillosa y cada día nos entendíamos mejor. Nos encontrábamos todas las mañanas para ver las salidas del sol y desayunábamos huevos fritos con tocino, pan tostado con miel y mermeladas y croissants calientes. Para cada amanecer poníamos una música distinta. Lo único que cambió ese día, el jueves 24 de mayo, fue que nos cogimos de las manos. El efecto fue sorprendente y electrizante. Me acordé de Richard y Soledad y pensé que, en mayor o menor medida, nosotros también sabíamos producir electricidad. Aquel día no rehuíamos las miradas, como había ocurrido durante toda la semana. Nos mirábamos cara a cara, sin vergüenza, provocándonos. Ella estaba hermosa, como nunca, y tenía las mejillas encendidas. Me pareció que le temblaban las manos y se le cayó la mermelada sobre el mantel. Cuando la recogió con el dedo, se lo puso en la boca y lo chupó despacio, recreándose en el gesto. Me miró con aquellos ojos y, entonces, me acerqué y la besé apasionadamente. Ella no sólo se dejó sino que empezó a besarme como si fuera una poseída. Yo estaba como loco y ella se dio cuenta. Todas aquellas miradas de reojo que mantuvimos aquella semana, las conversaciones que buscaban el arrullo de nuestras pala-

bras, los roces provocados, los apretones de manos calientes y duraderos, la mano que le pasé por su cabellera y que me contestó ella acariciándome el poco pelo que tengo y riendo nerviosa; todo ello había provocado aquel estado en nosotros que tanto nos excitaba y nos hacía perder la cabeza. Fue hermoso. La cogí en brazos y la llevé al dormitorio. Ella lo deseaba tanto como yo. La fui desnudando con delicadeza y ella se dejaba hacer como si fuera una muñeca. La vi desnuda en la cama y la encontré más hermosa que nunca; yo hice lo mismo y sentimos que no había nada más bello en el mundo que hacernos el amor como lo hicimos. Fue dulce, apasionado y con sabor a la mermelada que había caído encima del mantel. La música se había terminado, pero poco importaba porque nosotros teníamos nuestra propia música, llena de ayes, lamentos, susurros y palabras amorosas. Me levanté y, a indicación de ella, puse un letrero en la puerta de entrada, que decía: «Ne pas déranger». No queríamos que nadie perturbara nuestra felicidad. Comimos en la cama, leímos en la cama y cenamos en la cama. Cuando ella se sentía pequeña, yo me sentía grande; y, viceversa, cuando ella se sentía grande, yo me sentía pequeño. Aquel día y todos los sucesivos nos sentimos uno solo y comprendí que había encontrado y convertido en realidad lo que tanto había buscado en mis novelas: el auténtico placer.

Jueves 31 de mayo

Elisa es magnífica. Sabe cambiar cada día, como el mar; siempre es diferente. Te puede sorprender con la frase más disparatada o el mimo más alucinante. Te hace olvidar que está impedida, porque es la persona más viva que he conocido. Su humor es fantástico y nos reímos de todo lo que nos puede hacer reír. Cuando estamos desnudos en la cama, de pronto me declama citas de Antonio y yo la miro embobado, me río y trato de que no descubra que ya las sé. Le encanta recitarme estos poemas:

–Es ella... Mira y no mira.
–Pon el oído en su pecho
y, luego, dile: respira.

No me mires más,
y si me miras, avisa,
cuando me vas a mirar.

Cuando recordar no pueda,
¿dónde mi recuerdo irá?
Una cosa es el recuerdo
y otra cosa es recordar.

El ojo que ves no es
ojo porque tú lo veas;
es ojo porque te ve.

Pierre me ha enseñado a hacerle masajes y ella está encantada de mostrarse desnuda delante de dos hombres y hace bromas al respecto. Virginie viene por las tardes, cuando comprende que es la hora de que dejemos respirar las sábanas. Yo enseño a Elisa a cocinar a la vasca y ella me enseña a cocinar a la francesa. Intercambiamos sabores en medio de besos que se hacen eternos.

Mario, soy la persona más feliz del mundo y sé que tendría que telefonearte para decírtelo, pero no sé si lo comprenderías; no quiero compartir esta dicha con nadie, tendría celos de que alguien se enterara de lo maravilloso que es todo.

Ella quiere saber de ti y yo le cuento cómo eres. No se podía creer que hayamos mantenido las comidas de los jueves durante tantos meses sin la necesidad de vernos en otro lugar. Dice que eso es poesía y yo comparto su opinión.

Le he contado la vida de los Iturriaga y le ha parecido que bien podría ser un guión para una película y, por supuesto, un buen libro. Según ella, hay personajes emblemáticos, que tienen una personalidad fuera de lo común. Le he dicho que tú eres la persona idónea para escribir la historia y le ha parecido precioso que un hijo –o, en este caso, un nieto– relate la vida de sus antepasados.

No quiero volver a Madrid. Es como romper con lo que tenemos aquí. Quiero continuar soñando y disfrutando de esta vida, que no creía que existiese. Sólo me falta verte en aquellas comidas de los jueves.

Me he trasladado a su casa y he dejado el hotel. No podemos despertarnos sin que estemos uno al lado del otro. La gente, cuando nos ve, en la calle, yo empujando la silla de ruedas y ella besándome cada cinco minutos, sonríe y nosotros les devolvemos las sonrisas. Me gusta que sean cómplices de nuestro amor.

Vamos cada día al cementerio a ver la tumba de Machado y le declamamos alguna de sus poesías. Él está contento y nos parece que, al igual que nosotros, también recita con un susurro que sale de su lápida, puesto que, los dos a la vez, hoy, hemos narrado una de sus poesías preferidas, una que Joan Manuel Serrat canta con tanto corazón:

Todo pasa y todo queda
pero lo nuestro es pasar
pasar haciendo caminos,
caminos sobre la mar.

Nunca perseguí la gloria,
ni dejar en la memoria
de los hombres mi canción;

yo amo los mundos sutiles,
ingrávidos y gentiles
como pompas de jabón.

Me gusta verlos pintarse
de sol y grana, volar
bajo el cielo azul, temblar
súbitamente y quebrarse...

Nunca perseguí la gloria.

Caminante son tus huellas
el camino y nada más
caminante no hay camino
se hace camino al andar.

Al andar se hace camino
y al volver la vista atrás
se ve la senda que nunca
se ha de volver a pisar.

Caminante no hay camino
sino estelas en la mar...

golpe a golpe, verso a verso...

*Estábamos en la cama y mirábamos la luna, que se aso-
maba por la ventana. Los dos desnudos, como así nos
gusta, y se estableció un diálogo que me hace sonreír cuando lo recuerdo.*

–Koldo, ¿qué hiciste los dos días antes de volver a verme?

–Estuve pensando en los pros y contras.

–Recuerdo tu cara de estupor cuando me viste sentada en la silla de ruedas. Quería calmarte, pero tú hablabas y me felicitabas para disimular lo mal que lo estabas pasando.

–Es verdad, lo pasé mal. Perdona, pero me cogiste de improviso y me quedé cortado.

–¿Tuviste muchas dudas?

–Sí. Francamente, bastantes. En las diferentes novelas en que había leído que el personaje se encuentra en situaciones parecidas, me había dicho que no dudaría un solo instante y que no me importaría amar a una persona inválida, pero no fue así. Y eso me perturbó. Porque creía tener las ideas muy claras, pero, a la hora de la verdad, demostraba ser débil.

–No es cuestión de debilidad. Creo que es algo normal. El sentimiento de autodefensa es instintivo. Aparte de que una persona paralítica causa repulsa. No me interrumpas, porque sabes que tengo razón.

–Déjame explicarte esa razón a la que aludes, para que lo entiendas. Yo venía enamorado de ti ya desde Madrid. Me gustaste la primera vez que leí tu libro y me fui enamorando más y más a medida que lo iba releyendo. Es bien verdad que estaba necesitado de amor y estaba celoso de Mario y Soledad y que tu libro vino como si fuera agua bendita y me volqué en la esperanza como quien se agarra a un madero en mitad del mar. Pero cada vez que veía tu rostro y tu mirada me gustabas más y más. No fue difícil poner una aureola a esta historia y me imaginé lo ideal. Te puse sobre un pedestal, como si fueses una diosa, y escribí el guión de lo que iba a ser nuestra historia. Tú eras mi Dulcinea, y yo, don Quijote. Vine con ese ánimo y es nor-

mal que al verte se fuera al traste lo que había fraguado mi imaginación.

—Gracias por ser tan franco. Cuando me llamaron de la editorial y me explicaron que querías verme a toda costa, supuse que deseabas ligar conmigo, una aventura de cincuentón que necesita subir su ego, pero no pensé, ni por un momento, que llegaríamos establecer la relación que mantenemos. Comprendo tus dudas y sólo puedo agradecer que decidieras volver a verme. Fuiste muy valiente porque aceptaste que no había nada que te apartara de tu primera idea. Ni, incluso, una silla de ruedas, que es la peor de las máquinas y que coarta a cualquiera.

—Tú sabes que no me arrepiento y que la dichosa silla ha pasado a ser un mero objeto útil en tu estado. Y que beso tus piernas inmóviles sin ninguna clase de prejuicio.

—Eres un amor. Eso lo he visto y me ayuda mucho. Comprende que yo pueda estar afectada por esta causa y por lo que significa la invalidez. Pero cuando me coges en brazos y me llevas al baño y esperas fuera, para volver a llevarme a la cama, me asombras porque lo haces con una naturalidad ejemplar. Y cuando me sumerges en la bañera y me vas lavando, me siento pequeña y no logro articular palabra.

—Ya lo he visto, y me gusta. Al igual que cuando te visto. Me da la sensación de que estoy vistiendo una muñeca.

—¿Te puedo decir que me gustas muchísimo?

—Debes decírmelo.

—Me gustas.

Jueves 7 de junio

No me riñas, pero me siento como un jovencito que acaba de tener su primera erección. La locura, cuando se ama, es bella, y, por lo tanto, he decidido legarte en vida todo lo que tengo en Madrid. Mañana iré a ver al notario de Bilbao y lo pasaré todo a tu nombre: las acciones del negocio, el dinero de mis cuentas corrientes, acciones de Bolsa, la casa, la biblioteca y los libros. ¿Para qué necesito todo esto? Aquí no me hace falta nada más. Tú, en cambio, sabrás aprovecharlo. Ya te veo discutiendo con el señor Estivill, hablando con Flora y viendo a Julita, que se pasa todas las tardes leyendo. Ahonda en mi biblioteca y trata de entenderme. Lee los libros que reseño, vívelos y disfrútalos como yo lo he hecho. Te estoy viendo sentado en el sillón, con un café bien cargado y la música clásica de fondo, comiendo en el invernáculo y leyendo uno detrás de otro todos los libros que han sido para mí válvulas de escape. Pero no te dejes atrapar por los parámetros equivocados que me secuestraron por carecer de alguien que estuviese a mi lado. No te rodees de la soledad, que es mala compañera y que lo único que quiere es sustituir la compañía que merece cualquier mortal por los protagonistas de los libros, que se agarran a ti como garrapatas y no te dejan vivir el presente y te arrastran al mundo que ellos quieren.

He ido a Bilbao y mi amigo Iñaki, el notario, me ha mirado como si estuviera loco. No sé si me ha entendido, pero me he sincerado y le he explicado que he encontrado la panacea, una chica que se llama Elisa, y que deseo estar con ella y olvidarme de toda clase de atadura que me ligue a un mundo que ahora no tiene nada que ver conmigo.

Sé que me estás buscando y te extrañará todo lo que hago, pero piensa que soy feliz. Te voy dejando pistas para que me encuentres y puedas venir a verme y conocerla.

Te escribo desde el taxi que me lleva a Lekeitio. He decidido trasladar a Colliure el Machado porque así conocerá otros mares. El mar de mi Elisa, el mar del poeta, el mar que ya considero mío, porque amo y soy amado, y todos estos mares, que son uno, lo saben y se alegran de ello. Navegaremos los dos, ella con el cabello al viento y yo al timón. A lo mejor, vendrá la niebla y nos envolverá desnudos en cubierta y quién sabe si la naturaleza es sabia y es capaz de burlar las zancadillas que Dios nos pone en el camino.

Te estás acercando, lo presiento, pero cuando tú vengas, yo ya habré salido rumbo al paraíso. A donde me espera mi Elisa, mi amor.

Jueves 14 de junio

Te escribo desde el Machado, toda vez que he abandonado Lekeitio y he dejado atrás el puerto, la casa con todos los recuerdos y a todas aquellas personas que han contribuido a que sea dichoso. Iziar, Aitor, Patxi, Soledad, e incluso Txema estaban despidiéndome en la bocana del puerto. Los he visto sonriendo y haciéndome gestos con la mano, dándome un sentido adiós. El Machado también los ha vislumbrado, porque durante unos segundos ha parecido que se paraba, que sus velas quedaban vacías de viento, totalmente estáticas, como reclamando una despedida de todos los que contribuyeron a su construcción, para así agradecerles que estuviéramos navegando por aquel mar querido. Después ha arrancado con furia para demostrar su bravura y hemos abandonado todo aquello que nos recordaba nuestra infancia, nuestros primeros pasos y a las personas que nos han apoyado. Me he puesto al timón y he notado que mi Machado se entristecía por dejar aquellas tierras y los buenos recuerdos y otros que, aunque malos, rememoramos igualmente. Lo he acariciado y le he dicho que no añorara lo que dejaba, que íbamos a otros mares desconocidos, donde los peces hablaban otras lenguas, pero que no se diferenciaban de los que conocía porque ellos también esperan que los pescadores los pesquen y que estos hombres de la mar se dejen de vez en cuando la vida en ello. Las olas serán distintas pero amigas ya que te acariciarán en los momentos de calma y lucharán a favor tuyo cuando el mar se ponga bravo. Todo sigue su rumbo, no te preocupes. Conocerás a Elisa y disfrutarás de sus risas claras. Ella recitará poesías de Machado y tú te vanagloriarás de tu nombre. Surcaremos los mares y te harás amigo de ellos; primero te costará entender, pero yo te diré lo que dicen. Cuando haya corderos, no saldremos: desconozco si son los mismos que en Vizcaya. Ya lo decía Patxi: «Cuidado con los corderos: hasta los peces se van al fondo huyendo de ellos».

Mario, me gustaría que estuvieras conmigo para disfrutar de la travesía. Elisa me está esperando y el Machado lo sabe, porque enfila la proa con arrogancia, con las velas henchidas de orgullo, en busca de mi amada. La estoy viendo asomada al mirador, oteando el horizonte y esperando vernos. Es curioso que los ventanales que dan al mar hayan simbolizado lo mejor de mi vida. Ellos han sido partícipes de lecturas, de amor de madre, de amor de mujer. ¡Cuánto les debo!

Me hubiera gustado pasar por el estrecho de Gibraltar y dar la vuelta a España, pero Elisa me espera. Iré hasta San Juan de Luz y allí, con un remolque, continuaré por tierra hasta Port Vendres. Sé que a mi Machado no le satisfará, porque las olas no acariciarán su casco, pero creo que comprenderá que el amor es lo más importante que existe. La amo como nunca he amado a persona alguna. Ella es dulce y fuerte a la vez y nunca se equivoca en el papel que tiene que interpretar. Después de haber leído tanto, de haber conocido a tantas mujeres literarias, nunca he encontrado a una heroína más deseable que ella. Su piel es tan suave que parece que tenga el vello del melocotón; sus labios carnosos, que se hinchan al besarlos, los morderías siempre como si fueran frutas del bosque; su olor a jabón se entremezcla con su olor a sexo y hacen una amalgama que te produce una excitación que te hace perder la cabeza; sus manos, cuando acarician, provocan escalofríos y la piel se eriza de placer y uno cierra los ojos esperando el fin del mundo; los orgasmos con ella son como tempestades en la mar, donde la furia desencadenada da paso a la calma chicha. ¿Qué te voy a contar? Que tu padre es feliz y se lo debe a su hijo, Mario. A ti te lo debo; tú conseguiste despertarme del letargo en que vivía y mostrarme el camino que tenía que coger.

Ahora, voy ligero de equipaje, como menciona Machado en una de sus poesías. He dejado lo superfluo y me adentro en lo esencial. No censures mis actos y piensa que mi cara irradia una dicha hermosa. Te veo en mi biblioteca tratando de buscar cualquier pista que te lleve a donde estoy. Hablando con Gaizka, con Txaro, con el señor Estivill, con Flora y con Julita. ¿Quién te ayudará a encontrarme? Creo que Julita será la que colaborará más, porque me conoce profundamente, porque me ha ido cuidando y vigilando a lo largo de estos cinco años. Me figuro la cara de asombro que debió de poner cuando recibió el cheque para montar su querida librería. Será una buena librería porque ama los libros tanto como yo; la he visto leyendo varias veces, sin que se diera cuenta, y los acariciaba con mimo. Siempre me ha gustado esta chica; es una mujer noble, incapaz de engañarte, con las ideas muy claras y muy segura de sí misma. En el lecho de muerte le juré a su padre que la cuidaría para que llegase a algo en la vida. Sin que ella se diera cuenta conseguí que se fuera aficionando a la lectura y le iba dejando los libros que consideraba que irían puliéndola. No quiso estudiar, pero no importa. Tiene la mente abierta y

estuve tentado muchas veces de proponerle que nos liáse-
mos, habida cuenta que sé que le gusto. Pero lo desestimé
porque me acordé de la promesa que le hice a su padre; por
esa causa me hice el distraído. ¡Ay, Mario, cuánto tenemos
que aprender de las mujeres! Tienen la sensibilidad que los
hombres, por querer ser más hombres, perdemos. Mírala
bien, muchacho; siempre lo más bueno está en casa, aunque
creamos que en casa del vecino se come mejor.

Me ha venido a buscar de Colliure un cuatro por cuatro
para remolcar el Machado. Él, cuando ha visto cómo iba a
ser conducido, se ha horrorizado y le he tenido que dar
varias palmadas para calmarlo. Sé que su honor está heri-
do, pero cuando vea la bahía se tranquilizará y disfrutará
del paisaje idílico.

Presiento que estás cerca y eso me gusta. ¿Podremos
comer uno de estos jueves, en un restaurante frente al mar y
continuar con nuestras charlas? Lo espero fervientemente.

Ni mármol duro y eterno,
ni música ni pintura
sino palabra en el tiempo.

Jueves 21 de junio

La vuelta ha sido inolvidable. He pasado por delante de
la casa de Elisa en el Machado y la he saludado. Ella me
ha correspondido y me he sentido orgulloso. Nunca había
visto la casa desde esa perspectiva. He tenido una visión
nueva de ella y he pensado que es la imagen que deben de
tener los peces de nosotros. Ellos deben de saber de nues-
tro amor y no me importaría que lo supiese todo el
mundo. ¡Qué curioso es el ser humano! ¡Hace algunos días
me sentía celoso de que la gente supiera que amo a Elisa

con todas mis fuerzas y hoy lo proclamaría a los cuatro vientos!

Lo anclé en medio de la bahía junto a otros veleros para que se sintiera acompañado y no sufriera la soledad que padecía yo en Madrid. Cogí la zodiac y me acerqué al puerto. ¡No podía creerlo! Allí estaba Elisa, acompañada de Pierre. Los dos me saludaban y yo me sentía emocionado. Ya no necesitaba que Julita me rejuveneciera, sentía que era un rapaz, y me estaba esperando la mujer más hermosa que podía conocer. Salté al embarcadero y corrí hacia donde estaba Elisa. La cogí en brazos y la saqué de la silla; ella me llenó de besos y yo le correspondí. Pierre estaba a nuestro lado, riendo, y, un poco más a la izquierda, un marinero nos miraba maliciosamente. Entramos en casa y ya estaba la comida encima de la mesa, acompañada de una botella de txacolí. Los miré extrañado y ella me dijo:

—Hace dos días que te estamos esperando y, cada día, hemos preparado la comida. Tenemos la panza llena de tanto comer. Suerte que Pierre me ha ayudado.

—Se lo dije, Koldo. Es imposible que venga tan pronto. Ha tenido que ir a Bilbao, a Lekeitio, navegar hasta San Juan de Luz y después venir por carretera hasta Port Vendres, dejar el barco en el agua y venir hasta aquí. Una verdadera odisea —señaló Pierre, con aquel acento que siempre promovía ganas de reír.

—Gracias por ayudarla y estar con nosotros. Eres un amor —le dije.

—Tengo celos. El único amor tuyo soy yo —repuso Elisa, con un mohín de niña consentida.

—Lo sabes. Te quiero más que nunca.

—Lo sé y me siento en la gloria. Sentémonos y hagamos honor al ágape preparado por Pierre. ¿Te has fijado en el vino?

—¿De dónde lo habéis sacado?

–*Pierre lo ha ido a comprar a una bodega que está en el primer pueblo de España, junto la frontera.*

–*¡Bravo!*

–*Ha traído un par de cajas.*

–*¿Tanto?*

–*Es un obsequio –dijo Pierre, muy conmovido.*

–*¿Por qué?*

–*Por vuestra felicidad. Me gusta veros así.*

–*Ahora comamos. Después, os entregaré unas cosas que he traído para vosotros de Lekeitio*

Nos pusimos a comer y las bromas de Pierre alegraron aún más aquella celebración. Había vuelto y aquellas caras sonrientes demostraban que la dicha imperaba en la casa. Después de comer, con las copas aún llenas de txacolí, me presté a dar los regalos.

–*Pierre, aquí tienes un recuerdo de mis tierras.*

–*¿No será una txapela?*

–*No lo había pensado.*

Pierre abrió el paquete y se quedó asombrado al verlo. Era una maqueta de barco perfecta, con todos los detalles, e incluso llevaba un motor.

–*Es magnífico.*

–*Tiene su historia. No sé si te lo había dicho, pero mi padre era constructor de barcos y éste fue el primero que construyó. El dueño de la naviera tuvo el capricho de que le construyeran una maqueta a escala y la tenía siempre en su despacho. Cuando falleció, se la regaló su familia a mi padre, que fue el que la hizo con sus propias manos.*

–*Este regalo es muy valioso. Dáselo a tu hijo.*

–*A Mario le he traído la maqueta del* Machado. *Está envuelta en este otro paquete.*

–*¿Y a mí?*

–*Por ser buena, tienes este pequeñísimo paquete.*

–*¿Qué es?*

—¡Ábrelo!

Elisa hizo lo que yo le pedía y, temblando, descubrió un pequeño estuche. Cuando lo abrió, apareció una sortija de brillantes muy hermosa. Se puso a llorar y no pudo articular palabra.

—Era de mi madre. Lo llevó toda la vida y Aitor no quiso que se la enterrara con esta joya.

Elisa no podía decir nada, se le caían las lágrimas y tenía el anillo en la mano; no osaba ponérselo. Yo la besé y se lo puse en el dedo. Ella me miraba y sollozaba.

—Con este anillo yo te desposo y pongo por testigo a Pierre. Me haría falta otro testigo; espero que no tarde mucho Virginie.

—Yo...

—Tienes que decir si me aceptas y si quieres que sea tu esposo hasta que Dios tenga a bien llevarnos junto a él. Espero que seamos dignos de ello.

En aquel momento se abrió la puerta y apareció Virginie, que se quedó parada al ver la escena.

—J'ai perdu quelque chose ?

—Chist! Koldo, il le demande en mariage! —murmuró Pierre.

Yo me puse de rodillas al lado de Elisa, cogí su mano y la miré fijamente a los ojos. Ella, entre lloros, logró decir:

—Acepto. Quiero ser tu mujer en lo bueno y en lo malo y no separarme de ti nunca más. ¿Es eso lo que quieres?

—Exactamente. Quiero estar contigo siempre y cuidarte hasta que no me quede aliento.

—Yo también, aunque creo que seré la primera en dejarte, y no por voluntad propia —exclamó Elisa, sin poder dejar de sollozar.

—¡Cállate, amor! No digas cosas tristes en este día. He redactado un documento y lo firmaremos nosotros como marido y mujer, y Virginie y Pierre, como testigos.

Elisa fue la primera en firmar, la seguí yo y luego sellaron su firma Virginie, que estaba muy emocionada, y Pierre, que no podía reprimir las lágrimas.

–*Ante Dios y este mar, que nos está viendo, somos marido y mujer. Pierre, destapa una botella de champán que he traído y está dentro de aquella bolsa.* Virginie, tiens ton cadeau.

–Moi, j'ai un cadeau ?

–Oui.

Virginie abrió el estuche que le di y apareció un brazalete.

–Mon Dieu !

–C'est de ma mère.

–Mais, pourquoi ?

–Aujourd'hui c'est la fête.

Pierre sirvió el champán en las copas y todos las alzamos. Y yo pronuncié un brindis:

–*Brindo para que quede constancia de este acto matrimonial y que Dios y vosotros seáis testigos de ello. Y ahora a beber. ¡Que la alegría impere en esta casa!*

Fue una ceremonia tan sencilla y bella que si los peces tuvieran manos no se hubieran cansado de aplaudir. Se lo dije a ella y se rió de buena gana. El resto del día y parte de la noche fue memorable. La brisa de la noche trajo frescor a aquel día que empezaba a ser sofocante. El verano estaba en ciernes y hacía más calor que en Vizcaya. Después de hacer el amor, ella me acarició el cabello y yo me quedé dormido. Soñé que nos casábamos en la iglesia y que había un corredor de flores blancas y yo estaba en el altar, esperándola, y tú me la traías conduciendo la silla de ruedas. Era curioso, incluso en sueños no desaparecía la famosa silla: formaba parte de nuestras vidas. Elisa estaba como siempre, guapísima, y yo la cogí y la senté en mis rodillas. Tú, Mario, estabas al lado, sonriendo, y la gente aplaudía y

la voz de Antonio Machado se oyó clara en aquella iglesia
que estaba en medio del mar:

La muerte está tan segura de su victoria
que nos da la vida de ventaja.

Aunque corra el tiempo
la memoria no correrá.

Jueves 28 de junio

Puse un cabrestante en la proa del Machado *para que*
pudiera subir Elisa y el ayuntamiento me dejó entrar en el
puerto para ir a buscarla. Ella estaba muy nerviosa; Pierre
y Virginie la tranquilizaban. Dejamos la silla de ruedas en
el puerto y cuando nos alejamos y la vimos, allí sola, nos
pareció a ambos que era un pequeño triunfo, aunque sa-
bíamos que no nos podíamos liberar de su esclavitud. Elisa
estaba sentada en la bañera de popa, rodeada de cojines
que Pierre había llevado. Enfilé la bocana y me pareció
que la vida era maravillosa. Ella me miraba orgullosa y yo
me sentí renacer. Pude comprobar que el Machado se sen-
tía contento cuando entramos en plena mar y yo largué el
velamen. Elisa estaba más hermosa que nunca. ¿Por qué el
mar les sienta tan bien a las mujeres? ¿Por qué se ponen
tan guapas? Fue curioso, por un momento pensé en Sole-
dad, pero duró sólo un instante y no me molestó. Luego
dejé que mi querido velero nos llevara a donde él quisiera y
me senté al lado de Elisa y la besé apasionadamente. Nues-
tras caras estaban mojadas por la brisa y las salpicaduras
de las olas contra el casco, y aquellos besos fueron salo-
bres, incluso más salados que en el mar de Vizcaya. A ella
le gustó y yo le pedí que recitara un verso de Machado,

porque se lo había prometido a mi velero, y ella accedió diciendo que rememoraría una carta a Pilar, su gran amante. Su voz se mezcló con el sonido del viento y el crujir de las velas:

«Hoy se insiste demasiado sobre el pudor que debe acompañar el sentimiento; es decir, que el hombre –se piensa– es tanto más hombre mientras más oculte su sentir. Pero yo proclamo, con Miguel de Unamuno, la santidad del impudor, del cinismo sentimental. Lo que se siente debe decirse, gritarse, verterse. Lo importante es que el sentimiento sea verdadero, ya que siéndolo ¿por qué avergonzarse de él? ¿Le negaremos al amor el derecho de expresarse? ¿Qué sería de los amantes si no pudieran decirse que se quieren una y mil veces? Palabras, palabras, palabras... Pero ¿qué hay más noble que las palabras?»

Yo la jaleé y ella continuó. Su cara estaba transfigurada y yo la miraba embobado:

¿Qué es amor? Me preguntaba
una niña. Contesté:
Verte una vez y pensar
haberte visto otra vez.

Nos sentíamos felices y llenos de vitalidad y le propuse que cantáramos la canción que Serrat compuso para él y que escuchábamos siempre desde el ventanal, mirando el atardecer. Así que recité:

Despertad cantores:
acaben los ecos
empiecen las voces.

Nos besamos, nos cogimos de las manos y nuestras voces resonaron en mitad de aquel mar que Machado también amó:

> Caminante no hay camino,
> se hace camino al andar...
>
> golpe a golpe, verso a verso...

Arrié las velas y anclamos en mitad de aquel mar, que ya nos conocía, y nos hicimos el amor. El cielo fue testigo de excepción de nuestros ayes, porque el mar ya estaba acostumbrado a oírnos, a través del famoso ventanal, en aquellos días que habíamos pasado juntos, en que nuestras caricias y besos eran cuentas de rosario que se iban desgranando lentamente y que cuando acababan volvían a empezar otra vez.

Nos sentimos bien y decidimos que saldríamos a navegar cada día para que la naturaleza ayudara a Elisa a soportar su mal, ya que en aquellos días había empeorado y se sentía languidecer de fatiga.

—Tus besos y el mar me reconfortan.

—¿Sabes cuándo vendrá el médico?

—No lo sé, pero lo temo. Esta dicha es efímera; lo presiento.

—La dicha nunca será efímera. La salud puede que sí. Pero ya no me importa, somos felices y eso nadie nos lo quitará.

—A veces creo que he sido egoísta. No tenía derecho a involucrarte en mi vida, tan complicada. Te quiero tanto que me duele verte sufrir por mi causa.

—Elisa, somos uno. No se puede dar marcha atrás, gracias a Dios. Tu gozo es el mío y tu dolor también lo es.

—Tú eres generoso y yo no.

–*Lo que tú me das no me lo ha dado nadie, porque es tan importante lo físico como lo psíquico.*

–*¿Te he dicho alguna vez que te quiero?*

–*No, aún no. Y te agradezco que lo digas, porque yo no podría vivir sin ti.*

–*Eres imprescindible en mi vida, señor Koldo Iturriaga.*

Nadie me había dicho esta frase y me sentí la persona más importante y útil del mundo. ¡Qué bueno era que alguien te dijera eso! Ahora sentía que era don Quijote y no me importó que existieran molinos de viento. Los venceré para salvar a mi Dulcinea.

Jueves 5 de julio

Hoy ha sido un día triste y los dos hemos llorado hasta que hemos acabado las lágrimas. Ha venido el médico y no nos ha dado buenas noticias. Varios especialistas han estudiado las pruebas que le efectuaron hace un mes y han llegado a la conclusión de que irá perdiendo musculatura y la parálisis le afectará el resto del cuerpo. No saben por dónde continuará. Puede que sea la cabeza o los brazos; lo ignoran. Nos hemos desnudado y hemos estado tendidos en la cama, llorando, besándonos y haciendo el amor. La impotencia por no poder hacer nada es desesperante. Pensar que nuestra felicidad puede truncarse de esta manera es tan doloroso que no me queda aliento ni siquiera para contártelo.

Yo quería escribirte una carta para contarte mis alegrías y que vinieras a vernos y conocieras a mi Elisa, pero la noticia me ha dejado sin reacción posible. Sólo cabe una cosa, que todo transcurra igual que como está ahora. Yo pienso estar con ella hasta el final, sea cual fuere.

Jueves 12 de julio

Elisa está demacrada y yo trato de alegrarle ese aire taciturno que tiene. Se siente responsable por todo lo que pasa y me ha confesado que desde que empecé el diario, ella escribe cartas a Machado y las guarda en una caja de zapatos que tiene en el armario. Hoy se ha decidido a dármelas y me ha rogado que las deposite en el buzón que está al lado de su tumba.

Sé que he cometido una falta, pero no he podido evitarlo y no las he echado. Quería saber lo que le escribía. Y eso que dicen que los hombres no son curiosos. La única excusa que puedo tener es que la he pillado varias veces leyendo el diario y ha confesado que le gusta saber lo que pienso de ella y de nuestra relación. Elisa no ha querido venir a navegar en el Machado, por lo que he ido yo solo y leeré esas cartas, que parecen ser confesiones de una amante.

He navegado hasta una cala apartada para estar tranquilo y he empezado a leerlas. No puedo decirte lo que pienso, porque la tristeza que tengo me ha dejado sumergido en la amargura más profunda. Mis lloros se han quedado dentro del mar. Tengo que ser fuerte y no puedo desmoronarme. Adjunto la primera y la última de sus cartas. Todas ellas están en la caja de zapatos que Elisa guardaba para su querido Antonio Machado.

Querido Antonio:

Tengo que iniciar este carteo con una frase que le escribiste a Pilar y que alcanza a reflejar el sentido de por qué te escribo: «Empiezo a comprender el valor de las cartas: en ellas se dice lo que se siente, fuera del ambiente social, donde ni el hombre se oye a sí mismo ni oye a su prójimo.»

Así me encuentro yo, que no me oigo a mí misma.

Antonio, seguro que has puesto a Koldo en mi camino para alegrarme y hacerme ver que aún estoy viva y tengo sentimientos de mujer, cuando pensaba que los había perdido el día que me declararon no apta para la sociedad, porque el nombre de inválida es una sentencia por sí solo: persona no válida.

Busco en ti la poesía para tratar de animarme y poder hacerle feliz a él. Sé que la muerte ronda cerca de mi puerta y tengo miedo. Tú dices este verso que me tranquiliza, pero no hablas del que queda. Y eso me preocupa, porque le quiero más que a mí misma.

> El aire se llevaba
> de la honda fosa el blanquecino aliento.
> –Y tú, sin sombra ya, duerme y reposa,
> larga paz a tus huesos...
> Definitivamente,
> duerme un sueño tranquilo y verdadero.

Es por él que sufro. Porque con todo lo que ha leído, no lo veo preparado para que se resigne a mi muerte. Abriré la ventana, miraré al cielo para que lluevan estrellas, al igual que hacías tú para pensar en tu diosa, y trataré de que me cuentes un verso que mitigue el dolor de mi enamorado. ¿Puede ser éste?

> O que el amor me lleve
> donde llorar yo pueda...
> Y lejos de mi orgullo
> y a solas con mi pena.

Elisa.

Querido Antonio:

¿Qué debo hacer? Aconséjame. He llamado al doctor para que venga a visitarme porque noto que la vida se me va y presiento que las tinieblas serán mis compañeras bien pronto.

El médico ha venido a verme, esta vez a solas, cuando mi amor se ha ido a navegar, porque no quiero que se entere de lo que me está ocurriendo, y me ha notificado que me quedan muy pocos días de vida.

> Más el doctor no sabía
> que hoy es siempre todavía.

No le contaré nada y esperaré a decirle, cuando apenas me quede un hálito de vida, que se vaya a surcar en su Machado estos mares que tanto quiere. Me gustaría apagarme como una vela, sin hacer ruido, y que él, cuando venga, me encuentre dormida.

Tus poemas me ayudan y me hacen soñar que la muerte no puede ser tan triste como siempre nos la han pintado.

> «Es esta vida una ilusión marina
> de un pescador que un día ya no puede pescar.»
> El soñador ha visto que el mar se le ilumina,
> y sueña que es la muerte una ilusión del mar.

No pido nada para mí, pero sí para Koldo, al que quiero como nunca he querido a nadie. Ayúdale y procura que descubra un nuevo sentido a la vida; yo, desde donde tú te encuentras, procuraré mitigar su pena. Si no estás muy ocupado me gustaría que nos encontráramos y me dieras a leer tus nuevas poesías, que ya debes de tener un montón.

Tu fiel amiga, que espera verte pronto.

Nuestras vidas son los ríos
que van a acabar en el mar
del morir.

Tras el pavor de morir
está el placer de llegar.
¡Gran placer!
Más ¿y el horror de volver?
¡Gran pesar!

Elisa.

Jueves 19 de julio

Cuando leí la carta de Elisa y supe que se acercaba el momento de nuestra despedida, me embargó una tristeza que no puedo definir. Volví al puerto y me dirigí a la tumba de Machado. Allí, ante él, traté de que me oyera y le pedí al poeta que hiciera algo por nosotros. Él había sido el gran amante que no pudo tener a la compañera que deseaba. Machado comprendería que no podía separar a dos enamorados. Eché la última carta de Elisa en su buzón y me puse a llorar desesperadamente. Caí postrado de rodillas y le pedí a nuestro Antonio, al amigo de los amantes, que nos ayudara. Y de pronto me vi leyendo la poesía que estaba inscrita en la lápida, y que tan bien conocía, y comprendí:

Y cuando llegue el día del último viaje,
y esté al partir la nave que nunca ha de tornar,
me encontraréis a bordo ligero de equipaje,
casi desnudo, como los hijos de la mar.

Antonio Machado 1875 - 1939

Mario, cuando llegó a este punto del diario, se levantó rápidamente y corriendo salió hacia el puerto. Anochecía y sólo se vislumbraba el ocaso en el horizonte. Con pasos rápidos se fue al embarcadero, donde un marinero estaba cerrando su embarcación, y le preguntó:

–*Pardon. Vous parlez espagnol? Mon française est faible.*

–Soy español, pero vivo en Colliure. He recalado en este pueblo y no me moverán de aquí.

–Por favor, ¿ha visto a un velero apodado el *Machado?*

–Sí –le dijo–, estaba anclado allí, justo en medio de la bahía, pero hace una semana que zarpó. Iba el señor español, creo que es vasco, y la chica inválida. Dejaron la silla de ruedas allí, al final del embarcadero, al lado de las rocas, y no han vuelto.

–¿Llevaban equipaje?

–No, no llevaban nada. Es extraño, ¿no? Era a primera hora de la mañana y apenas había salido el sol. Es la hora bruja, cuando cojo mi barca y voy a pescar. Él cogió a la chica en brazos, dulcemente, y se besaron. Primero subió él y luego la subió a ella por medio de una grúa. La colocó en la popa, tapada con una manta, y se fueron. Yo lo había visto a él, pero a ella no. Me lo habían contado, pero era la primera vez que los veía con mis propios ojos. Se amaban mucho; eso saltaba a la vista.

–Gracias, señor.

–¿Sabe si les ha ocurrido algo? Si quiere aviso a la Marina de la zona.

–No. Habrán llegado a donde ellos querían.

–Menos mal, me ha asustado usted.

–Adiós.

–Adiós.

Mario se dirigió hacia donde se encontraba la silla de ruedas, la acarició y se sentó a su lado en una roca, mirando el mar. Las lágrimas le iban cayendo por las mejillas y le empañaron las gafas. Las secó con el faldón de la camisa y, al darse cuenta de que hacía el mismo gesto que su padre, se echó a llorar desconsoladamente. Se quedó varias horas mirando el mar, como esperando a que apareciera el velero, pero sabía que jamás los vería; nunca más, ni a Koldo, ni a Elisa, ni el *Machado*.

La decisión de Koldo

Mario volvió a la casa y se quedó abstraído sentado en el
sillón, al lado del ventanal. Sentía una congoja muy grande
y no podía ni pensar. Había llegado tarde, como cuando
Koldo llegó a Lekeitio y la casa no existía y el cadáver de
Aitor esperaba en el interior. Parecía una réplica de aquella
situación que vivió su padre y, pensándolo bien, era otra
locura.

Cogió el gran sobre en el que había la advertencia de que
no se abriera hasta haber leído el diario y lo rasgó. Se despa-
rramaron siete cartas encima de la mesa y fue mirando quiénes eran los destinatarios: Virginie, Pierre, la policía francesa,
el notario de Bilbao, Soledad, la familia de Elisa y él. Cogió
la que iba destinada a él y apartó las otras a un lado. Tenía
que leerla, aunque sabía lo que le diría. Se secó las lágrimas y
se prestó a leer lo que presumía debían de ser las últimas
palabras de Koldo.

Jueves 26 de julio

*Esta semana ha sido hermosa porque nos hemos amado
más que nunca. Los dos callábamos, porque sabíamos que
no nos quedaba tiempo. Ella estaba muy débil, pero contenta. Disimulaba su dolor y yo he hecho bromas continuamente tratando de que no se diera cuenta de que yo sabía lo
que ocurría.*

374

Hemos dado una cena y hemos invitado a Pierre y Virginie. Elisa estaba muy blanca, pero radiante, y ha estado muy callada, apenas ha intervenido. He preparado yo la cena y me ha salido muy buena. Al final hemos cantado canciones francesas y españolas. Ella se ha excusado y ha comentado que estaba muy cansada, por lo cual la he acompañado a la cama y le he dicho que la despertaría para ir a desayunar y ver el amanecer a bordo del Machado. Elisa ha estado de acuerdo y me ha sonreído. Tenía frío, en pleno mes de julio, y he temido que mi plan se fuera al traste. La he arropado con una manta, la he besado y se ha quedado dormida.

Tengo mucho trabajo que hacer: acabar el diario, redactar una carta para ti, escribir una carta al notario, a la policía francesa, a Soledad, a la familia de Elisa y repasar mi vida. Me siento satisfecho de lo que he hecho y de lo que haré; la quiero mucho y no puedo dejar que se muera sola. Es un final épico, como el que escogió mi padre, y digno de un caballero de la Edad Media. Inmediatamente, me han venido a la memoria dos retazos de la historia de los Iturriaga, que se unen para realizar mi proyecto. Uno de ellos era la frase final en la carta de Patxi: «Mi sueño no se ha cumplido, pero en otra vida, si merezco vivirla, me gustaría coger una barca y perderme en ese mar que tanto quiero». Y el otro comentario de Aitor, que me decía: «Koldo, ya tienes tu barco. Ha sido un buen bautizo, procura darle un buen entierro». Y yo le repuse: «Aitor, te juro que no olvidaré tu consejo; el Machado no es un velero cualquiera, es el barco de todo el pueblo, navegaré por estos mares con el corazón y tendrá un final glorioso».

No dormiré y mañana la despertaré bien pronto. Ella no conocerá mis intenciones: sé que no estaría de acuerdo. Subiremos a bordo y saldremos del puerto, veremos el amanecer y nos abrazaremos bien fuerte. Luego nos adentraremos en el mar y cuando no divisemos la costa, nos cogeremos de las manos para que nuestros espíritus estén siempre unidos y recitaremos, a la vez, el verso de Antonio Machado:

Y cuando llegue el día del último viaje,
y esté al partir la nave que nunca ha de tornar,
me encontraréis a bordo ligero de equipaje,
casi desnudo, como los hijos de la mar.

Luego desayunaremos en la bodega del barco y pondré un narcótico muy fuerte en el café para que nos coja dormidos en el momento del hundimiento y no suframos. Yo esperaré a tomarlo hasta que haya cumplido mi objetivo. Cuando vea que Elisa está inconsciente, dormida, abriré dos vías de agua para hundir el Machado. *Una vez que lo haya hecho, me despediré de él y reclamaré al mar, al que siempre hemos querido, que nos acoja en sus aguas.*

Señor, me cansa la vida,
tengo la garganta ronca
de gritar sobre los mares,
la voz de la mar me asorda.
Señor, me cansa la vida
y el universo me ahoga.
Señor, me dejaste solo,
solo, con el mar a solas.

Tomaré el café, la llevaré al camarote y la tenderé en la cama. Entonces, atrancaré la puerta y me pondré a su lado, le cogeré la mano, me abrazaré a mi amada y así, dormidos, nos hallará la muerte y se habrá escrito la historia más bella jamás contada sobre dos enamorados. Estoy seguro de que este mar y el de Vizcaya lo celebrarán y nuestras almas flotarán por estos mares, amándose eternamente.

La decisión de Koldo

Machado escribió una poesía que resulta ser un epitafio para nuestras vidas; y para los que quedan, un consuelo para soportar mejor la pena:

> [...] Hacedme
> un duelo de labores y esperanzas.
> Sed buenos y no más, sed lo que he sido
> entre vosotros: alma.
> Vivid, la vida sigue,
> los muertos mueren y las sombras pasan;
> lleva quien deja y vive el que ha vivido.
> ¡Yunques, sonad: enmudeced, campanas!

Koldo y Elisa.

Desenlace

Aquella noche, Mario no pudo dormir en la cama de Elisa y Koldo, porque le pareció que era un ultraje a su memoria. Se acomodó en el sillón y releyó el diario de Koldo y lo encontró más hermoso. Estaba agotado y se quedó dormido. Despertó cuando el sol le dio de lleno en la cara y lo primero que hizo fue mirar el mar, otear el horizonte, con la esperanza de ver aparecer el *Machado* con su Koldo y su Elisa, pero daba crédito a la palabra de su padre y sabía que estaban ya reposando en el fondo del mar. Esta idea le perturbó y se restregó los ojos para espantar la visión de su padre, ahogado con el *Machado* y Elisa. Quería recordarlo en el Ernani, hablando por los codos y contándole la historia de los Iturriaga y dándole los libros que más le habían gustado, para ayudarle a que él fuera escritor. Se fue a preparar un café bien cargado y se sentó otra vez en el sillón. Debía pensar en lo que tenía que hacer.

Había decidido quedarse en Colliure un tiempo para arreglar todos los asuntos que quedaban pendientes. Tenía que repartir las cartas y hacerse cargo de los problemas que pudieran surgir y que desconocía de antemano. Además, debía llamar a Julita para contarle lo que había ocurrido, telegrafiar a Soledad, llamar a Gaizka y Txaro, a Ángela, a todos los que le querían. Necesitaba de ellos para que le ayudaran y lo consolaran en aquellos momentos tan tristes.

Mario se encontraba en un restaurante, frente al mar, mirando la bahía, rodeado de turistas, pero estaba totalmente abstraído. Era el segundo jueves del mes de agosto y, bajo la mirada extrañada del camarero, había solicitado que pusieran otro cubierto justo delante de él y que llenaran las dos copas de vino. El camarero hizo lo que Mario le había mandado y sonrió pensando que la gente tenía muchas rarezas. Mario hizo caso omiso a la sonrisa irónica del camarero y miró el reloj: «En tu reloj, Koldo, es la hora; te estás retrasando. No es usual en ti, que acostumbras a ser muy puntual». Hizo un brindis señalando al mar y bebió un buen sorbo de vino.

Luego empezó a recordar las trifulcas en que se había encontrado. No había sido fácil arreglar los papeles con la policía y, según le habían dicho, tenían que esperar varios años para declararlos fallecidos. Le había mandado la carta al notario y la respuesta no se hizo esperar: eran las últimas voluntades de Koldo. En ellas, le legaba la casa de Lekeitio. Como su padre había arreglado los papeles con anterioridad, el notario le dijo que, a primera vista, no creía que pudieran surgir problemas. Podía utilizar la casa de Lekeitio y, pasados unos años, cuando las leyes consideraran que Koldo estaba muerto la podría poner a su nombre. Había logrado hablar con Soledad, gracias a la policía de Kisangani, y estaba desolada; no había parado de llorar y le dijo que cogería el primer vuelo para estar con él. Ángela estaba esperando a que regresara a Madrid para estar juntos y Gaizka y Txaro habían cerrado el restaurante y querían desplazarse hasta Colliure. Julita era la persona a la que había visto más afectada y quería venir a toda costa; tuvo que esforzarse mucho para evitar que se reuniera con él. Virginie no paró de llorar y dijo que no podía entrar en la casa, que se sentía desconsolada. Pierre le había ayudado con todos los trámites y se le veía también muy apesadumbrado. Dentro de los sobres, Koldo les había dejado un cheque para cada uno. A la familia de Elisa, le había puesto un cable y él, en persona, les llevaría la carta y les daría las llaves de la casa de Colliure.

«¡Dios! Koldo, tú has sido el héroe de la novela épica, pero los que te quieren han quedado destrozados. Puedes estar feliz al lado de Elisa, con vuestras almas navegando por estos mares, pero yo me siento morir de pena», se dijo Mario, ante la tumba de Machado, a modo de soliloquio que le servía para consolarse y despedirse de su padre, y depositó las cartas de Elisa en el buzón. A nadie le importaba lo que ella quería decirle a su poeta. Quiso explicarle la historia, pero pensó que ya la sabía. Por fuerza estaría enterado del gran amor que Koldo y Elisa se profesaban.

Lo que se le hacía extraño era que no había podido enterrarlos en el cementerio de Colliure, al lado de su querido Machado, pero ésa había sido la voluntad de su padre: descansar en el fondo del mar, el mar que tanto quería.

Mario estaba escribiendo en la biblioteca de Koldo. Siempre sería la biblioteca de Koldo. Se le veía absorto y tenía un montón de folios y «El diario de los jueves» encima de la mesa. En un lado de la mesa estaba colocada la maqueta del *Machado* y dos fotografías enmarcadas: en una de ellas se veía a Koldo y Elisa riendo y, en la otra, Koldo y él estaban en el Ernani sentados en la mesa de siempre, brindando. En el invernáculo se encontraba Julita, que estaba leyendo uno de los libros recomendados por Koldo y, de vez en cuando, miraba a Mario y le dedicaba una sonrisa.

Mario se había propuesto escribir y editar la historia de los Iturriaga. Todos lo habían animado; principalmente, Julita, que había hablado con varios agentes literarios y estaban interesados en el libro. Mario y Julita ya lo veían en la librería; discrepaban en cuanto al título que pondrían al libro, pero lo que estaba claro era que el autor de la novela sería Koldo Iturriaga. Mario sólo recopilaría lo que su padre le había contado y lo que había escrito en el diario.

Epílogo

Mario y Julita llegan a la conclusión de que se necesitan. Así que deciden vivir juntos. No quieren casarse, para no sentirse atados. La biblioteca, los libros, el influjo de Koldo y su inesperada muerte forman una telaraña que los mantiene atrapados, pero no les importa. Para ellos, Koldo aún vive entre aquellas paredes y en cada uno de los libros, y se sienten más unidos a medida que profundizan en su obra.

Ángela, después de que Mario le cuenta las relaciones con Julita y su decisión de vivir con ella, lo comprende y regresa a su Roma querida. Su deseo es viajar por todo el mundo y escribir una novela sobre las experiencias que tenga.

Soledad se desplaza a Madrid y pasa una semana con Mario; luego, vuelve a Kisangani para estar junto a Richard. Entonces, le comunica a Mario que los dos, de común acuerdo, han decidido quedarse a vivir definitivamente en África.

Julita monta la librería y se siente realizada. Le pone por nombre: «La librería de Koldo». Instala una sala de lectura –en contra de la opinión de Mario, que opina que es una idea poco comercial–, en la que los clientes se sientan a leer los libros y promueven discusiones. Julita tiene la esperanza de que los lectores acaben por comprarlos y las ventas aumenten cada día.

Mario colabora como asesor en la fábrica. El señor Estivill insiste en que Mario vaya a trabajar, pero él se niega a ocupar el lugar de Koldo. No quiere acabar, como su padre, siendo un esclavo del negocio y de los clientes.

Mario y Julita pasan el mes de octubre en Lekeitio en casa de Iziar y Aitor. Julita le lee libros en el ventanal y Mario la escucha rodeado de cojines y mirando el puerto.

Leopoldo y Yuli, el hijo de Patxi, reúnen en el bar a los obreros de los astilleros y, entre todos, convencen a Mario para que construya una réplica del *Machado*. Él está de acuerdo, y le hace mucha ilusión, pero se encuentra con la opinión en contra de Julita, que piensa que es una idea morbosa y tiene miedo. Con resquemor, ella acaba por aceptar y todos brindan por el futuro barco, al que deciden poner el nombre de *Koldo*.

Mario compra la casa de Colliure. Quiere pasar buena parte del verano en ese pueblo porque lo encuentra paradisíaco y le recuerda la felicidad que tuvieron Koldo y Elisa. Sueña con el ventanal y sus vistas al mar y se imagina a él y a Julita viviendo el gran amor de Koldo y Elisa. Como es imposible legalizar los papeles, a causa de los años que exige la justicia para dar por fallecida a Elisa, acuerdan con la familia de ella firmar un contrato privado y mantenerse a la espera.

Nadie ha osado quitar la silla de ruedas del puerto de Colliure, y ésta permanece entre las rocas, medio oxidada, como si fuese una escultura. La gente del pueblo prefiere que las olas se la lleven al fondo del mar y repose eternamente.

Cada jueves, Mario y Julita van a comer al Ernani. Allí recuerdan los buenos momentos y las historias narradas por Koldo y disfrutan de los platos preparados con cariño por Txaro y servidos por un Gaizka lleno de humor. No hay excepción: cada jueves se brinda por el amor de Koldo y Elisa. Txaro hace sonar las cacerolas, se hace el silencio y todo el mundo, incluida la clientela, bebe el txacolí que tanto le gustaba a Koldo.

Este libro se terminó
de imprimir en Barcelona
en mayo del 2005